Las huellas del futuro

Las huellas del futuro

Historiografía y cultura histórica
en el siglo xx

FERNANDO SÁNCHEZ MARCOS

Universitat de Barcelona

Publicacions i Edicions

Universidad de Barcelona. Datos catalográficos

Sánchez Marcos, Fernando

    Las huellas del futuro: historiografía y cultura histórica
en el siglo XX. – (Universitat ; 53)

    Bibliografia. Índex
    ISBN 978-84-475-3592-7

    I. Títol   II. Col·lecció: Universitat (Universitat
de Barcelona); 53   1. Historiografia   2. S. XX

© Publicacions i Edicions de la Universitat de Barcelona
   Adolf Florensa, s/n
   08028 Barcelona
   Tel.: 934 035 530
   Fax: 934 035 531
   comercial.edicions@ub.edu
   www.publicacions.ub.edu

ISBN   978-84-475-3592-7
Depósito legal   B-22.316-2012
Impresión y encuadernación   Gráficas Rey

*A mis hijos, Fernando y Enrique,
por todo lo que me han ayudado
a aprender y a comunicar*

Índice

Presentación

Las huellas del futuro. ¡Un nombre enigmático, sin duda, para titular una panorámica sobre las principales formas en que se ha pensado, escrito y comunicado el pasado en el siglo XX! Pero ¿acaso la elaboración de un relato histórico no constituye, en gran parte, una proyección de los horizontes de espera del grupo humano en el que surge? Tras los certeros análisis de Reinhart Koselleck, me parece que quedan pocas dudas ya al respecto. El presupuesto central de esta obra es que la historia ha sido en el siglo XX una disciplina abocada, en buena medida, a encarar y configurar el futuro, aunque haya tratado directamente sobre los cambios acontecidos en el pasado.

La narrativa histórica, como constructo cognitivo-existencial, resulta de la combinación de una doble mirada. Una es la mirada con aspiraciones de verdad a las *res gestae*, a las realidades acontecidas en un tiempo pretérito de las que tenemos múltiples trasuntos, representaciones o fuentes. La otra mirada del historiador, aunque sea involuntaria o menos consciente, es una «mirada» o una «visión» del futuro. Pues la persona humana es, por su condición existencial, un ser «futurizo», que labra su vida personal y social a partir de unas experiencias vitales (sean éstas reconfortantes o hirientes) y con vistas a unas expectativas (más menos fundamentadas).[1] La identidad es precisamente esta intersección entre las fuerzas del pasado y la orientación que les da el sujeto de cara al futuro.

Pienso que para explicar las principales corrientes o tendencias historiográficas que se han sucedido, solapado y entrecruzado en el siglo XX, no basta que nos limitemos a comentar los diversos métodos (los diversos itinerarios cognitivos disciplinados) que los cultivadores de la historia han utilizado en su intento de captar las actividades de los hombres y mujeres que nos han precedido. Unos métodos, por cierto, que hasta hace no mucho, querían emular el

---

1 Ortega y Gasset captó muy bien la inclinación futuriza del ser humano y describió la acción del hombre como una continua conquista del futuro. «El hombre-masa es el hombre cuya vida carece de proyecto y va a la deriva. [...] Porque vivir es ir disparado hacia algo, es caminar hacia una meta» (ORTEGA Y GASSET, J.: *La rebelión de las masas*. Madrid, Alianza, 2005, pp. 153 y 157). «En este sentido, el hombre no es una cosa, sino una pretensión, la pretensión de ser esto o lo otro» (ORTEGA Y GASSET, J.: *Meditación de la técnica y otros ensayos*. Madrid, Alianza, 1998, p. 48).

estatus científico de las ciencias de la naturaleza. Tampoco es suficiente que tratemos de esclarecer los paradigmas mentales básicos (las teorías del conocimiento y las visiones del mundo) en el seno de las cuales se han forjado esos métodos para analizar y recrear el pasado.

Es más importante aún que demos a conocer los cambiantes climas culturales preponderantes en cada etapa; las diversas mentalidades y expectativas político-sociales en consonancia con los cuales se han plasmado esos fragmentos de autobiografía de la humanidad a los que llamamos escritura histórica. Así, por poner un ejemplo, dista mucho el clima cientificista y racionalista preponderante en Europa a principios del siglo xx, del que observamos en los inicios de este siglo xxi. En aquel, cuando Lord Acton escribía el prólogo de la acreditada historia universal fraguada en torno a la Universidad de Cambridge, prevalecía un cientificismo racionalista y una casi ilimitada confianza en el porvenir, en el momento del cenit de la dominación de Occidente sobre el mundo. Ahora, tras las evidencias de que la ciencia puede ponerse al servicio de totalitarismos inhumanos, como el nazi o el soviético y de que la razón ha servido con frecuencia como coartada para el poder y la exclusión social, Occidente ve cuestionada también desde dentro su (presunta) superioridad cultural y se extiende en él una mentalidad desconfiada y propensa al nihilismo que deslegitima los relatos históricos de la modernidad europea, por considerarlos infundadamente arrogantes.

Desde este prisma de lectura «futurizo», las páginas que siguen, fruto de una dilatada experiencia investigadora y docente, buscan proporcionar una obra de referencia articulada, legible y dialogante para conocer las diversas y cambiantes formas de representar el pasado surgidas o difundidas a lo largo del siglo xx y a principios del siglo xxi. En consecuencia, este libro ofrece en buena medida una relectura de las principales tendencias, corrientes o escuelas historiográficas «actuales». Se suma, así, gustosamente, a algunas otras iniciativas similares, relativamente recientes en el mundo hispánico, que espigaré al paso de los próximos capítulos.

El objeto de este libro, pues, es la práctica historiográfica del siglo xx y las tendencias que pueden atisbarse en los primeros compases del siglo xxi. En otras palabras, a lo largo de las próximas páginas desgranaré los postulados teóricos, los sistemas metodológicos, los estilos narrativos y las temáticas de interés que han ido pautando la labor de los historiadores durante el último siglo. Presentaré las principales escuelas historiográficas que se han sucedido o compaginado y reseñaré las obras que han supuesto un hito o un punto de referencia para la comunidad internacional de historiadores e historiadoras. De todos modos, no me limitaré a reseguir la evolución de la escritura de la historia en el mundo académico. Una de las finalidades de este libro es, precisamente, contribuir a ampliar el foco de estudio de la historia de la historiografía, subrayando la importancia que tiene también el análisis de la cultura histórica, es decir, el estudio de las representaciones literarias, artísticas y teatrales del pasado que surgen e impregnan la cultura popular, la vida cívica y el discurso político. A la «cultura histórica» y a la «memoria social» dedico, precisamente, el último capítulo de la obra.

Querría que este libro ofreciera una panorámica sistemática, clara y concisa de la evolución de la historiografía contemporánea. Deseo que, en los próximos capítulos, los estudiantes de historia puedan encontrar un manual. Un manual completo y a la vez asequible con el que puedan comprender la historiografía del siglo xx y, al mismo tiempo, descubrir las problemáticas teóricas y la pluralidad de opciones metodológicas que ofrece la ciencia literaria a la que quieren consagrar su vida profesional: la historia. En definitiva, me gustaría que este libro supusiera una invitación a los alumnos para «pensar la historia» un poco más a fondo.

Deseo que *Las huellas del futuro* sea de interés también para la comunidad de historiadores, para aquellos que dedican su tiempo a analizar el pasado y a salvarlo del olvido a través de la palabra. Espero que la hermenéutica crítica que realizo de las tendencias historiográficas contemporáneas aporte nuevas luces para entender el desarrollo y la situación actual de la ciencia histórica y, a la vez, suponga un acicate para tomar mayor conciencia y repensar las partituras teóricas y metodológicas que regulan nuestra investigación histórica. Como he apuntado ya, abrigo la esperanza de que este libro coadyuve también a ampliar el campo de la investigación historiográfica y ofrezca nuevas perspectivas para su práctica. Y, por encima de todo, querría que este recorrido historiográfico constituyera un pequeño pero intenso viaje intelectual por el siglo xx y por sus paradigmas teóricos y vitales.

En la gestación de este libro ha sido importante el bagaje de reflexión, erudición y ejercicio de escritura que han significado para mí algunas publicaciones anteriores en el ámbito de la historia y la teoría de la historiografía. Me refiero, sobre todo, al libro *Invitación a la historia: La historiografía de Heródoto a Voltaire a través de sus textos»,*[2] a la adaptación y revisión científica de la edición castellana de la celebrada panorámica de Georg G. Iggers *Geschichtswissenschaft im 20. Jahrhundert, La ciencia histórica en el siglo xx,*[3] y a la colabo-

---

2 Sánchez Marcos, Fernando: *Invitación a la historia: La historiografía, de Heródoto a Voltaire, a través de sus textos.* Barcelona, Idea Books, 2002, 3.ª ed. (1.ª ed. 1988).

3 Iggers, Georg G.: *La ciencia histórica en el siglo xx. Las tendencias actuales.* Presentación, adaptación y revisión científica de Fernando Sánchez Marcos. Barcelona, Idea Books, 1998, 2.ª ed. (1.ª ed. 1995).

ración, como coautor, en la *Historia de la historiografía española* dirigida por J. Andrés-Gallego.[4] También me han llevado a conocer mejor y a reflexionar más a fondo sobre las tendencias historiográficas contemporáneas algunos estudios realizados sobre ámbitos más especializados; así, sobre la influencia de la historiografía alemana en España en el decenio de 1990,[5] sobre la interpretación de la tarea del historiador como traductor en el sentido de mediador entre culturas (comunidades discursivas) diferentes[6] y sobre el impacto de la reciente globalización o mundialización en el pensamiento y la escritura de la historia.[7]

Deseo aclarar que esta obra no es una *Invitación a la historia*, ii. Ciertamente, aquí retomo problemáticas propias de la teoría de la historia que abordé en aquella, pero este libro tiene una estructura distinta. Aquí engarzo, en mi reflexión y exposición panorámicas, textos numerosos, bastante breves por lo general. *Invitación a la historia*, en cambio, consistía, en buena parte, en una antología o crestomatía de textos más bien extensos. Este trabajo es, en mayor medida que *Invitación a la historia*, un ensayo interpretativo en el que fluye más mi propio discurso y en el que he tratado de decantar lecturas de muchos años, sin descuidar, en la argumentación, las oportunas y numerosas referencias eruditas.

He escrito antes «mi propio discurso» (discurso en el sentido de pensamiento). Me corrijo. En realidad, toda tarea intelectual, y también esta, tiene mucho de aventura compartida. Un libro es, en buena parte, el eco de múltiples diálogos explícitos o implícitos. En mi caso, muchos de estos interlocutores (historiadores, sociólogos, filósofos, antropólogos o lingüistas) son mencionados explícitamente en el texto o en las notas. Pero otros, no. Con todo, reconozco con gusto que en la elaboración de este estudio ha tenido asimismo una gran importancia la experiencia de reflexionar ante los alumnos y con los alumnos en las numerosas asignaturas que he impartido en la Facultad de Geografía e Historia de la Universidad de Barcelona. Desde 1986, he dialogado

---

4 ANDRÉS-GALLEGO, José (ed.): *Historia de la historiografía española*. Madrid, Ediciones Encuentro, 2003, 2.ª ed. (1.ª ed. 1999).

5 SÁNCHEZ MARCOS, F.: «La influencia de la historiografía germánica en España en el decenio de 1990-1999», en BARROS, C. (ed.): *Actas del II Congreso Internacional Historia a Debate*, vol. I. A Coruña, 2000, pp. 129-138.

6 SÁNCHEZ MARCOS, F.: «El historiador como traductor», *Pedralbes. Revista d'Història Moderna*, núm. 21, 2001, pp. 27-44.

7 SÁNCHEZ MARCOS, F.: «El proceso hacia la globalización y el cambio de perspectiva historiográfica: algunas aportaciones». Esta comunicación fue presentada en las VIII Conversaciones Internacionales de Historia (Universidad de Navarra, 2011), y se encuentra actualmente en prensa.

y aprendido con los estudiantes de asignaturas distintas pero relacionadas: historiografía moderna, tendencias historiográficas actuales, fundamentos de historiografía y pensar la historia.

En el humus o *background* en que han surgido estas páginas hay otro elemento capital, que se refleja en el contenido y el subtítulo del libro: el trabajo que he desarrollado desde el año 2000 en el ámbito de la cultura histórica, es decir, grosso modo, trabajando sobre la imagen pública del pasado que crean tanto o más los novelistas, cineastas y otros profesionales que los historiadores académicos. Esa dedicación a la cultura histórica la he llevado a cabo en la dimensión docente y en la investigadora, las cuales se han visto entrelazadas sobre todo partir del año 2009, cuando impulsé la aparición del portal web www.culturahistorica.es. Así, en las páginas que siguen hay un ensanchamiento de la problemática respecto a *Invitación a la historia*, que constituye otra diferencia entre ambas obras.

Un epígrafe dedicado a los agradecimientos que hiciera justicia con detalle a todas las personas que me han ayudado a crear esta obra excedería la brevedad obligada en este tipo de libros. A pesar de ello no quiero dejar de expresar, nominalmente o en grupo, algunos reconocimientos y deudas de gratitud. Dejo constancia de mi agradecimiento a Charles-Olivier Carbonell (mi primer maestro en historiografía), a Georg G. Iggers, Jörn Rüsen y los demás colegas de la International Commission for the History and Theory of Historiography; a todos los autores que han aportado textos para el portal www.culturahistorica.es; a Jaume Aurell por invitarme (junto a otros profesores españoles) a que escribiese una breve autobiografía intelectual, a los organizadores de encuentros científicos como las Conversaciones Internacionales de Historia (Pamplona) e Historia a Debate (Santiago de Compostela), a Agustí Colomines (compañero de fatigas en la Universitat de Barcelona en la reflexión sobre cómo estudiar y enseñar Tendencias historiográficas actuales). En mi propio Departamento de Historia Moderna de la UB, quiero destacar a Xavier Gil por sus sugerencias y comentarios de lecturas sobre teoría de la historia, a Joan Lluís Palos, como codirector del máster en Cultura histórica y comunicación (e interlocutor en ese ámbito durante diez años) y como investigador principal del proyecto de investigación HAR 2009-0819 del Ministerio de Ciencia e Innovación, en cuyo marco he realizado este trabajo; y a Xavier Baró, como discípulo que siempre me ha impulsado para que publicara (o reeditara). También reconozco lo que debe esta obra al trabajo previo de quienes han dirigido en el mundo editorial colecciones en las que he encontrado una buena parte de los libros que han alimentado mis reflexiones. Así, para limitarme al mundo hispánico, a quienes han trabajado, por ejemplo, en Fondo de Cultura Económica (México), Labor y Paidós (Barcelona), Akal (Madrid) y Publicaciones de la Universitat de València. Agradezco también a Pere J. Quetglas el interés mostrado por esta obra.

En otro plano, las conversaciones humanísticas de sobremesa con mis hijos (Fernando y Enrique) y el aliento recibido de mi mujer, Pilar Costa, han sido una valiosa y amable ayuda para escribir este libro. A todos ellos mi agradecimiento y afecto. Este agradecimiento se incrementa en el caso de Fernando Sánchez Costa por la ayuda que me ha brindado en la revisión del texto, especialmente en sus últimos capítulos. En el último él aparece, es de justicia, como coautor.

Introducción

Clío, la musa de la historia, tiene a sus espaldas veinticinco siglos. ¿Demasiados para seguir siendo interesante? Espero demostrar la legitimidad de la respuesta contraria. Clío es una musa anciana pero siempre renovada. Tanto como la condición humana. Pues la historia, como conocimiento del pasado humano, es más que un saber o una disciplina más o menos científica. La historia deriva de la historicidad humana, una dimensión capital de nuestra existencia. Ser humano implica ser en el tiempo. La aprehensión del pasado —de nuestro pasado personal y colectivo— no es un lujo, está en el centro de la conciencia personal y es premisa de la libertad[1] para encarar con lucidez el futuro. Así, Jörn Rüsen, uno de los más destacados especialistas en teoría de la historia, remarca desde el inicio de una de sus obras de síntesis, la necesidad de la historia para orientar la vida humana. A la pregunta sobre qué es la historia, responde que:

> [...] history is time which has gained sense and meaning [...]. It combines past, present and future in a way that human beings can live in the tense intersection of remembered past and expected future. History is a process of reflecting the time order of human life, grounded on experience and moved by outlooks on the future.[2]

En *Invitación a la historia* he presentado una panorámica de veintitrés siglos de la historiografía (como teoría y práctica de la historia) europea, desde Heródoto hasta Voltaire.[3] No es mi propósito repetir aquí ni siquiera las pági-

---

1 En efecto, el conocimiento de la pluralidad de formas que ha adquirido el mundo, la sociedad y el individuo a lo largo del tiempo, permite al sujeto tomar conciencia de la contingencia de su realidad y, por tanto, de la posibilidad de transformarla y modificarla creativamente. En este sentido, la aprehensión de la temporalidad y del carácter cambiante del mundo es premisa para la conciencia de la libertad y estímulo para el compromiso por la mejora de las condiciones de la existencia humana.

2 Rüsen, Jörn: *History: Narration, Interpretation, Orientation*. Nueva York, Berghahn, 2005, p. 2. La importancia que da Rüsen a esa «intersección» del pasado experimentado y el futuro esperado remite inmediatamente a la teoría de la historia de Reinhart Koselleck. Cfr. *Vergangene Zukunft. Zur Semantik geschichtlicher Zeiten*. Frankfurt, Suhrkamp, 1979 (trad. esp.: *Futuro pasado*. Barcelona, Paidós, 1993).

3 Sánchez Marcos, F.: *Invitación a la historia. La historiografía de Heródoto a Voltaire a través de sus textos*. Barcelona, Idea Books, 2003 (1.ª ed. 1988).

nas finales (síntesis recapitulativa) de esa obra. Remito al lector a ella. Pero sí quiero hacer algunas consideraciones que me parecen útiles al evocar la larga duración de esa manera de aproximarnos a las realidades humanas a la que llamamos historia. Me parece importante, en esta introducción, precisar conceptualmente algunos de los términos que irán apareciendo a lo largo de las páginas de este libro («historia», «historiografía», «historiología»), apuntar algunos criterios que he seguido para ordenarlo y esbozar algunas pautas metodológicas necesarias para un análisis historiográfico completo.

Mi primera consideración parte del testimonio del lenguaje. En todas las lenguas latinas, en buena parte de las anglosajonas e incluso en varias de las eslavas, utilizamos aún unos términos casi idénticos, derivados de un vocablo griego latinizado (*historia*) para indicar el intento de conocer (indagar) y explicar racionalmente los hechos gloriosos o infames de quienes nos precedieron. ¿No es ello una buena prueba de la vigencia latente que tiene el pensamiento helénico en nuestra cultura europeo-occidental? Pero no se trata solo de términos eruditos, utilizados por inercia y sin sustancia. Cuando leemos cómo relata y valora Tucídides los terribles enfrentamientos entre atenienses y espartanos percibimos la actualidad o «contemporaneidad» de esa problemática con las guerras (in)civiles europeas del primer tercio del siglo xx. La historia es siempre una indagación sobre la naturaleza y la condición humana. Por eso afirmaba Croce que «toda historia es historia contemporánea».

Esta constatación no significa que entre los griegos y nosotros no se hayan producido unas transformaciones importantes en las formas de pensar, escribir y transmitir los acontecimientos del pasado. Ciertamente, la marca helénica originaria sigue subsistiendo en la reflexión y en la escritura sobre el pasado hoy,[4] pero la aproximación clásica no da razón completa, ni mucho menos, de la forma que tenemos hoy de abordar el pretérito. Las transformaciones y los modos distintos que se han dado en el estudio de la historia en el siglo xx no serían cabalmente entendidos sin tener en cuenta la incidencia de otros factores claves posteriores en la evolución de la historiografía europeo-occidental.

A lo largo de los últimos veinticinco siglos, Clío ha sido testigo de nuevas experiencias, se ha sumergido en diversos paradigmas y ha empapado su mirada con los distintos horizontes intelectuales y morales que ha transitado el

---

4 Cfr. HARTOG, François: *Évidence de l'histoire*. París, Gallimard, 2005. Se trata de una excelente recopilación de artículos sobre la importancia y vigencia de la marca helénica en la historiografía posterior, hasta la actualidad. También Arnaldo Momigliano ha estudiado con maestría y lucidez el legado de la Antigüedad grecolatina a la teoría y la práctica de la historia, en sus diversos métodos y géneros, desde el Renacimiento hasta el siglo xx. Cfr. su libro *The Classical Foundations of Modern Historiography*. Berkeley, University of California Press, 1992.

Viejo Continente. Decisivo fue, por ejemplo, el «bautismo de Clío», es decir, la introducción de la cosmovisión cristiana en la hermenéutica de la historia. Sin duda, la interpretación judeocristiana del tiempo originó (o cuando menos avivó fuertemente) el sentido finalístico de la historia y la noción de progreso. En efecto, el relato bíblico alberga una permanente expectativa de futuro (delineada por las promesas de Dios) y está ritmado por el progresivo avance hacia «la plenitud de los tiempos». La Biblia es —también— una historia: una historia de salvación. Para aquel que lee la historia en clave cristiana, las aventuras y desventuras humanas se encaminan a un fin trascendente y cumplen un propósito salvífico que está por encima de los avatares políticos. La historia tiene, pues, una finalidad (la plenitud de la humanidad en Dios) y, por tanto, un sentido.

A partir de ahí, la pregunta por el sentido (transmundano y/o intramundano) de la historia aguijoneará tanto a los *philosophes* o intelectuales ilustrados del siglo XVIII (así a Condorcet y Kant), como a los grandes pensadores del siglo XIX (Compte, Hegel o Marx). Y en cada uno de ellos, esa finalidad unitaria, ese futuro esperado confiadamente, deja su huella en su interpretación o visión de la historia transcurrida. En el siglo XX, como veremos en su momento, no faltan autores que siguen profundamente interesados en la pregunta por el sentido de la historia (así Löwith o Nisbet), pero las experiencias terribles del totalitarismo del siglo XX llevan a muchos a cuestionar la convicción, capital en la modernidad, de que el devenir de la humanidad (la historia universal) sea transparente a la razón y de que aquella siga progresando. Este cuestionamiento de la racionalidad, unidad y progreso de la historia ha sido especialmente radical entre los historiadores llamados con frecuencia posmodernos.

Hay otras dimensiones en la práctica de la historia actual en las que somos deudores en buena medida de aportaciones surgidas o difundidas en la época del Renacimiento humanista y el Barroco. Así sucede con la crítica históricofilológica de documentos y el propio concepto de «anacronismo» (representados por L. Valla y Dom J. Mabillon). O las geniales intuiciones interdisciplinares sobre la historia de la cultura y para una embrionaria teoría de la historia de Giambattista Vico.

Llegados a este punto, quizá se habrá notado que hemos hecho hasta ahora un uso ambiguo del término «historia». Por ello, recordemos una distinción canónica y clara a primera vista: en principio cabe distinguir dos sentidos del término «historia». En un sentido, «historia» significa el conjunto de hechos o realidades acontecidas (*res gestae*), los pequeños o grandes acontecimientos transcurridos en el pasado, no tomados individualmente sino en una secuencia (más o menos larga y más o menos articulada), cuyo límite sería la evolución de toda la humanidad. Así hablamos del curso de la historia o de la trágica historia del pueblo judío durante el nazismo. En otro sentido, la historia es el conocimiento, mediato y metódico, plasmado en una representación o relato, de un pasado humano del que se ha podido obtener información razonablemente cierta. Este conocimiento[5] tiene como objeto el cambio en las condiciones de vida humanas. «Historia-acontecimiento» e «historia-conocimiento» serían dos expresiones para sintetizar esta distinción.

Pienso que es posible postular un enfoque filosófico realista de aproximación al pasado, mantener la postura de que el conocimiento del pasado no se reduce a una mera construcción mental del historiador, sino que tiene un componente de captación de una actividad humana, de un mundo vital, pretérito. Esta aprehensión o captación es posible por la comunidad de naturaleza (la común condición humana, indigente, temporal y afanosa de perdurar) entre el historiador y los seres humanos que este estudia.

Pero no puede negarse que esas vidas entrelazadas en el pasado (las *res gestae*, el objeto de estudio) solo cobran una configuración concreta y recobran actualidad en la medida en que los sujetos cognoscentes en el hoy (historiadoras e historiadores) van desvelando y tramando (en unidades de sentido) los indicios o vestigios de esas «presencias» humanas en gran parte ya desvanecidas. La tensión veritativa, la búsqueda de la verdad sobre unas realidades pasadas,[6] como referente sólido, es más (para quien investiga el pasado) un horizonte y un compromiso ético que un logro definitivo y totalmente satisfactorio. Una historia (como relato explicativo y fiable) es solo una más en el mar de historias posibles.[7] Hay incluso más de «cien formas de contar la historia».[8] Pero «ars larga, vita brevis». Por ello y para los propósitos, también didácticos, de este ensayo panorámico, nos vemos obligados a simplificar la enorme multiplicidad de aproximaciones al pa-

---

5 Henri-Irénée Marrou ha definido la historia, en ese sentido, como «conocimiento del pasado humano» (cfr. *El conocimiento histórico*, Barcelona, Labor, 1968, p. 26). Ahora está renaciendo en el ámbito hispánico el interés por esa obra de Marrou, como un clásico de la filosofía crítica de la historia. He procurado contribuir a ello impulsando una reedición de esta obra en la editorial Idea Books, en 1999.

6 Aunque volveremos sobre esta cuestión crucial de la verdad en la historia, remito desde ahora a un magnífico artículo de Paul Ricœur titulado «Objetividad y subjetividad en historia» y publicado por el mismo autor en su obra *Historia y verdad*. Madrid, Encuentro, 1990, 3.ª ed., pp. 23-40.

7 «Toute histoire n'est qu'un choix dans l'immensité de "la mer des histoires" possibles», PARAVICINI, Werner: «Remarques liminaires», en GRELL, C.; PARAVICINI, W.; VÖSS, J.: *Les princes et l'histoire du xive au xviiie siècle*. Bonn, Bouvier Verlag, 1998, p. XI.

8 Rindo homenaje, con esta expresión, al gran historiador francés François Guizot, quien la utiliza en su epistolario. Cfr. CARBONELL, Charles-Olivier: *L'historiographie*. París, Presses Universitaires de France, 1981, p. 84.

sado, que se han sucedido y solapado en el siglo xx, en unas cuentas corrientes, tendencias o escuelas historiográficas.[9]

Richard Schaeffler, en una excelente introducción a la filosofía de la historia, ya clásica aunque apenas difundida en el mundo hispánico, ha tratado ampliamente la cuestión de cómo se relaciona el objeto de la historia, los cambios acontecidos a lo largo del tiempo en las condiciones de vida humanas, con las diferentes (in)capacidades que pueden darse para acceder a ese objeto por parte de los historiadores. Por ello, Schaeffler propone, como punto de partida, una definición abierta de historia, que suena así: la historia es la sucesión de los cambios (o transformaciones) en las condiciones humanas de vida, en la medida en que esa sucesión es reconstruible mediante la interpretación de los testimonios. Así pues, la historia tiene ese doble (y apenas disociable) sentido de cambios acaecidos en el mundo humano y de representación (o reconstrucción) indirecta de ellos.[10]

Por su parte, más recientemente, Krzysztof Pomian me parece que ha sabido sintetizar muy bien esta casi infinita diversidad de la teoría y la práctica historiográfica recientes. Cito un fragmento suyo algo extenso, porque me parece que ilumina las diversas dimensiones del trabajo de los historiadores y la complejidad de la práctica historiográfica —diálogo constante entre múltiples estratos temporales, experienciales y hermenéuticos—:

La palabra historia designa hoy un conjunto epistemológico heterogéneo de prácticas cognitivas (que van desde los procedimientos más tradicionales a las técnicas punta) y un conjunto estilísticamente heterogéneo de prácticas de escritura (que van desde el relato literario hasta las ecuaciones de un modelo econométrico retrospectivo). Esta heterogeneidad compartida con todas las otras disciplinas del saber e inherente a casi todos los conceptos que ellas utilizan, manifiesta en primer lugar, pero no solamente, su historicidad intrínseca. Muestra que aquellas [disciplinas] son en sí mismas el resultado provisional de una sucesión milenaria de sedimentaciones. Cada una de estas sedimentaciones ha dejado detrás de sí un

---

9 Solo en un sentido lato cabría dar auténtica vigencia en los últimos decenios a este término. Sin embargo, no faltan obras que lo utilizan incluso en su título, así la más amplia de G. Bourdé y H. Martin: *Les écoles historiques*. París, Seuil, 1990 (trad. esp.: *Las escuelas históricas*, Madrid, Akal, 1992) y la síntesis, con el mismo título, publicada en la colección «Que Sais-Je?», escrita por G. Thuillier y J. Tulard (París, Presses Universitaires de France, 1990); con todo, una de las conclusiones de esta obra es que «no hay, por lo demás, [ya] escuelas en sentido tradicional, sino redes de amistad, de afinidades, de influencias, de solidaridades de poderes, "comunidades" de lenguaje y de representaciones, pero estas redes tienden cada vez más a ser inestables, fragmentadas y esta fragmentación no deja de ser a veces inquietante» (p. 121).

10 «Geschichte ist die Abfolge von Veränderungen menschlicher Lebensverhältnisse, sofern sie für uns durch Interpretation von Zeugnissen rekonstruierbar wird». Schaeffler, R.: *Einführung in die Geschichtsphilosophie*. Darmstadt, Wissenschaftliche Buchgesellschaft, 1980 (2.ª ed. ampl.), p. 6.

estrato de preguntas, de procedimientos, de documentos, de monumentos exhumados y de obras escritas por los historiadores, que tienen por resultado una superposición de unos estratos sobre otros, en la que los posteriores modifican la significación, si no la apariencia misma de los estratos anteriores por un efecto de retorno. Hablar de historia sin tener en cuenta su historicidad es, de entrada, condenarse a no entender nada.[11]

Tomamos buena nota de la advertencia que nos hace Pomian en la última frase del texto citado. En consonancia con ella y para lograr entender las múltiples tendencias historiográficas del siglo XX, haremos referencia con cierta frecuencia en este libro a autores y conceptos ubicados originariamente en estratos temporales anteriores al siglo pasado.

Merece la pena llamar la atención, ya desde ahora, sobre la reveladora pluralidad de criterios denominativos que se ha seguido para identificar usualmente las principales tendencias o etapas claves en la evolución de la historiografía. Veremos que las distintas denominaciones pueden derivar de un enfoque filosófico (positivismo), de una revista (la francesa *Annales*), de un autor de especial relevancia e influencia (Marx y marxismos) o de la institución universitaria a la que se asocia una corriente (así la Escuela de Bielefeld, en Alemania). También un artículo interpretativo que marca un hito puede estar en la génesis de una denominación (pienso en el escrito de Lawrence Stone sobre el «retorno de la narrativa»), al mismo tiempo que una problemática o un reto contemporáneo puede impulsar y dar nombre a una corriente historiográfica (estudiaremos los casos de la historia medioambiental o de la historia global). En algunos casos, ha sido una categoría analítica o temática que había sido desdeñada y se ha pretendido reivindicar la que ha identificado a una tendencia (la *Alltagsgeschichte*; la microhistoria, la historia de las mujeres y/o del género) y, en otras ocasiones, una expresión afortunada ha llegado a designar un cambio de orientación (*linguistic turn*, giro lingüístico).

Al revisar los nombres de las diversas tendencias historiográficas que se han sucedido y solapado en el siglo XX, he asociado algunas de ellas a las problemáticas de las que éstas se ocupan prioritariamente. Las he clasificado, pues, en función de su objeto de estudio. Pero cabe señalar que, en realidad, la historia nunca es, como ha recordado Hayden White inspirándose en C. Lévi-Strauss, solo *history of* (historia de algo o alguien); siempre es, a la vez, *history for* (historia a favor de una causa más o menos precisa).[12] Así, por ejemplo, la apari-

---

11   POMIAN, Krzysztof: *Sur l'histoire*. París, Gallimard, 1999, pp. 31-32 [trad. del autor].
12   «History is never only history *of*; it is always history *for*», WHITE, Hayden: *Tropics of Discourse*. Londres, J. Hopkins University Press., 1978, p. 104.

ción de una historia medioambiental, una de las últimas tendencias en el gremio de los historiadores, es prácticamente inconcebible sin tener en cuenta el interés de una buena parte de ellos por contribuir, desde el análisis histórico, a la salvaguarda del entorno natural. En consecuencia, su compromiso cívico presente es difícilmente disociable de la opción preferente por la problemática medioambiental en su aproximación al pasado.

En el capítulo final abordo dos temáticas (la «cultura histórica» y la «memoria histórica»), que tienen su propia especificidad respecto al elenco de escuelas o tendencias que trato en los capítulos anteriores. El último apartado del libro constituye una tentativa de estudiar unas vías sociales de acceso y actualización del pasado que han quedado habitualmente al margen de los estudios historiográficos. Ciertamente, a diferencia de lo que sucede en las corrientes que abordaré en los demás capítulos, en la cultura histórica y en la memoria histórica —fraguas decisivas de la conciencia histórica ciudadana—, los escritores académicos de historia tienen un protagonismo acotado respecto a otros agentes creadores y difusores de las representaciones del ayer. Pero pienso que somos cada vez más conscientes de que la comprensión social del pasado no depende exclusivamente —ni muchas veces principalmente— de la forma en que lo explican los historiadores profesionales. Las películas, las novelas históricas, la didáctica histórica en la escuela, los relatos familiares, influyen también decisivamente en el modo en que los ciudadanos representan el pasado e interactúan con él en distintos niveles. Presentando y definiendo categorías como «cultura histórica», «historia popular» o «memoria pública» pretendo dar a conocer algunas propuestas teórico-metodológicas, así como algunos estudios de caso, que se han llevado a cabo para analizar el modo en que el conjunto social vive y transmite su experiencia histórica.

He utilizado y emplearé a menudo el término «historiografía» (o los adjetivos derivados de él). Dado que es también polisémico, merece la pena clarificarlo en unas líneas. Como se puede comprobar en diversos diccionarios de lengua recientes, historiografía puede entenderse básicamente en dos sentidos. En el primero y más común hoy, la historiografía (la escritura de la historia) equivale a un conjunto de obras escritas sobre el pasado, surgidas en un determinado tiempo, en un ámbito político-cultural, que tratan de una temática desigualmente concreta y se han elaborado desde un enfoque metodológico y ético-político más o menos coherente. Así podemos hablar, por citar ejemplos en distintos registros, sin pretensiones exhaustivas, de historiografía medieval o de historiografía de principios del siglo xx, de historiografía centroeuropea o catalana, de historiografía sobre los estados o de historiografía urbana, de historiografía marxista, liberal o positivista, y de historiografía internacionalista o nacionalista.

Pero «historiografía» se emplea no solo en el sentido ya comentado, como un conjunto, más o menos amplio o coherente, de obras sobre el pasado con unos requisitos metódicos y con una tensión veritativa. También puede entenderse por historiografía una metahistoria o historia de segundo grado, es decir el estudio de cómo los historiadores e historiadoras han elaborado, a lo largo del tiempo, sus discursos. El historiógrafo lleva a cabo una historia de la escritura y la investigación históricas, una radiografía de cómo ha evolucionado la indagación y transmisión del pasado. En esta acepción, la historiografía no se interesa directamente por los acontecimientos o procesos del pasado, sino por cómo estos han sido escogidos, captados y representados por los autores de obras de historia. Así las preguntas fundamentales serían qué visiones del mundo, opciones político-sociales, formas estéticas y métodos de indagación sobre los vestigios del pasado han estado en juego en la creación de la obra histórica. Sabemos que escribir historia es seleccionar. La historiografía como disciplina histórica se pregunta por los criterios explícitos o implícitos que han guiado al historiador en la selección de fuentes y en la configuración de la interpretación unitaria de «su» temática. De este modo, la historiografía se convierte en una ventana indirecta de acceso a los universos mentales y simbólicos imperantes en una época (al menos en determinados círculos intelectuales). En este sentido, la historiografía estudia directamente las condiciones de producción, los contenidos de los relatos históricos, su forma y su difusión. Pero a través de la identificación de las categorías intelectuales, éticas y políticas de los historiadores, la historiografía contribuye a alumbrar derivadamente los presupuestos culturales (las mentalidades) y la praxis cultural de un determinado periodo. Cabe remarcar también que, en cuanto estudio de la manera en que se ha investigado y escrito la historia, la historiografía confina con la historiología.

El término «historiología», aunque poco usado hoy en español, es interesante.[13] La historiología, como trasluce ya la voz griega *logos* (razón o palabra), define una aproximación al pasado en la que prevalece el aspecto teórico-filo-

---

13 Entre quienes han empleado este concepto en el siglo XX se encuentran el filósofo español José Ortega y Gasset y el historiador mexicano Edmundo O'Gormann. La *Encyclopedia of Historians and Historical Writing*, vol. 1 (Londres, Fitzroy Dearborn Publishers, 1999), editada por Kelly Boyd, ofrece un clarificador artículo de Allan Megill sobre «Historiology / Philosophy of Historical Writing» (pp. 539-543), cuyo inicio merece reproducirse: «The search for a theoretical understanding of historical thinking and writing has often been called "philosophy of history" –specifically, "analytic", "formal", or "critical" philosophy of history. But it is probably better to reserve the term "philosophy of history" for attempts to understand the general shape of history itself (discussed in the article Philosophy of History). The topic of the present article will be called "historiology", because use of a separate word helps to keep us from confusing two different, although not unconnected, projects».

sófico de reflexión sistemática sobre las cuestiones más radicales que plantea la historia (como conocimiento o como evolución humana). En el siglo XX, tras el cientificismo y la sospecha respecto a la metafísica, la historiología se ha dedicado fundamentalmente a tratar problemáticas epistemológicas. Así, se ha ocupado de los diversos modos en los que han sido respondidas, de manera crecientemente compleja, articulada y explícita (a partir de Dilthey y de otros autores), cuestiones del siguiente cariz: el historiador, como estudioso del pasado humano, ¿tiene acceso realmente a algún tipo de verdad sobre este?, y, en caso afirmativo, ¿qué requisitos ha de implicar su aproximación al pasado y qué características tiene el conocimiento que ella o él elabora?[14] ¿Es sustancialmente el mismo ese tipo de conocimiento o de saber que el obtenido por un científico de la naturaleza? ¿O es la labor del historiador más de carácter hermenéutico, es decir, ha de proponerse sobre todo comprender el sentido que se dio en épocas anteriores a los textos y las prácticas sociales, y trasladar ese sentido a las categorías mentales y sociales del tiempo en el que vive? Estas son algunas de las cuestiones capitales que se plantean hoy quienes (historiadores y/o filósofos) trabajan en el ámbito a veces conocido como filosofía analítica de la historia.

Cabe distinguir de esta filosofía («analítica») de la historia otro tipo de reflexión teórica sobre la historia (en el sentido, ahora, de la evolución de la humanidad), a la que puede llamarse filosofía especulativa de la historia. Se trata de un grado de reflexión historiológica más nuclear o metafísica, que procura esclarecer el sentido global o la direccionalidad de fondo de la trayectoria colectiva de la humanidad. El clima cultural del siglo XX ha sido poco propicio, en general, a dar valor a ese tipo de filosofía. Pero lo cierto es que, pese al riesgo de la desmesura y del ensayismo que esa filosofía implica, la necesidad de disponer de una explicación relativamente unitaria y coherente del sentido de la aventura humana en el tiempo parece de facto subyacer como requisito a la tarea más común que realiza la mayoría de los historiadores. Esta consiste en investigar, comprender y relatar un conjunto de acontecimientos bastante acotados, tanto en su dimensión temporal, como espacial y temática. Pero ¿cómo valorar y contextualizar de manera amplia esos acontecimientos o procesos sin un *background* que suministre un cañamazo para interpretarlo y darles una significación? ¿Es posible, por ejemplo, tratar hoy de manera satisfactoria de la presencia española en América durante el siglo XVI (llamémosla,

---

14 Desde luego esas teorizaciones tuvieron unos precedentes importantes y valiosos. Anthony Grafton en *What was History? The Art of History in Early Modern Europe* (Cambridge, Cambridge University Press, 2007) ha trabajado con profundidad y erudición sobre una buena parte de ellos. Es una lástima que su obra margine a los tratadistas españoles del Siglo de Oro (como Cabrera de Córdoba).

provisionalmente, colonización y evangelización) sin tener cierta visión o interpretación de conjunto del proceso de mundialización y de la relación entre la civilización europeo-occidental y las otras culturas?

Los historiadores hemos de reconocer que, de facto, asumimos con frecuencia interpretaciones sobre la aventura humana en el tiempo que han surgido en el ámbito de la sociología (sean de estirpe comptiana, marxista o weberiana), de la antropología (de tipo estructuralista o de corte simbólico cultural, por citar algunas corrientes), de la filosofía (sean de cariz existencialista, personalista cristiana o pragmatista), o incluso, más recientemente, de la lingüística o de las ciencias de la comunicación.

Para terminar este intento de clarificar inicialmente el sentido de algunos conceptos y términos que serán claves en esta obra, explicaré ahora un término rico en contenido y de acuñación relativamente reciente: el de «regímenes de historicidad». Es un concepto interesante para la investigación historiográfica, pero también para la auscultación de las mentalidades colectivas. En síntesis, con la noción de «regímenes de historicidad» definimos los diferentes modos de delimitar, articular y experimentar los «tres tiempos» que arquitecturan la experiencia humana (pasado, presente y futuro).[15] Esta noción designa las distintas formas en las que, en épocas cambiantes, las sociedades han percibido la relación entre sus experiencias pasadas y sus expectativas de futuro. En definitiva, «los regímenes de historicidad» describen las diferentes maneras de pensar la estructuración del «triple presente» al que se refiere Agustín de Hipona.[16]

El concepto de regímenes de historicidad, que fue propuesto inicialmente por Reinhart Koselleck, en su gran obra *Futuro pasado*,[17] ha sido trabajado y desarrollado ampliamente después por François Hartog en un libro con ese mismo título, *Régimes d'historicité*.[18] Simplificando el pensamiento de Hartog,

---

15 Para una aproximación sintética a ese concepto, como a otros difundidos recientemente, es útil la obra OFFENSTADT, Nicolas: *Les mots de l'historien*. Toulouse, Presses Universitaires du Mirail, 2006.

16 AGUSTÍN DE HIPONA: *Confesiones*. Cap. XI, 17-41. Recordemos que para el gran filósofo de la Antigüedad tardía, el único tiempo con entidad es el presente. El pasado y el futuro solo existen por cuanto son en el presente. El pasado es por cuanto es recordado y actualizado en el presente por la memoria, mientras que el futuro solo existe como espera o expectativa, es decir, en cuanto presente mentalmente anticipado. Para Agustín, la posibilidad humana de referirse a lo que ya no es (pasado) y a lo que todavía no es (futuro), es una manifestación de la *distensio animii* ('distensión del alma') propia del ser humano.

17 KOSELLECK, Reinhart: *Futuro pasado. Para una semántica de los tiempos históricos*. Barcelona, Paidós, 1993 (ed. orig. alem. *Vergangene Zukunft. Zur Semantik geschichtlicher Zeiten*, 1979).

18 HARTOG, François: *Régimes d'historicité. Présentisme et expériences du temps*. París, Seuil, 2003.

podría decirse que hasta la gran ruptura de la Revolución francesa y sus prolegómenos intelectuales, las sociedades occidentales dan cierta primacía al pasado sobre el futuro. En ese régimen de historicidad antiguo, se espera del pasado que esclarezca y ayude a vivir el presente y el futuro. La historia, como *magistra vitae* tiene, en ese sentido, una extraordinaria utilidad, si bien todavía no constituye una disciplina autónoma y profesionalizada. En el régimen de historicidad antiguo, los ámbitos de experiencia y los horizontes de espera —utilizando terminología de Koselleck— prácticamente se identifican. Lo que uno espera para el futuro es, aproximadamente, lo que se ha vivido en el pasado. El marco de la experiencia humana es estable y las transformaciones políticas, sociales, económicas, culturales o religiosas se producen paulatinamente.

A partir de mediados del siglo XVIII, este régimen de historicidad antiguo va siendo sustituido (especialmente desde la Revolución iniciada en 1789) por una percepción de la temporalidad y de la historia en la que prima el futuro sobre el pasado. La relación entre el futuro, percibido como promesa y esperanza, y el pasado, se piensa en clave de progreso, un concepto capital en la modernidad. Un concepto que surge en el clima confiado y optimista de la Ilustración. El tiempo se acelera. Los horizontes de espera se tiñen de esperanza y de novedad. Crece la conciencia de que el mañana será distinto y mejor que el ayer. Se difunde la experiencia de las rupturas históricas. Se ha discutido, con razón, hasta qué punto ese concepto de progreso es, en último término, una visión secular de la esperanza cristiana.[19] Tras la Ilustración y la Revolución francesa, el pasado interesa, sí, pero desde otra perspectiva. Interesa para robustecer la confianza en que se podrán superar los horrores y errores cometidos en él e interesa también para avizorar y promover los avances (en esa senda del progreso ético-científico) que se espera que, razonablemente, ha de recorrer la humanidad. El pasado deja de ser criterio normativo, principio orientador de la conducta.

Con el cambio del siglo XX al siglo XXI, las sociedades occidentales habríamos pasado, según Hartog, a un último régimen de historicidad. Este se caracteriza por la desconfianza tanto respecto al pasado como al futuro y por la primacía del presente. Es, pues, un régimen de historicidad presentista. Parece hacerse realidad aquella aspiración del impetuoso Nietzsche: vivir ahistóricamente, entregarse al mundo como si en cada momento «estuviera completo y

---

19 Cfr. LÖWITH, Kart: *El sentido de la historia.* Madrid, Aguilar, 1968. Por mi parte, me he referido a la paulatina sustitución de la Providencia por el Progreso, iniciada antes incluso de la Ilustración, en *Invitación a la Historia. La historiografía, de Heródoto a Voltaire, a través de sus textos.* Barcelona, Labor, 1993 (2.ª ed.), p. 126.

alcanzara su fin».[20] Dos de los más importantes testimonios de este presentismo serían la primacía, como objeto de investigación histórica, de las épocas muy próximas (*Zeitgeschichte*) y, paradójicamente, la obsesión por la memoria como signo identitario.[21] La persona, abocada al vértigo de un mundo cambiante y frenético, se refugia en la memoria para amarrar y esclarecer una identidad en continua transformación, que se le escapa de las manos. Así queda demostrado, como reconoce el propio Nietzsche en el trabajo citado, que el ideal de vida ahistórica pura es imposible: «lo histórico y lo ahistórico son igualmente necesarios para la salud de los individuos, de los pueblos y de las culturas». La historicidad no es una elección del ser humano. Es parte de su contextura ontológica.

Una síntesis interpretativa como esta sobre las tendencias o corrientes historiográficas de los últimos decenios plantea problemáticas variadas.[22] Problemas de método, de criterios de articulación de la exposición y de elección como referentes principales de algunas de las obras dedicadas a los debates más significativos que han tenido lugar en el siglo XX sobre la teoría y la escritura de la historia. Los problemas de método, en el ámbito específico de las tenden-

20 Nietzsche, F.: «Vom Nutzen und Nachteil der Historie für das Leben» (1874), en Colli y Montinari (eds.): *Nietzsche Werke. Kritische Gesamtausgabe, III-1*, Berlín, 1972, 251 [trad. del autor]. El mismo Nietzsche asevera que «habría que considerar la facultad de ignorar hasta cierto punto la dimensión histórica de las cosas como la más profunda e importante de las facultades, por cuanto en ella reside el fundamento sobre el que puede crecer lo que es justo, sano, grande, verdaderamente humano. Lo ahistórico es semejante a una atmósfera protectora, únicamente dentro de la cual puede germinar la vida, y si esta atmósfera desaparece, la vida se extingue», *ibidem*, p. 248.

21 El propio F. Hartog, en la ya citada *Évidence de l'histoire*, vuelve sobre ese régimen presentista de historicidad al concluir su análisis del momento reflexivo o epistemológico (en sentido lato) que parece vivir la historia. He aquí sus palabras «Plus profondément, cette posture ou ce moment réflexif renvoie et répond à un changement de notre rapport au temps, marqué par une profonde mise en question du régime moderne d'historicité et *peut-être* [la cursiva es mía] par l'émergence d'un régime de type nouveau où prédominerait durablement la catégorie du présent: un avenir fermé, un futur imprévisible, un présent omniprésent et un passé incessamment, compulsivement visité et revisité. Avec, en tout cas, la conséquence que l'histoire a cessé de pouvoir s'écrire depuis le point de vue du futur ou en son nom. Ce réflexif était-il donc (seulement) une proposition ou une épistémologie pour temps d'incertitude, quand les rapports au temps viennent à perdre de leur évidence? Peut-il se stabiliser? Au prix de quelles reformulations ? Est-ce ce à quoi nous assistons?» (pp. 292-293).

22 Los planes de estudio de la licenciatura de Historia vigentes en las universidades españolas desde principios de 1990 hasta ahora incorporaban una asignatura obligatoria de segundo ciclo denominada tendencias historiográficas actuales. Probablemente en la adopción de ese nombre pesó bastante el hecho de que, cuando se inició el debate sobre dichos planes, estaba reciente la publicación de una valiosa panorámica, escrita por G. Barraclough por iniciativa de la Unesco, cuyo título en francés fue *Tendances actuelles de l'histoire*, París, Flammarion 1980. Por analogía con el ámbito cronológico de la historia del mundo actual (otra asignatura de segundo ciclo que figuraba en los mencionados planes), se tomaban 1939/45 (y la fundación de la revista *Annales* en 1929), como punto(s) de arranque temático(s). La «Historia del mundo actual» suministraba, en cierto modo, el equivalente hispánico, a la *Histoire du Temps présent* francesa o la *Zeitgeschichte* alemana.

cias historiográficas del siglo xx, adquieren unas características especiales. Así, por ejemplo, se difumina, aunque no se anula, la clásica distinción entre las fuentes (evidencias o vestigios coetáneos de los fenómenos estudiados, de los que mana «en último término» el conocimiento) y la literatura o los estudios posteriores a las realidades investigadas.

Apuntaré alguna de las cuestiones metodológicas que se nos presentan a la hora de afrontar una historia de la historiografía del último siglo. Partiré de un caso concreto, a saber, de las dificultades de delimitación metodológica que aparecen al tratar de comprender y explicar cómo se gesta la renovación historiográfica llevada a cabo en torno a la revista *Annales*. Es evidente que las cartas intercambiadas entre los dos fundadores de esa iniciativa (Marc Bloch y Lucien Febvre) tienen una especial importancia como fuentes. También se pueden encuadrar con bastante nitidez en su aportación al conocimiento de *Annales* (detallado o en síntesis) algunos estudios posteriores, como la extensa biografía de Pierre Daix sobre *Fernand Braudel* o la breve panorámica escrita por Peter Burke, *The French Historical Revolution*. Pero hay otros textos importantes para el estudio de esta corriente historiográfica de epicentro francés cuya ubicación es más compleja. Así, *El manuscrito interrumpido de Marc Bloch*, escrito por Massimo Mastrogregori, constituye tanto una aportación importante para comprender la primera época y el espíritu de los *Annales* como, en buena medida, una edición de fuentes (textos inéditos o apenas conocidos, en sus diversas variantes), escritos por Bloch desde muy joven hasta su trágica muerte en 1944 luchando en la Resistencia.

A la hora de ceñir y trazar los perfiles de las escuelas y corrientes historiográficas nos encontramos con la dificultad de circunscribir su datación. La revista *Annales*, por ejemplo, se sigue publicando todavía, y no existe un criterio indiscutido para señalar la cesura final de ese fenómeno. Mientras que no es difícil distinguir algunas cesuras en la vida de los regímenes políticos (así el punto de inflexión de 1989) y es evidente que la muerte de un personaje ofrece una referencia terminal para su biografía, no es tan sencillo establecer el fin de una forma de entender y practicar la historia. Por lo que respecta a la investigación sobre *Annales,* por ejemplo, podría postularse que cada uno de los textos publicados en esta revista hasta la actualidad constituyen fuentes o evidencias para nuestro trabajo. Nos parece, sin embargo, que los artículos posteriores a 1985 —muerte de Fernand Braudel— o, al menos, los posteriores a 1994 —año en que la revista prescinde de su tríada programática «Économies, Sociétés, Civilisations— pierden gran parte de su interés como fuentes para estudiar el movimiento de *Annales* en cuanto escuela relativamente coherente, renovadora y muy influyente.

Todo método supone un itinerario cognitivo reflexivo, sistemático y crítico para lograr un conocimiento bien fundamentado y con un nivel alto de certeza. Se traduce en unos procedimientos de obtención de datos o evidencias y de trabajo intelectual sobre ellas. Siempre subyacen en las cuestiones de método problemas filosóficos: la posibilidad (o no) de llegar al conocimiento de los diversos tipos de realidades y los presupuestos o condiciones que este acceso implica. Desde Descartes y Newton en cierto modo, pero mucho más desde que la metodología positivista llega a presentarse en el siglo XIX como la única válida, los historiadores han pugnado por emular o transmutar los métodos de las ciencias naturales en las disciplinas humanísticas o sociales. A fines del siglo XX, como tendremos ocasión de apreciar en capítulos próximos, se ha cuestionado abiertamente la confianza en la posibilidad de construir una especie de física social que examine y explique con objetividad y en términos de leyes generales las auténticas claves de la dinámica o evolución de la historia humana.

Bajo el mismo nombre de historia se cobijan —como se ha visto antes en palabras de Pomian— un conjunto heterogéneo de prácticas cognitivas. Estos itinerarios gnoseológicos van en pos de un conocimiento que implica, en proporciones distintas, la descripción, explicación y comprensión de los cambios en la vida de las sociedades o culturas pasadas a los que el investigador da más relevancia como objeto de estudio. Esas prácticas cognitivas las asume el historiador aplicando al pasado bien métodos surgidos en las diversas ciencias sociales y humanas del presente o bien desarrollando los métodos con mayor tradición previa, y hoy renovados, de tipo crítico-literario y hermenéutico centrados en la comprensión e interpretación de los textos legados por quienes nos precedieron.

Quizá tenga utilidad recordar, grosso modo, algunas polaridades básicas que presentan las metodologías para el análisis de la historiografía. Una de estas dicotomías sinérgicas puede establecerse entre los métodos cualitativos y cuantitativos. Ha de utilizarse un método cuantitativo para establecer, por ejemplo, en qué medida estaba extendida la alfabetización en un territorio y un tiempo dados, o bien para precisar la atención que se ha prestado en una revista emblemática a la propia nación respecto a las otras de Europa y respecto a los otros continentes.[23] Es necesario un método cualitativo, en cambio, para saber qué importancia y valor se otorgaba en una época a unos términos o a unas prácticas (así, el término «República» en la época del *Quijote* o los discursos ficticios utilizados por los historiadores renacentistas) o para captar experiencias vitales insólitas (el entusiasmo y/o el miedo experimentado en

---

23 A esta aproximación cuantitativa a la historia de la historiografía puede ser de máxima utilidad el *Atlas of European Historiography* editado por Ilaria Porciani y Lutz Raphael (Palgrave Macmillan, 2011).

una batalla) o cotidianas (la experiencia del aburrimiento en un trabajo des-personalizado). Lógicamente, los dos métodos no son disyuntivos, sino al contrario: se reclaman mutuamente para una comprensión profunda del pasado.

Otra polaridad interesante en las diversas formas de aproximación cognitiva a los fenómenos históricos es la que distingue entre la perspectiva exógena y la endógena. Al investigar sobre las razones por las que cambian las tendencias historiográficas predominantes, se puede poner el acento ante todo en el contexto histórico en su conjunto, es decir, en las características globales (políticas, económicas, culturales) de cada época. Una de ellas sería, sin duda, las visiones del futuro que prevalecen en ella). Pero también cabe atender, fundamentalmente, a la propia lógica o dinámica interna de la teoría y la práctica historiográfica, así como a las redes de influencia y colaboración entre los propios historiadores. En efecto, los propios académicos se preocupan habitualmente por ir supliendo las deficiencias experimentadas en los trabajos de la propia comunidad de historiadores, incorporando parsimoniosamente propuestas que desembocan en un giro (o cambio de orientación, más o menos radical).

Al sentar las bases de su trabajo, el historiógrafo se pregunta sobre el método más adecuado para estudiar su objeto de análisis: los autores y las obras de historia. Y al mismo tiempo tiene como un punto focal importante de su estudio la indagación de las diversas propuestas metodológicas que postulan explícitamente o asumen implícitamente las corrientes historiográficas y los autores que analiza. La historiografía se interesa por desgranar los itinerarios cognitivos articulados y aplicables que los historiadores y las escuelas de historia han preconizado a lo largo del tiempo. Mejor dicho, el historiógrafo se ocupa de reseñar de qué manera específica combina cada forma de hacer historia (cada propuesta historiográfica) los diversos métodos posibles de seleccionar, investigar, explicar, comprender y relatar los cambios transcurridos en un tiempo y un espacio acotados.

Pero centrémonos ahora en el primer nivel de reflexión, en los preliminares metodológicos de nuestro trabajo. Detengámonos a considerar la metodología que debe seguir el estudioso de la historiografía para hallar las claves conceptuales y temáticas de las diferentes corrientes de interpretación y escritura de la historia en un momento dado. Massimo Mastrogregori ha propuesto un conjunto de vías metodológicas, relativamente diferenciadas y coherentes, que han servido para realizar investigaciones historiográficas.[24] Veamos cuáles son y comentémoslas brevemente.

---

24 MASTROGREGORI, Massimo: «Historiographie et tradition historique des souvenirs. Histoire "scientifique" des études historiques et histoire globale du rapport avec le passé», en BARROS, C. (ed.): *Historia a Debate*, t. I, Santiago de Compostela, 1995, pp. 269-278.

El primer tipo de método es el que Mastrogregori denomina bibliográfico, erudito y enciclopédico, del cual sería buen exponente, ya clásico, la obra de Eduard Fueter, *Historia de la historiografía moderna* (1.ª ed. alemana 1911). Este se propone presentarnos un conjunto de escuelas, autores y obras, tras realizar unas observaciones generales sobre su época. Cabe matizar, sin embargo, que la obra de Fueter no está exenta de vertebración discursiva. Probablemente la abundancia de informaciones concretas opaque en Fueter el hilo conductor de su discurso, pero este existe bajo la aparente ambición enciclopédica y la cuadriculada estructura expositiva que utiliza. Ese hilo conductor o hermenéutico es el desarrollo creciente y la difusión de la conciencia de la libertad y del espíritu crítico en el análisis del pasado. Así, esta conciencia, durante el humanismo renacentista, se difunde de Florencia a otras ciudades italianas y, después, de Italia a otros países de Europa.

Mastrogregori define como filosófico, pragmático y pedagógico al segundo tipo de método. Se parte en este de una imagen de la historiografía filosóficamente determinada y desde esa perspectiva, más teórica y articulada, se seleccionan los referentes (aportaciones) más importantes y se valoran más explícitamente las obras claves. Es el método que exponen y aplican B. Croce en *Storia della storiografia italiana* (1921), F. Meinecke en *Die Enstehung des Historismus* (1936), y H. W. Blanke en *Historiographiegeschichte als Historik* (1991).[25]

Con sus *Contributi*, Arnaldo Momigliano es el autor modelo, para Mastrogregori, del tercero de los métodos, al que denomina «científico». En este se da prioridad al estudio de los progresos que se han ido haciendo en la crítica de fuentes, para deslindar las auténticas de las espurias (de las falsificaciones posteriores). Estos avances se observan no aisladamente, sino en una cadena o sucesión de transmisión de la «ciencia» histórica, de maestro a discípulos. Es un método que ha tenido una especial aplicabilidad en el estudio de la historiografía sobre la Antigüedad, por razones bien comprensibles. Menos influyentes serían (o habrían sido) otros tres métodos que nuestro autor denomina retórico-literario, sociológico-prosopográfico y sintético-descriptivo. Sin duda, vale la pena no solo mencionarlos sino comentarlos.

El método retórico-literario se aproxima a los relatos históricos centrando su atención no tanto en las fuentes o en la teoría del conocimiento que late en ellos, como en su vertiente literaria. Desde luego la revancha de la literatura, de la que hablaremos en uno de los últimos capítulos, frente a la anterior he-

---

25 La obra de Meinecke ha sido traducida, aunque tardíamente, al español como *El historicismo y sus génesis* (2000). El título del libro de Blanke, no vertido al castellano, podría traducirse, aproximadamente, por 'La historia de la historiografía como teoría de la historia'.

gemonía del cientificismo, ha dado nuevo impulso a este método. Mastrogregori aduce con razón la influencia que ha tenido en la reintroducción reciente de ese método la publicación por Hayden White de su *Metahistory* en 1973. Mastrogregori menciona asimismo el número de la revista *Quaderni Storici* dedicado a «Storie di Storia» en 1993 como otro ejemplo del impulso de esta perspectiva metódica.

Conviene puntualizar, en todo caso, que Hayden White, como comentaremos, no representa solo una recuperación de la importancia que tiene la dimensión artística o estética de la historia, sino que aporta toda una teoría de la historia. Según esta, las opciones narrativas no son un simple ornato, sino que son indisociables y decisivas para la interpretación explicativa. Y dado el debate que ha generado esta postura (llamada a veces «narrativista»), por constituir un fuerte desafío a la cientificidad y objetividad de la historia, me parece que hoy este método es uno de los más importantes.

El método sociológico y prosopográfico presta una gran atención a estudiar los contextos socio-institucionales y políticos en los que surgen las lecturas del pasado y los grupos de personas que crean estas, aspirando incluso a explorar también cuantitativamente el conjunto de una producción histórica.[26] *Histoire et historiens: Une mutation idéologique des historiens français* (1976), la *grande thèse* de C.-O. Carbonell constituye un ejemplo paradigmático del empleo de este método. Mastrogregori menciona de nuevo el número de la revista *Quaderni Storici* dedicado a «Storie di Storia», en 1993, como otro ejemplo de ese método.[27] Por mi parte añado que este prisma se halla en la encrucijada de la sociología del conocimiento y del estudio de las mentalidades. En ese sentido, toda obra sobre el pasado interesa, pues arroja cierta imagen retroproyectada (es una huella) del presente en el que viven y del futuro con el que sueñan quienes escriben la historia.[28]

Por último, pero no menos importante, tendríamos el método que Mastrogregori denomina sintético y descriptivo, en el que se combinan flexi-

---

26 La «prosografía» [*prosopon*, significa en griego persona] puede definirse como los «estudios biográficos colectivos o comparativos de grupos dados» y bien delimitados (OFFESTADT, N.: *Les mots de l'historien*, Toulouse, Presses Universitaires du Mirail, 2006, p. 91 [trad. del autor]).

27 Cfr. *Quaderni Storici* (Nuova Serie), 82, 1993, coord. por E. Artifoni y A. Torre.

28 En España, el libro (otra gran tesis) de J. M. Sánchez-Prieto *El imaginario vasco. Representaciones de una conciencia histórica, nacional y política en el escenario europeo, 1833-1876* es buen testimonio de la influencia del método sociológico y prosopográfico, aunque también esa obra esté alimentada por la historiología de R. Koselleck en la que Sánchez-Prieto ha profundizado. Las investigaciones de Gonzalo Pasamar sobre los historiadores españoles del siglo xix pueden relacionarse también con ese método prosopográfico.

blemente todos los anteriores. Él aduce, como ejemplo, además de la ya citada obra de Peter Burke sobre la revolución historiográfica francesa de los *Annales,* la monografía de Karl Dietrich Erdmann sobre cómo ha evolucionado el intercambio científico institucionalizado a nivel internacional (los Congresos Internacionales de Ciencias Históricas),[29] y el estudio mucho más acotado publicado por Peter Schöttler sobre la historiadora austríaca judía refugiada en Francia, Lucie Varga, la primera mujer que publicó en la revista *Annales.*[30]

La historiografía, entendida como la disciplina que estudia la teoría y la práctica de la escritura de la historia, puede considerarse sin duda un ámbito de la «ciencia histórica» (ciencia humana, no experimental o natural). Se encuentra en la encrucijada de la sociología, de la historia intelectual, de la historia de las mentalidades o representaciones, de la crítica literaria y de la filosofía. Se trata, como hemos apuntado ya, de una disciplina histórica y metahistórica al mismo tiempo. Una disciplina histórica reflexiva, que tiene como objeto de estudio la propia investigación histórica. En definitiva, podríamos decir que la disciplina historiográfica procura una historización de la historia, es decir, una explicación de cómo ha evolucionado el conocimiento metódico y público del cambio al que hemos venido a denominar «historia».

Para un estudio y una explicación plausibles de los cambios que se han dado en las formas de investigar y representar el pasado a lo largo del último siglo, sería ciertamente de gran ayuda disponer de una teoría o modelo de referencia ampliamente aceptado sobre el cambio historiográfico. Me parece que no se puede afirmar que se haya decantado ese modelo, aunque han tenido lugar importantes debates y aportaciones al respecto. En mi opinión, una de las aportaciones más clarividentes es el artículo en que Irmline Veit-Brause estableció la validez (limitada) que podía tener en la explicación de las transformaciones historiográficas la clave interpretativa que se basa en la noción de paradigma y de cambio de paradigma.[31] Este modelo fue diseñado por Kuhn en su clásica obra *La estructura de las revoluciones científicas*[32] para explicar los

29 ERDMANN, K. D.: *Toward a Global Community of Historians: The International Historical Congress and the International Committee of Historical Sciences, 1898-2000.* Nueva York, Berghahn Books, 2005.

30 SCHÖTTLER, Peter (ed.): *Lucie Varga, Zeitenwende. Mentalitätshistorische Studien 1936-1939.* Frankfurt-am-Main, Suhrkamp-Verlag, 1991. Cfr. también SCHÖTTLER, P.: «Lucie Varga, a Central European Refugee in the Circle of the French "Annales", 1934-1941», *History Workshop Journal,* 33 (1992), pp. 100-120 (accesible on-line en http://humanidades.uprrp.edu).

31 VEIT-BRAUSE, Irmline: «Paradigms, Schools, Traditions. Conceptualizing Shifts and Changes in the History of Historiography», *Storia della storiografia,* 17 (1990), pp. 51-65.

32 KUHN, T. S.: *La estructura de las revoluciones científicas.* México, Fondo de Cultura Económica, 1972 (ed. orig. ingl. 1962).

cambios teóricos y metodológicos que se han producido en las ciencias físicas y de la naturaleza. Un paradigma es, para Kuhn, una perspectiva omniabarcante sobre la realidad que goza de estructuración y coherencia interna y sirve para ordenar e interpretar todos los fenómenos observados.

En efecto, una escuela historiográfica es, hasta cierto punto, un paradigma, una forma concreta de escrutar el pasado de acuerdo con unas claves teórico-metodológicas, éticas, filosóficas y políticas. Según Kuhn, los aspectos extra-científicos y extraempíricos —en nuestro caso, aspectos ajenos a la factualidad y la lógica del pasado estudiado— son decisivos para la sustitución de paradigmas. Este asunto —de importantes implicaciones epistemológicas— latirá a lo largo del trabajo cuando nos preguntemos el porqué del declive o de la emergencia de algunas corrientes historiográficas.

Concluyo esta introducción recordando la premisa que guía nuestra investigación y que guarda relación con lo que acabamos de explicitar. El pasado es ya inmóvil, perenne e inmutable. Tomás de Aquino explica que ni el propio Dios tiene poder para modificarlo.[33] Ahora bien, este pasado ingente, este cúmulo de experiencias gloriosas y dramáticas vivido por la humanidad, puede ser abordado de muchas maneras y, de hecho, es interpretado de formas distintas. Los temas de interés y de atención varían a lo largo del tiempo. Las preguntas que dirigimos a la historia se modulan de acuerdo con los retos y con las inquietudes de la actualidad. La significación que otorgamos a los hechos depende de la partitura intelectual con que leemos la trayectoria humana. Al fin y al cabo, del mismo modo que el futuro es una proyección del pasado y sin el influjo del ayer no se puede entender ni el hoy ni el mañana, tampoco es posible entender nuestra comprensión del pasado sin atender a los horizontes de futuro desde el que lo leemos. En este libro nos interesa analizar las formas en que los futuros esperados por los historiadores (de forma más o menos explícita) dejan su huella, su marca, al seleccionar los ámbitos de experiencia por estudiar (los fenómenos sociales) y al construir con ellos una imagen concreta del pasado. La escritura de la historia y la interpretación del tiempo es siempre un interesante juego de espejos, en el que el pasado, el presente y el futuro se iluminan mutuamente.

¿Convierte esto a la historia en una pura ficción? En absoluto. Sigue siendo ciencia, conocimiento cierto de causas. Pero es una ciencia humana y, por tanto, sujeta también en algunos aspectos a la apreciación del autor. Ello la hace quizá menos exacta, pero también más creativa, más interesante, más

---

33 Cfr. Tomás de Aquino: *Suma de Teología*, I-I, cuestión 25, artículo 4.

humana. Y ello implica que la verdad de la historia no depende solo del rigor con que se consultan las fuentes textuales, sino también del acierto de los principios filosóficos, políticos, lingüísticos, teológicos y éticos con que se aborda el pasado. Algunas de estas cuestiones pueden discutirse racionalmente en sus respectivas ciencias, donde pueden hallarse criterios para evaluar la pertinencia o no de algunos presupuestos de lectura. Ello obliga al historiador a mantenerse en perpetuo diálogo con las demás disciplinas humanas y sociales. Otras cuestiones quedan circunscritas al ámbito de la libertad contingente y creativa. En este sentido, no hay una única forma de referir el pasado. Aquí reside lo complejo, pero también lo fascinante, de este perpetuo viaje por la condición humana que es la historia.

1

Las claves del modelo historiográfico dominante a principios del siglo xx

¿Qué aporta la civilización europeo-occidental en el siglo xix a la teoría y a la práctica de la historia en cuanto conocimiento? ¿Cuál fue el modelo historiográfico dominante en ella hasta la renovación que se suele atribuir (aunque no exclusivamente) a los hombres de *Annales*? ¿Qué relación tienen las nuevas transformaciones de Clío con los procesos históricos más relevantes que se desarrollaron en Europa tras la Revolución francesa y la consolidación del «régimen moderno de historicidad»? Estas son algunas de las cuestiones fundamentales que queremos tratar a continuación.

En cuanto a cuál fue la aportación de la civilización europea a la historiografía en el siglo xix, voy a centrar mi atención sucesivamente en algunos fenómenos capitales. El primero es la profesionalización y conversión de la historia en una disciplina institucionalizada,[1] muy valorada e incluso mimada por los estados nacionales. Las cátedras y los seminarios universitarios pasan a ser el hábitat privilegiado en la adquisición y difusión del conocimiento histórico. Veámoslo con algún detalle.

Se ha dicho que el siglo xix fue el siglo de la historia. Y, sin duda, en pocas épocas tuvo la historia un reconocimiento social tan elevado. Dos testimonios de ello, entre los muchos posibles, son la autoridad moral y la influencia político-cultural de François Guizot en los decenios anteriores a 1848 y la concesión del Premio Nobel de Literatura en 1902 al gran historiador alemán de la república romana Theodor Mommsen.

Desde el punto de vista de la praxis, es en el siglo xix cuando surge la figura del historiador profesional. Este recibe ya una preparación específica (estudio de lenguas, metodología de la crítica de fuentes, paleografía y demás ciencias instrumentales de la historia) en centros universitarios y se dedica prioritaria-

---

1 Esta profesionalización de la historia en el siglo xix ha sido estudiada monográficamente en muchos países europeos. Así, en el caso francés, por Pim den Boer, en una obra publicada primero en neerlandés, *Geschiedenis als beroep. De professionalisering van de geschiedbeofening in Frankrijk, 1814-1914* (1987), y traducida posteriormente como *History as a Profession: The Study of History in France 1818-1914* (Princenton, Princeton University Press, 1998). Para una visión de conjunto, con la cartografía que permite distinguir las zonas pioneras en la profesionalización, véase PORCIANI, I., y RAPHAEL, L. (eds.): *Atlas of European Historiography: The Making of a Profession, 1800-2005.* Houndmills, Palgrave Macmillan, 2010.

mente a la investigación y a la enseñanza de la historia. Esta, como disciplina institucionalizada, nace entonces apoyada —y tutelada— en buena medida por los estados. La institución de cátedras universitarias, la inclusión de la historia en los programas de estudio de la escuela secundaria, la creación de archivos y bibliotecas públicos, la edición de grandes colecciones documentales (como los célebres *Monumenta Germaniae Historica*) y la aparición de las primeras revistas históricas,[2] son fenómenos concomitantes. Todos ellos se orientan en el mismo sentido: la constitución de una disciplina y la institucionalización y más amplia difusión del conocimiento histórico, sobre todo del referido a la propia nación, al compás también de los avances en el proceso de alfabetización.[3]

El trabajo de historiador deja de ser una tarea secundaria, derivada y habitualmente tardía, de hombres cultos y/o de políticos retirados.[4] A ella consagran todas sus energías e ilusiones ahora también espíritus jóvenes y entusiasmados. Así el de un Jules Michelet, el cual se nos proyecta en el espléndido prefacio de 1869 (postfacio, pues fue escrito con mirada retrospectiva) de 1869 a su gran *Historia de Francia*:

> Más complicado todavía, más angustioso era mi problema histórico planteado como resurrección *de la vida en su integridad*, no en sus apariencias, sino en sus organismos internos y profundos. Ningún hombre sensato lo habría soñado. Por suerte yo no lo era. En la radiante mañana de julio [de 1830], en su vasta esperanza, en su potente electricidad, esta empresa sobrehumana no asustó a un corazón joven.[5]

---

2 Algunas de las grandes revistas históricas surgidas en el siglo XIX, como la *Revue Historique* (fundada en 1876), la *Rivista Storica Italiana* y la *American Historical Review* (nacidas en 1884), son estudiadas extensa y comparativamente en MIDDELL, Matthias (ed.): *Historische Zeitschriften im internationalen Vergleich*, Leipzig, 1999. Para ampliar esta nómina de publicaciones, debemos añadir, como mínimo, la *English Historical Review* (iniciada en 1886) y la *Historische Zeitschrift* (fundada en Alemania en 1856).

3 Por lo que respecta a España, yo mismo he dedicado a esta cuestión algunas páginas en ANDRÉS-GALLEGO, J. (ed.): *Historia de la historiografía española*, Madrid, 2003, pp. 145-163, en las que me beneficié de trabajos monográficos previos como los de P. Cirujano, G. Pasamar e I. Peiró. La publicación de los *Monumenta Germaniae Historica* se inició en 1819 con el objetivo de ayudar a crear «a national identity through the critical edition of medieval sources», pues la Edad Media se veía entonces «as a high point in German history, in which the pre-eminent role of the Holy Roman German Empire in Europe preceded the fragmentation of Germany» (cfr. IGGERS, G., y WANG, Q. E.: *A Global History of Modern Historiography*, Londres, Pearson Longman, 2008, p. 73).

4 Cabe matizar que desde hace algún tiempo se está rescatando y dando más visibilidad a la tarea historiográfica que realizaron ya antes del siglo XX algunas mujeres como la inglesa Catherine Macaulay (1731-1791). Sobre la aportación de C. Macaulay, cfr. RICHARDSON, R. C.: *The Debate on the English Revolution Revisited*, Londres, 1988, 2.ª ed., pp. 53-57.

5 Este texto, en traducción mía de la edición francesa de Ehrard-Palmade, fue uno de los que primero escogí en la década de 1980 para comentar a mis alumnos. Ahora puede encontrarse en español, por ejemplo, en BOURDÉ, G., y MARTIN, H.: *Las escuelas históricas*, Madrid, Akal, 1992, pp. 121-125.

Tras leer estas líneas, impregnadas de lirismo, parece bien justificado el título que Fritz Stern, en su ya clásica antología *The Varieties of History,* dio a un texto de Michelet: «History as a National Epic». Y una épica nacional que no se escribió solo en Francia, aunque esta sea prototípica, sino en otros estados. Pues uno de los dos grandes cometidos que subyacen en gran parte de la actividad historiográfica institucionalizada del siglo xix es estudiar la genealogía de los diferentes estados naciones del mundo europeo-occidental.

El otro, celebrar la expansión victoriosa de esta civilización, *la civilización.* En ese siglo cientificista y de apogeo de Europa, la confianza, derivada de la ideología ilustrada en una evolución positiva y discernible de la historia (como marcha de la humanidad), es rara vez cuestionada, como no sea por alguna consideración inoportuna más bien a contracorriente.[6] La confianza en un futuro mejor, desde el punto de vista técnico y ético, deja su huella en la historiografía. Como la deja también la esperanza en que el compromiso para lograr el engrandecimiento de la patria se hará más firme evocando las glorias pasadas. En este tiempo, la historia tiene mucho, pues, de genealogía apologética de los estados y de canto al despliegue del poder occidental en el mundo.

Por otra parte, en el ámbito de esta profesionalización de la historia como disciplina, avanza considerablemente la especialización, de forma análoga a como acontece en las ciencias naturales. Baste evocar, por ejemplo, los inicios de la egiptología y de la asiriología en Francia, Inglaterra y Alemania.[7]

La propia reflexión sistemática sobre las características y la problematicidad del conocimiento histórico se convierte en otro campo de trabajo específico para algunos pocos historiadores. El alemán Johann Gustav Droysen decanta ya una teoría de la historia muy elaborada y sistemática en su obra *Historik,* publicada en 1887.[8] A su vez, W. Dilthey retoma la teoría de la historia de Vico. Pero sobre Dilthey volveremos enseguida al hablar del modelo historiográfico básico y del historicismo.

Droysen, cuyo sustrato filosófico deriva del idealismo hegeliano, se plantea a fondo la cuestión de cómo se construye la historia a partir de los aconteci-

---

6 Tal y como algunos lectores habrán advertido, hago aquí una alusión semiexplícita a la virulenta crítica que Nietzsche formuló sobre la historiografía de su tiempo. Cfr. «Vom Nutzen und Nachteil der Historie für das Leben» (1874), en Colli y Montinari (eds.): *Nietzsche Werke. Kritische Gesamtausgabe,* iii-1, Berlín, 1972.

7 La especialización de los estudios históricos se plasma en los títulos de algunas revistas aparecidas en Francia antes de 1914: *Revue du XVIᵉ Siècle, Annales Révolutionnaires, Revue de la Révolution de 1848, Revue des Études Napoléoniennes.*

8 Disponemos de traducciones en español (*Histórica,* Barcelona, Alfa 1983) y en catalán (*Història,* Barcelona, Edicions 62, 1986, con prólogo de Emili Lledó) de esta importante obra.

mientos del pasado. A Droysen se debe ese *topos* que distingue entre las acciones humanas, aquellas que pertenecen a los asuntos banales de la vida ordina-
ria y privada (*Geschäfte*) que no son propiamente objeto de la historia, y las
acciones que sí son objeto de la historia (*Geschichte*). Estas han de reunir algunas condiciones. Deben estar relacionadas con la vida pública o esfera pública
y deben ser significativas, coherentes entre sí y útiles para el propósito de comprender y explicar la gestación del presente.[9] El historiador alemán no teoriza
en el vacío sobre el conocimiento histórico; él había investigado sobre la historia de la Antigüedad y sobre la historia de Prusia. No es extraño, por ello, que
afirmara que «la esencia del método histórico es comprender investigando».[10]

El siglo XIX es crucial también en el surgimiento de nuevas interpretaciones o visiones de la historia como evolución de la humanidad, además de
afirmarse la interpretación liberal que queda ya trazada en sus líneas esenciales
en la obra clásica de F. Guizot *Historia de la civilización en Europa desde la
caída del Imperio Romano hasta la Revolución francesa* (1828-1830). Estas nuevas interpretaciones son, sobre todo, la hegeliana, la marxista y la comtiana.
Todas ellas, al igual que la liberal, prolongan y desarrollan, por vías diferentes, el racionalismo y el optimismo ilustrados, así como la convicción de que
la civilización europeo-occidental es la adelantada en el camino del progreso
que ha de recorrer la humanidad.

La interpretación de Georg F. W. Hegel (1770-1831) es sin duda una de las
cumbres de la filosofía especulativa de la historia. Por ello, J. Ferrater Mora la
incluyó en su lúcida síntesis de *Cuatro visiones de la historia universal*, 1982 (las
otras tres son la de Agustín de Hipona, Vico y Voltaire). En sus *Lecciones sobre
filosofía de la historia* impartidas en la Universidad de Berlín, Hegel nos ofrece
una grandiosa y sobrecogedora visión idealista y teleológica de la marcha de la
humanidad. Según su perspectiva, la historia es ante todo la progresiva auto-
conciencia del Espíritu universal (del *Weltgeist*). Este Espíritu universal que se
expresa en los pueblos y en los individuos se sirve de estos para sus propios fines mediante ardides («trampas»), como una especie de Providencia inmanen-
te. La interpretación dialéctica hegeliana (tesis-antítesis-síntesis), que tendrá
una gran influencia posterior, no está exenta de ambigüedades. Conecta en

---

9 Al descartar la vida privada como objeto del estudio de la historia, Droysen sigue toda una
tradición anterior. Así, *in nuce*, esa misma idea nos aparece en la definición de historia del *Dictionnaire
français*, editado por Richelet (Ginebra, 1680): «C'est une narration continuée de choses vraies, grandes
et publiques».

10 Esta afirmación es resaltada por Manuel Cruz en su microensayo sobre Droysen, a raíz de la
publicación de su *Històrica* en 1986 («Viejas historias: la lección de Droysen», *La Vanguardia*, 20-11-1986,
p. 45).

algún sentido con el liberalismo, por cuanto para Hegel la historia es la realización de valores y un despliegue de la conciencia de la libertad. Pero la interpretación hegeliana se distancia del liberalismo por su propensión estatista. En la lectura hegeliana de la historia, la libertad individual queda bastante diluida ante el Estado.

El teleologismo (la primacía explicativa por el cumplimiento de un fin) de Hegel es compartido por la interpretación que hace del devenir humano Auguste Comte, el padre de la sociología y del positivismo cientificista.[11] La doctrina de Comte de los tres estadios o fases en la evolución de la humanidad (teológico, metafísico y positivo o científico) se ha hecho célebre. Y tanto esta como su divisa político-social de «orden y progreso» influirían notablemente en el clima cultural de su tiempo, especialmente, pero no solo, en la Francia del Segundo Imperio (1851-1870).[12]

La influencia de Comte en la historiografía posterior puede considerarse ambigua. Por una parte, los historiadores podían encontrar en él un alegato a favor de la importancia de obtener datos fiables. En ese sentido se tilda —o, más bien, se tildaba— a ciertos historiadores de «positivistas» porque permanecían muy pegados a los «datos» empíricos. Podrían aducirse al respecto algunos fragmentos de Fustel de Coulanges sobre la necesidad de aferrarse a los textos y a la neutralidad interpretativa del historiador. Pero, por otra parte, Comte reivindicaba para su sociología una hegemonía sobre la historia. Le estaba reservado a la sociología descubrir las leyes que regían la evolución de la humanidad —se presuponía que la evolución seguida por Occidente era la que experimentarían después otras áreas culturales—, a partir del estudio de las informaciones factuales suministradas por la historia. En cierto sentido, Comte favorecía el diálogo de la historia (una disciplina bien arraigada ya) con la sociología; en otro sentido, Comte preconizaba el sometimiento de Clío a la (nueva) física social que él quería entronizar entre las disciplinas científicas.

Tras el fin del Antiguo Régimen político y social, Comte buscaba construir unos nuevos fundamentos, de tipo tecnocrático, para el orden social. Karl Marx (1818-1883) compartía el cientificismo (el culto a la ciencia) de Comte, como la mayoría de sus coetáneos, que estaban orgullosos de los reciente lo-

---

11 Cfr. COMTE, A.: *Curso de filosofía positivista*, 6 vols., 1830-1852. En ese *Curso*, a partir de la lección 47, Comte habla de sociología y/o física social y la define como «el estudio positivo del conjunto de leyes fundamentales propias de los fenómenos sociales».

12 R. Stromberg, en su obra *An Intellectual History of Modern Europe*, 2.ª ed., 1975, ubica la de Comte entre «the Classical Ideologies of the Mid-Nineteenth Centuries», junto a las ideologías de S. Mill y C. Darwin, pp. 286-323. Cfr. también la monografía de José M.ª Petit Sullá: *Filosofía, política y religión en Augusto Comte*. Barcelona, Acervo, 1978.

gros en la producción industrial y en los avances de la medicina. Marx se ubica asimismo en la estela intelectual —teleológica y dialéctica— de Hegel. Pero el (co)autor del *Manifiesto comunista* (1848) y de *El capital* (1867; primer volumen) se alimenta, en cambio, de un clima revolucionario, favorecido por el rechazo de las duras condiciones de vida que experimentaba el proletariado durante la primera revolución industrial. Marx alumbrará una interpretación de la historia acentuadamente materialista que es, a la vez, un gran proyecto radicalmente revolucionario, basado en la lucha de clases, y no exento de mesianismo o de utopismo.[13]

He introducido aquí brevemente la nueva interpretación de la historia propuesta por Marx, por una razón fundamental. Si bien como corriente o tendencia historiográfica el marxismo o, mejor, los marxismos deben ubicarse por su difusión e influencia ante todo en el siglo XX, el contexto histórico-cultural en el que surge y se explica la visión de la historia de Marx es el siglo XIX: el siglo del cientificismo, de la ideología del progreso cierto y de la evolución natural (Darwin mediante) y de las revoluciones realizadas (o soñadas) bajo el fulgor de la Revolución de 1789.

¿Cuál fue el modelo historiográfico dominante en la civilización europeo-occidental a principios del siglo XX, hasta la renovación preconizada desde la revista *Annales*? Esa era una de las preguntas que nos formulábamos y a la que responderemos ahora, concentrándonos, en primer lugar, en las concepciones teóricas del oficio de historiador que inspiraban habitualmente su práctica.

Comencemos por reproducir una breve y eficaz descripción del modelo historiográfico básico (el Antiguo Régimen historiográfico, se le ha llamado a veces), que tomo prestada a uno de los hombres de *Annales*, Pierre Chaunu. Este describe la historiografía decimonónica, que se adentra en el siglo XX, como «una historia que no descuida el relato, atenta a las grandes figuras, a los destinos ejemplares, a la suerte de las naciones y de los imperios».[14] Una historia, por tanto, de predominio político, hecha a partir de una cuidadosa crítica de fuentes (fundamentalmente textos), vista desde arriba, ritmada por los grandes (y no tan grandes) acontecimientos. Una historia a la que el dueto fundador de *Annales*, especialmente el combativo L. Febvre, y muchos otros tras él, descalificarían como «historizante» y *événementiel* («acontecimental»).

---

13 Me pronuncio con cierta cautela, pues, como escribe un gran conocedor del marxismo, Leszek Kolakowski, no hay una sola afirmación sobre este que no sea polémica; pero me parece que hoy es poco o nada sostenible la distinción, establecida por el propio Marx, entre el socialismo utópico (el de Fourier u Owen, por ejemplo) y el socialismo científico que Marx quería representar.

14 CHAUNU, P.: *Histoire et décadence*. París, Perrin, 1981 [trad. del autor].

Pero no ha faltado alguna obra que ha reivindicado, en su justa medida, las aportaciones de esa denostada generación de Ernest Lavisse, Charles-Victor Langlois y Charles Seignobos.[15]

En el modelo historiográfico tradicional, que perduró largo tiempo en las universidades europeas, convergieron unas influencias teóricas relativamente heterogéneas. Estas fueron descritas, hace ya algún tiempo por A. Eiras Roel, no sin forzar algo los rasgos y desde una perspectiva afín también a *Annales*.[16]

He aquí, expuestas sumariamente, las influencias teóricas que configuraron el modelo historiográfico tradicional. Una de ellas fue el objetivismo y la aparente ingenuidad epistemológica del gran historiador alemán Leopold von Ranke que enlaza con el positivismo comtiano. El objetivo del historiador para Ranke se limitaría a exponer las cosas tal y como sucedieron, «wie es eigentlich gewesen ist».[17] Otro componente del citado modelo historiográfico lo constituyó el legado del historicismo. Este enfatizaba la fugacidad y la irrepetibilidad del objeto histórico y primaba el estudio de los personajes y de las élites gobernantes.[18] El tercero de los componentes teóricos de la historiografía anterior a *Annales* lo aportaba el nacionalismo (cuya fuerte incidencia ya hemos remarcado anteriormente). El nacionalismo se inspiraba en buena parte en la teoría del *Volkgeist* de Herder. Según esta el espíritu distin-

15 Cfr. la recensión en *Storia della Storiografia*, núm. 17 (1990), de la obra de P. den Boer (1987). En esa misma línea, como testimonio de cierta revalorización, cabe mencionar la reedición (Alicante, 2003) de la traducción española de la *Introduction aux études historiques* publicada por Langlois y Seignobos (en 1898), *Introducción a los estudios históricos*, con un amplio estudio introductorio de F. Sevillano.

16 EIRAS ROEL, Antonio: «La enseñanza de la historia en la Universidad», en CARRERAS ARES, J. J. et al.: *Once ensayos sobre la historia*. Madrid, Fundación Juan March, 1976. El fragmento citado se encuentra dentro del epígrafe sobre «La historia tradicional, ¿una historia periclitada?», pp. 189-201.

17 El prólogo de la obra quizá más lograda de Ranke, su *Historia de Alemania en la época de la Reforma* (1839-1847), nos es accesible ahora en español en la traducción *Pueblos y Estados en la Edad Moderna*, México, Fondo de Cultura Económica, 1979. Con ocasión del primer centenario de la muerte de Ranke, en 1986, se celebró en Syracuse (Estados Unidos) un coloquio internacional para debatir tanto sobre el contexto histórico de Ranke como sobre su influencia posterior. Cfr. MOSES, J. A.: «Leopold von Ranke: One Hundred Years», *Storia della Storiografia*, núm. 12 (1987), pp. 137-147.

18 El historicismo es un concepto escurridizo y problemático, aunque fundamental. En el *Dizionario di Storiografia* (Milán, 1986), una de las autoridades en la materia, E. Cutinelli-Rèndina, explica el historicismo como «una visión del mundo según la cual toda realidad y todo evento son considerados como únicos e irrepetibles, y tales que no pueden ser realmente comprendidos en términos de leyes generales, sino solo situándolos en su individual ubicación cronológica y en su contexto específico», remitiendo como bibliografía especializada a las obras de F. Meinecke, C. Antoni y F. Tessitore (pp. 1036-1037). En el «Glossary» de la ya citada obra de Iggers y Wang, *A Global History...*, se define mucho más concisamente: «Historism / historicism: a doctrine that developed in Germany in the nineteenth century that holds that history is the key to all knowledge» (p. 404).

tivo de cada pueblo impregna todas sus manifestaciones culturales y su evolución política.

En síntesis, podría entenderse el modelo historiográfico dominante a fines
del siglo XIX y en el primer tercio del siglo XX como una conjunción, más o
menos armónica, del historicismo clásico alemán encarnado por L. von Ranke,
del idealismo hegeliano y del positivismo comtiano. En cualquier caso, acep-
tando que la descripción sintética de A. Eiras Roel manifiesta las indudables
limitaciones de la historiografía tradicional, me parece interesante añadir algunas matizaciones sobre esta.

En primer lugar, ha de reconocerse el valor y la importancia metodológicas
de la crítica de fuentes propuesta por la historiografía tradicional (especialmente de las fuentes textuales), manifestada en obras que aún podemos leer
con provecho. Me refiero, al margen de la ya citada *Introducción a los estudios
históricos* (de C.-V. Langlois y C. Seignobos), a otras como la de Wilhelm
Bauer, quien dedica una extensa sección (la VIII) de su completa *Introducción
al estudio de la historia* a la crítica de fuentes.[19] Esto es algo ya asumido y no es
necesario insistir en ello.

Por otra parte, hay que reconocerle al historicismo clásico alemán que tiene tras de sí una teoría de la historia nada desdeñable; al menos, a partir de la
gran obra de Wilhelm Dilthey, *Introducción a las ciencias del espíritu* (*Einleitung in die Geisteswissenschaften*[20]), de 1883. En esta, partiendo de una praxis ya
muy asentada, Dilthey reivindica la importancia y la especificidad del conoci-

19 La obra original de W. Bauer lleva por título *Einführung in das Studium der Geschichte* (Tubinga, 1921). Langlois y Seignobos, por su parte, reconocen en su manual de metodología que su obra
conjunta debe mucho a un manual publicado pocos años antes (1889) por Ernst Bernheim: *Lehrbuch
der historischen Methode*.

20 La traducción española clásica es DILTHEY, W.: *Obras*, vol. I, «Introducción a las ciencias del
espíritu», México, Fondo de Cultura Económica, 1949. Cuando revisé la primera traducción de Iggers,
G.: *La ciencia histórica en el siglo XX* (Barcelona, Labor, 1995), le pedí al autor que redactase una nota
aclaratoria del término alemán. La reproduzco aquí: «*Geisteswissenschaft*: ciencia cultural o ciencia humana (en plural *Geisteswissenschaften*). No es posible una traducción literal del término *Geist* al español
(como tampoco al inglés, al francés o al italiano). *Geist* indica una comprensión de la conciencia humana
y se diferencia tanto de «mente» como de «espíritu». «Mente», tal como ha sido usado en la psicología y
la filosofía asociacionistas británicas, tiene connotaciones racionales, mientras que *Geist* sugiere que es
posible el conocimiento intuitivo. La filosofía idealista alemana emplea *Geist* no solo para referirse a la
conciencia individual, sino también para el «espíritu» de una entidad colectiva o una época, el cual se
encarna en las instituciones sociales culturales concretas. El término *Geisteswissenschaft* implica que es
posible el estudio científico y riguroso de las sociedades y culturas humanas, pero que este estudio, a
causa del énfasis que pone en el sentido o en el significado, difiere de las ciencias naturales, cuyo tema u
objeto de estudio está desprovisto de sentido. El objetivo de las *Geisteswissenschaften* es el *verstehen* (comprender), *captar* el sentido en su concretitud, mientras que el de las ciencias naturales es la explicación en
términos abstractos y cuantitativos».

miento histórico como un tipo de conocimiento científico diferente del que podemos lograr del mundo natural.[21] El hombre elabora una historia, puede comprender (*verstehen*) una realidad humana del pasado e identificarse con ella porque él mismo es histórico. Porque su individualidad existencial —su vida y su devenir— resulta de la encrucijada de unos sistemas culturales. Así, por su inserción en estos, en una comunidad de lengua, en una comunidad nacional que se despliega en el tiempo, el historiador, como ser humano, a la vez que se autocomprende, aprehende realidades que sobrepasan su individualidad y que tienen cierta universalidad, pues, en último término, Dilthey no niega una común condición o naturaleza humana.[22] La teorización que hace Dilthey del conocimiento histórico desarrolla la gran intuición de Giambattista Vico, para quien el hombre puede pensar la naturaleza, pero solo puede entender verdaderamente realidades que tengan su misma textura vital: las del mundo histórico, fruto de su acción.

Por último, como ha expuesto Georg Iggers, en ese modelo historiográfico básicamente común, que tiene su matriz en el historicismo clásico alemán, pueden distinguirse notorias diferencias. En el caso alemán, especialmente en Prusia, en el seno de un estado bastante autoritario, insuficientemente modernizado desde el punto de vista político (el famoso *Sonderweg* o trayectoria especial alemana), se dio una cesura entre los historiadores académicos y el público culto en mayor medida de la que se dio en Francia. En esta, además, se dio una mayor variedad y confrontación político-ideológica entre los historiadores, con una predominancia de la interpretación política liberal.[23]

Por su parte, François Dosse, en un capítulo sobre la «prehistoria de *Annales*»,[24] dedica unas páginas muy sabrosas a la «Era Lavisse»,[25] con estadísticas muy reveladoras sobre el francocentrismo y la dominancia de la historia

21 La distinción entre *Kulturwissenschaft,* como un tipo ciencia *idiográfica* (de lo singular), y *Naturwissenschaft,* como un tipo de ciencia *nomotética* (que explica lo general mediante leyes), es un concepto clave en los teóricos neokantianos de la historia como Windelband y Rickert. Ya que este capítulo puede leerse, en cierto modo, como la prehistoria de la renovación historiográfica de *Annales,* revista nacida en Estrasburgo, resulta relevante saber que una célebre lección de apertura de curso pronunciada por Windelband en el año 1894 en la Universidad de Estrasburgo (ciudad bajo soberanía alemana entre 1871 y 1914) fue dedicada a la relación entre la historia y las ciencias naturales.

22 Para una ampliación de este tema, véase la profunda obra de R. Aron: *La philosophie critique de l'histoire. Essai sur une théorie allemande de l'histoire.* París, Vrin, 1969 (reimpr. del texto de 1934-1935), pp. 86-88.

23 Iggers, Georg: *La ciencia histórica en el siglo xx.* Barcelona, Labor, 1995, pp. 30-33.

24 Dosse, François: *La historia en migajas.* Valencia, Institució Alfons el Magnànim, 1988, p. 39.

25 Una obra de síntesis de la historia de Francia conocida como el *Petit Lavisse* (por el nombre del historiador), publicada en 1884, había alcanzado ya 75 ediciones en 1895.

política,[26] las cuales confirman aseveraciones que he hecho anteriormente en este capítulo. También se encuentran en esas páginas de Dosse algunas expresiones felices. Así, cuando afirma que la historia entre 1870 y 1914 (inicio de dos conflictos bélicos franco-alemanes) llega a convertirse, para una generación traumatizada por Sedán, en el aperitivo de la movilización general patriótica. «La escuela historicista francesa —escribe—, parece haber captado bien la doctrina cientificista de Ranke con tal de adquirir la eficacia alemana, manifestada en el desastre que supuso para Francia 1870.»[27] Un clima muy distinto, como vemos, del enfoque europeísta actual.

---

26 Según Alain Corbin, el 54,1% de los artículos publicados en la *Revue Historique*, desde su nacimiento en 1876 hasta 1926, trataban sobre historia de Francia.

27 Esta misma idea de la gran importancia que tuvo el reto alemán para la historiografía francesa posterior a 1871 es una de las claves de lectura de la magistral obra de C.-O. CARBONELL: *Histoire et historiens, une mutation idéologique des historiens français, 1865-1885*. Toulouse, Privat, 1976.

La renovación historiográfica en torno a la revista «Annales»: sus claves, su influencia y sus ambigüedades

2.1. «ANNALES»: MÁS QUE UNA REVISTA, MENOS QUE UNA DOCTRINA

Marc Bloch y Lucien Febvre, los hombres que fundaron la revista *Annales* en la ciudad de Estrasburgo el año de 1929, y aquellos que después se han considerado sus seguidores, se han negado con frecuencia a hablar de «la Escuela de *Annales*». Con todo, no cabe duda de que, al menos en sentido lato, y por la necesidad de orientación y simplificación, en la práctica ha acabado considerándose una escuela al grupo de historiadores que compartieron el talante y el *esprit* que animó dicha revista.[1] Una escuela, en todo caso, de perfiles inciertos y cambiantes, como veremos. Una escuela que ha mostrado una importante vitalidad durante, al menos, tres generaciones.[2]

De esa «escuela» que significó en su momento, en cierto modo, «la revolución historiográfica francesa»,[3] se ha escrito ya su historia, tanto desde dentro como desde fuera. Disponemos también de importantes monografías sobre sus figuras clave, especialmente sobre el dueto de Estrasburgo y alrededor de Fernand Braudel. Está en curso, asimismo, la publicación del epistolario de los fundadores de la revista que identifica dicha escuela.[4] Además, una gran parte de los historiadores aglutinados en torno a ella ha escrito su autobiografía intelectual.[5]

Sin duda, como ha escrito alguien, *Annales* es más que una revista y menos que una doctrina. Lo primero es obvio; en cuanto a lo segundo, basta pensar en

---

1 Un testimonio importante al respecto es el propio título de la obra de André Burguière, *La Escuela de los Annales. Una historia intelectual* (2006), ya que Burguière ha escrito desde dentro de ella.

2 En el debate sobre la Escuela de los *Annales* que tuvo lugar en el XVI Congrès International des Sciences Historiques (Stuttgart, 1985), Pietro Rossi subrayó el llamativo contraste entre sus grandes logros en la práctica y la relativa pobreza de su construcción teórica.

3 *The French Historical Revolution* fue el sugestivo y oportunista título del libro publicado en 1990 por Peter Burke, cuando resonaban aún las celebraciones del bicentenario de la Revolución francesa por antonomasia, con el subtítulo *The Annales School, 1929-1989* (trad. esp.: *La revolución historiográfica francesa. La Escuela de los Annales 1929-1984*, Barcelona, Gedisa, 1993).

4 MÜLLER, Bertrand (dir.): *Correspondance, par Marc Bloch et Lucien Febvre*. París, Fayard, 1994-2003, 3 vols. (este epistolario cubre los años 1929-1943).

5 Cfr. NORA, Pierre (dir.): *Essais d'ego-histoire*. París, Gallimard, 1986.

el acusado contraste ideológico que puede percibirse, por ejemplo entre Pierre Vilar (marxista) y Pierre Chaunu (cristiano y liberal), para constatar el amplio margen de indefinición que hay entre los historiadores vinculados a ella. Entre esas dos piedras (*pierres*) ha existido durante más de medio siglo un ancho puente por el que han transitado gran número de historiadores, no solo franceses. Por otra parte, los numerosos cambios en el subtítulo de la revista y el propio título «Historia abierta» (*Offene Geschichte*) que se ha dado a la traducción alemana del trabajo de P. Burke sobre esta escuela, son reveladores de esa indefinición. Una indefinición que ha constituido a la vez su grandeza y su debilidad.

Lo que me propongo a continuación es clarificar un poco las claves explicativas del nacimiento, auge y decadencia de esta escuela, así como sus ambigüedades y su profunda y extensa influencia.

Para empezar, recordemos algunos hitos cronológicos capitales que nos servirán también para organizar la exposición. En 1929 ve la luz en Estrasburgo, en la Alsacia de nuevo francesa desde 1914, el primer número de *Annales d'histoire économique et sociale*. Sus impulsores y fundadores fueron dos profesores de la Universidad de Estrasburgo: el medievalista Marc Bloch (1886-1944), muerto trágica y prematuramente en el combate contra el nazismo, y el modernista Lucien Febvre (1878-1956). Este último logró, no sin alguna maniobra problemática, dar continuidad a la revista durante los años de la Segunda Guerra Mundial, con el título de *Mélanges d'histoire sociale*. Este dueto encarna, por antonomasia, aunque no pueda ser entendido aisladamente, la primera generación. Primera generación que se solapa con la figura extraordinaria, también por su talento de organizador, de Fernand Braudel, «el hombre de en medio» el cual oscurece por su protagonismo a los otros miembros coetáneos de la escuela, como Robert Mandrou.[6]

En 1957 Braudel sucedió a Febvre como único director de la revista. Anteriormente, Braudel había publicado ya su celebérrima gran tesis *El Mediterráneo y el mundo mediterráneo en la época de Felipe II* (1949). Pocos años antes, al terminar la guerra, *Annales* había retomado su título originario y aparecía con el subtítulo que, hasta ahora, ha sido el más duradero: *Économies, Sociétés, Civilisations* (abreviado usualmente como *Annales, E.S.C.*). Simultáneamente, Braudel y Febvre habían logrado en 1946 un decisivo apoyo institucional: establecer en París y controlar un gran centro de investigación, la VIᵉ Section de l'École Pratique des Hautes Études, desde donde irradiaría, también hacia el extranjero, la influencia de *Annales*.

---

6 Esta certera expresión, «el hombre de en medio», la tomo de François Dosse: *La historia en migajas*, 1988, p. 160.

Desde 1970 se abre paso y toma el relevo en la dirección de la revista otra nueva generación, la tercera, que pilotará la publicación de forma colegiada. En cualquier caso, la figura majestuosa de Braudel continúa dominando entre bastidores el patronazgo y la proyección internacional. La nueva dirección quedó constituida por M. Ferro, J. Le Goff y E. Le Roy Ladurie. Marc Ferro era un contemporaneísta especializado en Rusia y en las relaciones entre cine e historia; Jacques Le Goff, trabajaba sobre la Edad Media. Era Emmanuel Le Roy Ladurie quien, por su dedicación al Antiguo Régimen, mantenía la fuerte impronta modernista de la publicación. Pero esta *troika* no agota, ni de lejos, la nómina de grandes historiadores de esa tercera generación, entre la que podrían incluirse, además (limitándonos, por el momento, a Francia), a Georges Duby, Pierre Goubert, François Furet y Michel Vovelle, además de los ya mencionados Pierre Chaunu y Pierre Vilar.

Se ha sostenido, plausiblemente, que 1985, el año en que muere Braudel, el historiador sol, podría tomarse como hito simbólico de la desaparición como grupo articulado e influyente de la Escuela de *Annales*, pese a que la revista se siga editando y haya cambiado nuevamente su subtítulo en 1994. Desde entonces se llama: *Annales: Histoire, Sciences Sociales*.[7]

En esta obra le dedicamos una atención especial a la Escuela de *Annales* por la importante renovación historiográfica que ha impulsado a escala mundial y por la gran influencia que ha tenido en el mundo hispánico.[8] Algunas manifestaciones destacadas de esta última son el «temprano» y espléndido manifiesto fundacional —inspirado por J. Vicens Vives y sus colaboradores— de la revista *Estudios de Historia Moderna* (Barcelona, 1951) y, por señalar otro hito posterior, el segundo y multitudinario congreso sobre «Metodología aplicada a las ciencias históricas», celebrado en Santiago de Compostela en 1982 e impulsado por el Dr. Antonio Eiras Roel y sus discípulos.[9] Casi todos los historiadores universitarios españoles que estamos en edad avanzada hemos sido o somos, en

---

7 El nuevo subtítulo coincide, en buena parte, con el título de un libro de Pierre CHAUNU: *Histoire, science sociale. La durée, l'espace et l'homme à l'époque moderne*. París, Sedes, 1978 (trad. esp.: *Historia, ciencia social. La duración, el espacio y el hombre en la época moderna*. Madrid, Encuentro, 1986).

8 En cuanto a la influencia mundial, un buen testimonio constituye las numerosas referencias que hacen Iggers y Wang a autores como Braudel al tratar de historiografías extraeuropeas en su reciente panorámica historiográfica, *A Global History...*, 2008.

9 Comenté la importancia de ese manifiesto de 1951 en mi contribución al libro de José ANDRÉS-GALLEGO: *Historia de la Historiografía...*, 2003, pp. 163-164. Sobre Vicens Vives, sigue siendo importante la obra de J. M. MUÑOZ LLORET: *Jaume Vicens i Vives. Una biografia intel·lectual*. Barcelona, Edicions 62, 1996; en 2010, con ocasión del centenario de su nacimiento (y el 50 aniversario de su muerte), han tenido lugar multitud de iniciativas académicas e investigadoras dedicadas a él, especialmente en Catalunya; su epistolario está en curso de publicación por J. Clara, P. Cornellà, F. Marina, F. A. Simon.

alguna medida, *annalistes*. También porque el francés fue nuestra primera lengua de intercambio internacional.

Otras dos razones complementarias para darle cierta preeminencia a *Annales* en este trabajo son las siguientes: por un lado, porque como ya he indicado, muchas figuras relevantes de esta escuela han trabajado sobre la Edad Moderna (mi ámbito originario de investigación), por motivos que ya mencionaré. También, porque la evolución de la Escuela de *Annales* durante tres generaciones nos permite captar cómo esa inquietud ínsita en el *esprit* de *Annales* se manifiesta en nuevas experiencias y tentativas, al compás de nuevas coyunturas históricas, y deja su huella en los diferentes itinerarios que transita Clío. Por ello, seguir la historia de *Annales* es, en buena medida, adentrarnos en las diversas dimensiones del debate teórico-metodológico que ha tenido lugar en los últimos decenios en torno a la historia.

2.2. «Au berceau des "Annales"»: la Universidad de Estrasburgo en la coyuntura histórica de 1929

Más de una vez me he referido, en otros escritos, a la especial fertilidad que poseen las tierras de encrucijada. Estrasburgo y la Alsacia de entreguerras son sin duda uno de los casos que abogan por esta tesis (Catalunya sería otro). Tras su victoria sobre Francia en 1870, los alemanes crearon en Estrasburgo una universidad mimada, con excelentes profesores y una bien provista biblioteca: la Kaiser Wilhelm-Universität. Allí, por ejemplo, como ya he mencionado anteriormente, enseñó Windelband y allí pronunció este uno de los más celebres discursos sobre la historia. Cuando Alsacia pasó a Francia, tras la Primera Guerra Mundial, la Tercera República Francesa hizo un gran esfuerzo y la Université de Strasbourg se convirtió en la segunda universidad francesa por su prestigio. En ella enseñaban Marc Bloch y Lucien Febvre en 1929. El *milieu strasbourgeois* estaba animado por una rica vida intelectual interdisciplinaria, abierta, por ejemplo, a las enseñanzas de la geografía humana de Vidal de La Blache y a los enfoques sociológicos de F. Simiand.[10]

Por otra parte, tanto la fermentación ideológico-social, tras la Revolución comunista en Rusia en 1917, como la tendencia al sufragio universal (al menos masculino) en el Occidente liberal, hacían más flagrante la necesidad de pensar

---

10 CARBONELL, Charles-Olivier, y LIVET, Georges (eds.): *Au berceau des Annales* ('En la cuna de los Annales') Toulouse, Presses de l'Institut d'Études Politiques de Toulouse, 1983. Contiene las comunicaciones presentadas al coloquio celebrado en Estrasburgo para conmemorar los 50 años de la fundación de la revista.

la historia en términos sociales más amplios que la historia tradicional de las élites políticas. Además, los problemas y las variaciones de la coyuntura económica aparecían crecientemente en una posición relevante e invitaban a ensanchar en esa dirección una historia adecuada a las nuevas realidades. Y tampoco podían ser insensibles los historiadores al ímpetu que había cobrado la filosofía vitalista en la época, representada, entre otros, por Henri Bergson y José Ortega y Gasset.

Sin duda había habido precedentes importantes, también en la propia Francia, de propuestas alternativas a la historia política dominante en la *Sorbonne* parisina. Basta pensar en la *Revue de Synthèse Historique* lanzada por H. Berr a principios del siglo XX o, más retrospectivamente, en los alegatos de J. L. Vives, J. Bodin, Voltaire y Herder en favor de una historia de la civilización.

Por otra parte, según la interpretación retrospectiva del nacimiento de *Annales* que nos propuso en Stuttgart Marc Ferro, en su comunicación «Formes et fonctions du discours historique» (XVI Congreso Internacional de Ciencias Históricas, 1985), *Annales* quería expresar también una voluntad irénica, contra la excesiva ideologización de la historia; fue una propuesta para superar confrontaciones de estados, como la de Francia contra Alemania, o confesionales (de católicos contra protestantes). Según este punto de vista, en definitiva, lo que *Annales* habría buscado (su «futuro») era un discurso histórico más autónomo respecto a los diversos poderes o ideologías.[11]

Siguiendo esta línea de pensamiento, así como F. Dosse ha hablado de Braudel como del «hombre de en medio», por su centralidad en la escuela, la propia Escuela de *Annales* —soy yo el que concluye ahora— podríamos denominarla la «escuela de en medio», puesto que busca una vía intermedia en el amplio espectro de las diversas tendencias ideológico-historiográficas.

2.3. LOS DIFERENTES ASPECTOS DE LA RENOVACIÓN HISTORIOGRÁFICA QUE PROPUGNAN BLOCH Y FEBVRE

Bloch y Febvre compartían unas actitudes metodológicas y unas tendencias comunes en la manera de concebir y realizar el trabajo histórico. En buena parte, esas actitudes surgen como un intento de superar las deficiencias y limitaciones del «Antiguo Régimen» historiográfico, es decir, de la historia tradi-

---

11 La intervención de M. Ferro como tal no ha sido publicada, pero esta idea de fondo es una de las que inspira su libro, editado ese mismo año (1985), *L'histoire sous surveillance. Science et conscience de l'histoire* (París, Calman-Levy).

cional, a la que, sobre todo Febvre, dedicó críticas punzantes y combatió de manera decidida.

Sin embargo —recordemos: «menos que una doctrina»—, los fundadores de *Annales* no elaboraron una filosofía de la historia explícita y formalizada, ni una antropología filosófica ni una sociología. Si algo caracterizó desde el principio a la escuela es su espíritu de insatisfacción y de búsqueda. Bien significativo de ese talante, desde la primera generación, no son solo los cambios de subtítulo de la revista a los que antes ya me he referido, sino también el título de un artículo de Lucien Febvre: «La vida, esa continua pregunta».[12]

Inmersos en un mundo cambiante, los *Annales* no tienen inconveniente en cambiar con él. Esta actitud fue subrayada ya por G. Barraclough en su influyente informe para la Unesco sobre las «Tendencias actuales de la historia». «Lo que conviene retener sobre todo a propósito de esta concepción nueva de la historia es que no buscaba imponer un nuevo dogma, ni una nueva filosofía de la historia, sino que invitaba al historiador a modificar su trabajo y sus métodos; no le ligaba a una teoría rígida, sino que le abría nuevos horizontes.»[13]

Hablando en términos generales, la preocupación central de Bloch y Febvre consistía en ampliar la visión del historiador y dotar a la Historia de una mayor profundidad y una mayor amplitud de campo cronológico. Dada la ausencia de corpus teórico articulado (ni Febvre ni Bloch escribieron una *Historik* a lo Droysen), los diferentes aspectos de la propuesta de *Annales* hemos de deducirlos o bien de sus artículos más significativos, a nivel conceptual, o bien de la praxis que reflejan sus monografías de investigación.

Entre los primeros cabe citar, aparte del breve manifiesto fundacional de la propia revista, la recopilación de artículos de Febvre bajo el título *Combats pour l'histoire*, cuyas primeras ediciones francesas son de 1949 y 1953,[14] así como el pequeño gran libro de Bloch, inacabado por su trágica muerte, *Apologie pour l'histoire ou métier d'historien*, publicado póstumamente en 1949. Dejo aparte deliberadamente, por ahora, las contribuciones específicas que realiza F. Braudel en una segunda etapa. Merece la pena que las abordemos de modo diferenciado.

En cuanto al planteamiento epistemológico que ofrecen los *Annales*, hay una propuesta de cambio de enfoque, en sentido antirankeano. Se enfatiza el

12 FEBVRE, L.: *Combates por la historia*. Barcelona, Ariel, 1970, p. 73.

13 BARRACLOUGH, Geoffrey: *Tendances actuelles de l'histoire*. París, Flammarion, vol. 2, p. 75 (trad. esp.: *Tendencias de la investigación en ciencia sociales*, Madrid, Tecnos-Unesco, 1981).

14 En *Combates por la historia* se incluye «De cara al viento. Manifiesto de los nuevos Anales» (de 1946), en que aparecía el nuevo subtítulo E.S.C. (pp. 59-71).

papel activo que tiene el historiador en la construcción no solo de la interpretación, sino del propio «hecho histórico». El hecho histórico, como algo dado sustancialmente, no existe. Los documentos, las antes veneradas fuentes históricas, solo dan respuesta a los problemas que el historiador previamente se ha planteado. Se postula, pues, una historia conducida por hipótesis y por problemas explícitos, y se cuestiona «la vieja doctrina de las dos operaciones» consecutivas: primero establecer los hechos; después, interpretarlos.

¿De dónde surgen esas hipótesis y esos problemas? ¿Cómo se confecciona el cuestionario con el que el historiador sale en búsqueda de los vestigios del pasado? En la respuesta a estas preguntas nos aparece otra dimensión capital, anteriormente ya mencionada, de la propuesta de *Annales*: esta subraya la conexión con el presente y el sentido vitalista del trabajo del historiador. Es desde el presente, zambulléndose en las complejidades de la vida, como el historiador configura ese cuestionario. Marc Bloch acuñó una expresión célebre para subrayar la continuidad solidaria del proceso histórico, que es todo un lema de esa primera generación: «explicar el presente por el pasado, explicar el pasado por el presente». La primera tesis de este binomio pertenece al patrimonio común de casi todas las actitudes historiográficas; la segunda confluye con la famosa expresión de Benedetto Croce de que toda Historia es en el fondo historia contemporánea.

El presente puede ayudar al historiador en la comprensión del pasado mediante dos vías: por una parte, puede suscitarle interrogantes y temas; por otra, las propias vivencias inmediatas del historiador le proporcionan hipótesis y claves explicativas. Naturalmente, esas vivencias, en buena medida, no son solo personales; son vivencias comunes a los grupos sociales de los que él forma parte.

Estas convicciones respecto a la importancia del presente en la tarea del historiador enlazan con una afirmación que ya había realizado Jean Bodin en su *Methodus* de 1566: para comprender verdaderamente una realidad, el historiador necesita haber tenido experiencias análogas a las que estudia. Por otro lado, varios teóricos de la historia de la historiografía actuales, como Jörn Rüsen e Irmline Veit-Brause, han subrayado la importancia que tienen las «experiencias formativas» de un individuo o de una generación en la remodelación de sus lecturas del pasado. Ciertamente, el conocimiento histórico no es una actividad meramente intelectual, sino que tiene también una fuerte impregnación pragmática.

Otra de las aspiraciones capitales en Bloch y Febvre fue la unidad de la historia con las demás ciencias humanas. En palabras de Pierre Vilar, ellos «combatían contra las barreras entre disciplinas, en favor de una relación orgánica entre Historia, Economía, Geografía, Sociología, por tanto en favor de la unidad de la materia y de la reflexión histórica». Pierre Chaunu corrobora por su parte esta idea cuando escribe que la gran innovación que tiene lugar a partir de 1929 es el acoplamiento que se produce entre las ciencias humanas del presente y los diversos aspectos de la historia. Aunque debo advertir que esta tendencia no se circunscribe desde luego a la Escuela de *Annales*, esta la impulsará decididamente.

Ya he mencionado antes el clima interdisciplinar de la Universidad de Estrasburgo en los años anteriores a 1929, un clima que sella la trayectoria intelectual de los fundadores de *Annales*. A las referencias antes mencionadas cabría añadir la influencia de la escuela sociológica de Émile Durkheim (1858-1917), a través de Simiand. Durkheim concebía la sociología como una ciencia en buena parte empírica que se ocupaba de la totalidad de los fenómenos sociales, entre los cuales consideraba muy importante la conciencia colectiva. De hecho, la sensibilidad por el estudio de la mentalidad o conciencia colectiva queda clara en algunas de las monografías de los fundadores de *Annales*. Bloch había trabajado ya en ese dominio en su célebre *Les rois thaumaturges* (1924), y Febvre, en su estudio sobre *Le problème de l'incroyance au XVIᵉ siècle: la religion de Rabelais* (1942). Aunque Braudel, en la generación siguiente, fuera muy poco sensible a estos temas, serán retomados e impulsados en la tercera generación, en la que, como veremos, se da gran importancia a la historia de las mentalidades, en conexión con la primacía que va cobrando la antropología en la década de 1970, como interlocutor privilegiado de la historia.

En definitiva, potenciando este diálogo de la historia con las diferentes ciencias sociales, lo que Bloch y Febvre pretenden es ampliar el objeto de estudio histórico. Por una parte, integrando otras dimensiones, además de la política, en el acercamiento a la realidad humana, pues ellos van en pos de una historia total, una *histoire à part entière*. Una aproximación a esta *histoire totale* había sido ya intentada tempranamente por Febvre en su tesis sobre *Philippe II et la Franche-Comté* (Felipe II y el Franco Condado). *Étude d'histoire politique, religieuse et sociale*, en la que se propone estudiar «la vida interna de una individualidad política: el Franco-Condado, durante uno de los periodos *les plus vivantes* de su historia».[15]

Para hacer asequible el objetivo de comprender interrelacionadamente las diferentes dimensiones históricas, Febvre, como después harán también mu-

---

15 Cfr. París, Flammarion, 1970 (reedición, con prólogo de F. Braudel), p. 70. No es difícil rastrear en la tesis de Febvre la huella de Michelet.

chos otros de *Annales*, acota un ámbito político-geográfico reducido, bien delimitado y bastante abarcable; una región (con una acusada personalidad histórica en este caso).

Ya he mencionado el aspecto de las mentalidades. Aún más explícita es, en los objetivos de *Annales*, la integración de la dimensión económica. No en vano la primera denominación de la revista fue *Annales d'Histoire Économique et Sociale*. El propio Bloch escribió, en ese dominio, una obra importante (y ya clásica) dos años después de la fundación de la revista: *Les caractères originaux de l'histoire rurale française* (1931).[16]

La ampliación del objeto histórico propugnada por el dueto de Estrasburgo se orienta también en otro sentido. Además de nuevas dimensiones, nuevos protagonistas. Frente a la historia centrada en las grandes individualidades y en las élites gobernantes, la aspiración ahora es estudiar y comprender la vida del hombre común.

Este interés por el hombre común, que aparece claramente marcado ya en el programa fundacional y en cierta medida en las obras de Bloch y Febvre, conducirá, especialmente en la segunda y en la tercera generación de *Annales*, al empleo de la cuantificación y de la estadística. Una utilización que no se limitará solo, aunque comience por la demografía y la economía, a establecer tasas demográficas y la evolución de las rentas y los precios, sino que se elevará después («del sótano al desván») hasta el nivel de las actitudes mentales. Por otra parte, este ensanchamiento del protagonismo en la historia de nuevos grupos humanos sintoniza con la *history from below* (historia desde abajo) tan cara a los marxistas británicos. Y converge también con el énfasis en *die kleine Leute* (la gente común) que pone la reciente *Alltagsgeschichte* (historia de la vida o, mejor, de la experiencia cotidiana) alemana.

El ensanchamiento de horizontes y perspectivas historiográficas que *Annales* propugna tiene un aspecto complementario, coherente con los otros ya mencionados, en el esfuerzo que realiza por ampliar el concepto de fuentes y por superar el fetichismo del documento clásico, circunscrito al texto escrito. La historia —indica Febvre en un pasaje que se ha hecho clásico y en el que esboza un difícil ideal— ha de hacerse utilizando todo tipo de vestigio que proceda de la actividad humana: lenguaje, signos, formas del paisaje, sistemas de repartición de la tierra, brazaletes, colleras de los caballos, espadas... Todo lo que pueda significar algún indicio de la actividad humana. En realidad, esta propuesta ya la estaban llevando a cabo los historiadores del mundo antiguo.

---

16 Trad. esp.: *Historia rural francesa*. Barcelona, Crítica, 1978.

En boca de Febvre, esta reivindicación era un testimonio más de su actitud interdisciplinar. No caería después del todo en saco roto. Basta pensar en la apelación a las complejas técnicas dendrocronológicas por parte de Le Roy Ladurie, como fuentes y método para el estudio del clima. (Estas técnicas dendrocronológicas se basan en el cuidadoso análisis del diferente espesor de los anillos de los troncos de los árboles centenarios.)

2.4. «La Méditerranée» y las aportaciones de Braudel (1902-1985) a la concepción de la historia, en la segunda generación de «Annales»

Se ha dicho que hay una historiografía antes y después de la publicación por Fernand Braudel, en 1949, de su gran tesis *La Méditerranée et le monde méditerranéen à l'époque de Philippe II* (2.ª ed. ampliada, 1966).[17] No sin razón. Tal vez Braudel sea el historiador que mayor proyección e influencia internacional ha tenido en el siglo XX. Tanta que sería tedioso enumerar todas las traducciones de esta obra a otras lenguas, así como los reconocimientos académicos —doctorados honoris causa— que recibió en vida. Sí merece la pena destacar que en la State University de Nueva York (en Binghamton) existe un Fernand Braudel Center, el cual fue dirigido inicialmente por Immanuel Wallerstein.[18]

El influjo de Braudel se debe sin duda a la importancia intrínseca y a las aportaciones de la obra maestra ya mencionada y de otros libros de los que se hablará enseguida.[19] Pero también a su talento de organizador, plasmado en la dirección desde 1956 de la VIᵉ Section de l'École Pratique des Hautes Études (centro de gran prestigio en el que se prosigue el diálogo preconizado por los fundadores de *Annales* entre la historia y las otras ciencias humanas y sociales) y en la creación de la Maison de l'Homme. Y, por último, pero no menos importante, la influencia de Braudel se explica por la ambigua actitud política y epistemológica que mantuvo, en un clima intelectual crecientemente dominado, en la Europa occidental y especialmente en Francia e Italia, por el marxismo y el estructuralismo, en los años de la descolonización y de la Guerra

---

17 Trad. esp.: *El Mediterráneo y el mundo mediterráneo en la época de Felipe II*. México, Fondo de Cultura Económica, 1976 (2.ª ed.).

18 El nombre completo actual (bien expresivo) de este centro es: Fernand Braudel Center for the Study of Economies, Historical Systems, and Civilizations.

19 Disponemos de numerosas monografías sobre la trayectoria vital e intelectual de F. Braudel, así como de las de Pierre Daix y Giuliana Gemelli, publicadas ambas en 1995.

Fría. Una Guerra Fría en la que Francia, enclavada en el bloque occidental (de hecho el mecenazgo americano fue clave para las realizaciones institucionales braudelianas), nunca dejó de ensayar un diálogo autónomo con la Unión Soviética y fue, en cierto sentido, un puente entre ambos bloques.

En las aportaciones específicas que Braudel realizó con sus propios trabajos hay dos dimensiones interrelacionadas, capitales, en las que centraremos nuestra atención: su acentuación del condicionamiento geográfico y su distinción (y articulación) de los distintos *tempos históricos*, dando una importancia decisiva a la *longue durée* (larga duración). Naturalmente, son relevantes también, pero no tan influyentes y característicos, su enfoque del diálogo con la sociología y la antropología y su visión del capitalismo.

Por lo que respecta a la acentuación del condicionamiento geográfico —hasta el punto de que se ha hablado de la geohistoria braudeliana—, hay realidades bien expresivas. Así la primacía que Braudel otorga al Mediterráneo en su gran tesis no solo como ámbito de estudio, sino como «protagonista». En esa gran obra histórica hay más de 500 páginas (cerca de la tercera parte del texto) dedicadas fundamentalmente al medio geográfico. Si son legibles, se debe en parte al estilo ágil, a veces casi poético, de Braudel. No me resisto a transcribir la traducción del inicio del prólogo (fechado en 1946) de la primera edición francesa: «Amo apasionadamente al Mediterráneo, tal vez porque, como tantos otros, y después de tantos otros, he llegado a él desde las tierras del norte. Le he dedicado largos y gozosos años de estudio que han sido para mí bastante más que toda mi juventud. Confío en que, a cambio de ello, un poco de esta alegría y mucho de su luz se habrán comunicado a las páginas de este libro».[20] Lo que Braudel se propone captar, como algo que subyace a los destinos colectivos y a la acción política, es «la tensión cotidiana y eterna en la que el hombre y su medio se funden estrechamente y en la que la geografía se hace historia viva».

La interacción entre el hombre y su medio geográfico es solo una de esas continuidades, de esas realidades que permanecen en la larga duración, más allá de la espuma de los acontecimientos. La dialéctica entre el hombre y el medio geográfico es una estructura, en el sentido que Braudel da a esta palabra. Con ello nos hemos introducido en otra de las dimensiones claves de la aportación braudeliana: su remodelación y pluralización del concepto de tiempo histórico. Lo que Braudel propugna y realiza en *La Méditerranée* es rebasar el tiempo efímero, la corta duración de los hombres y de los acontecimientos en

---

20 Braudel, Fernand: *El Mediterráneo...*, 1976, p. 12.

la que solían moverse los historiadores del antiguo régimen historiográfico, para comprender mejor las realidades humanas del pasado.

Braudel volverá explícitamente sobre la cuestión de la «larga duración» en uno de sus artículos más importantes: «Histoire et sciences sociales: la longue durée» (1958).[21] El historiador se propone captar, en la larga duración, esas realidades profundas y estables, que solo muy lentamente se desgastan y perecen («los arrecifes de coral de la historia») y a las que Braudel llama estructuras. Él, pues, postula una historia atenta, en primer lugar, a las estructuras, una historia estructural, que se preocupe de establecer las relaciones estables y profundas de los hombres y las cosas (así la dialéctica espacio-hombre) o de los seres humanos entre sí. Estas estructuras, que constituyen fuerzas profundas permanentes o semipermanentes, tanto aquellas de las que los coetáneos son conscientes como aquellas en las que viven de manera inconsciente, son como los fundamentos de una civilización.

El concepto braudeliano de estructura retoma ideas de la física social ilustrada a lo Montesquieu. Este concepto puede verse como una consecuencia de la recepción e inflexión del propio concepto marxista de infraestructura y como una respuesta desde la historia a la ofensiva de la antropología o etnología estructural de Claude Lévi-Strauss. Este veía en la antropología una ciencia conceptual, nomotética, de lo general; mientras que la historia sería una ciencia empírica, ideográfica, de lo particular. Braudel recoge la idea de Lévi-Strauss sobre la importancia que tiene el estudio de las expresiones inconscientes de la vida social (campo privilegiado de la antropología, según este último); pero Braudel modela esta idea, incorporándole la dimensión evolutiva, la necesidad de que esas expresiones sean estudiadas en sus contextos espacio-temporales. Así se justificaría una primacía o centralidad de la historia-síntesis braudeliana.[22]

En realidad, la respuesta de Braudel a Lévi-Strauss y a las ciencias sociales en general no se limita a oponerles la larga duración como estructura, sino que consiste en enriquecer en la práctica, pluralizándolo, el concepto de tiempo con el que venían trabajando los historiadores. Braudel distingue tres planos de temporalidad: *a)* el tiempo de la larga duración, un tiempo casi inmóvil; *b)* un tiempo intermedio, de unos cuantos decenios, que ritma los ciclos eco-

---

21 *Annales, E.S.C.*, núm. 4, octubre-diciembre de 1958, pp. 725-753, reproducido en BRAUDEL, F.: *La historia y las ciencias sociales*, Madrid, Alianza, 1968, pp. 60-106.

22 Sobre la relación entre Lévi-Strauss y Braudel, véase DOSSE, François: *La historia en migajas*, 1988, pp. 110-111. Braudel publicó el artículo antes citado sobre la larga duración, en el mismo año en que apareció la *Anthropologie structurale* de Lévi-Strauss. Cfr. también, DAIX, Pierre: *Fernand Braudel. Uma biografia*. Río de Janeiro, Record, 2000, pp. 385-402.

nómicos y las evoluciones sociales —una escala temporal que le permite acoger en cierto modo algunas teorizaciones de la historia económica de E. Labrousse—; y, por último, *c*) el tiempo corto, apropiado para el estudio de los acontecimientos y los avatares dramáticos de la historia clásica. Solo una visión complementaria, articulada desde esas tres perspectivas, permite comprender a fondo las realidades humanas y sociales.

He centrado mi análisis de la aportación historiográfica de Braudel en el énfasis que pone en el condicionamiento geográfico y en su ampliación y pluralización del tiempo histórico. Esto no implica que desdeñe desde luego la importancia de sus trabajos sobre el capitalismo en la Edad Moderna, especialmente *Civilización material, economía y capitalismo,* ambiciosa obra en tres volúmenes iniciada en 1967. En ellos acentúa y prima, en cierto modo, el papel de la circulación sobre la producción económica, retomando tesis anteriores de P. Mantoux y de H. Pirenne. Podría decirse que Braudel, tal como lo percibía Dosse en 1988, «aplaude el mercado, lugar de transparencia, y rechaza el capitalismo como tumor maligno, cuerpo extraño al mercado, superestructura que da origen al intercambio desigual».[23]

He hablado antes de la ambigüedad de Braudel en el plano político-ideológico, que ha facilitado cierta acogida de sus planteamientos en círculos de historiadores muy amplios. Un testimonio que me parece particularmente claro de esta ambigüedad (o centrismo, si preferimos esta expresión) es la siguiente afirmación que realizó en 1977, en la Johns Hopkins University: «A aquellos que, en Occidente, critican los defectos del capitalismo, los políticos y economistas responden que es un mal menor, el reverso inevitable de la libre empresa y de la economía de mercado. No lo creo en absoluto. A los que por el contrario, siguiendo una tendencia sensible incluso en la URSS, les preocupa la pesadez de la economía socialista y quisieran facilitarle un poco más de "espontaneidad" (yo [Braudel] traduciría: un poco más de libertad), se les responde que es este un mal menor, el reverso obligatorio de la destrucción del azote capitalista. Tampoco lo creo. Pero ¿acaso es posible la sociedad que yo considero ideal? ¡En cualquier caso, no creo que cuente con muchos partidarios en este mundo!».[24]

Tal vez, añado yo, bastantes más de los que Braudel pensaba, incluso en su tiempo; y sin duda más después, cuando se ha producido cierta confluencia, con divergencias importantes sin duda, hacia una economía social de mercado.

23 Dosse, François: *La historia...*, 1988, p. 172.
24 Braudel, F.: *La dinámica del capitalismo.* Madrid, Alianza, 1985, p. 129.

Braudel, con su poderosa personalidad, ha eclipsado demasiado, en cierto modo, a otros importantes historiadores franceses de su generación, dentro y fuera de la Escuela de *Annales*. Entre los de dentro, a Robert Mandrou, el cual fue más fiel, en cierto sentido, a las aspiraciones originarias a la historia total que el propio Braudel, pues este fue un tanto insensible a los aspectos culturales y sobre todo a los religiosos, a diferencia de Lucien Febvre. Entre los de fuera, a Roland Mousnier, un gran historiador, que, aunque con un punto de partida distinto y sin estar formalmente vinculado a los *Annales*, ha realizado muy valiosas contribuciones a la historia político-social y a la historia de las instituciones. Mousnier también ha producido algunas magníficas e influyentes síntesis que, en la práctica, incorporaban buena parte de los planteamientos de *Annales*.[25]

2.5. Expansionismo y evolución historiográfica en la tercera generación

En la tercera generación de la Escuela de *Annales*, la siguiente a Braudel, no existe una figura tan emblemática y que oscurezca a las demás como la de aquel. Si tuviera que primar una, al menos a juzgar por la cantidad de referencias que se le dedican en las distintas monografías sobre ese grupo de historiadores, destacaría tal vez a Emmanuel Le Roy Ladurie. Él es uno de los miembros del directorio que se hizo cargo efectivamente de la revista en 1970, aunque bajo la supervisión de Braudel. Y la trayectoria historiográfica e ideológica de Le Roy Ladurie, a la que enseguida me referiré, es expresiva de la de un buen número de colegas. Pero antes del itinerario de Le Roy, vayamos al retrato de grupo y a las nuevas tendencias que se detectan en la escuela, en relación también con las nuevas realidades históricas.

En la tercera generación de *Annales* podemos incluir una brillante pléyade de historiadores como, en orden alfabético, Bartolomé Bennassar, Pierre Chaunu, Georges Duby, Marc Ferro, François Furet, Jacques Le Goff, Pierre Goubert, Emmanuel Le Roy Ladurie, Pierre Vilar y Michel Vovelle. Muchos de ellos modernistas y autores, en bastantes casos, de grandes tesis de historia regional aparecidas en los años sesenta y setenta, periodo en el que quizá la escuela alcanza el clímax de su irradiación y prestigio. Este prestigio

---

25 Me refiero, ante todo, a su vol. 4, «Los siglos XVI y XVII», de la *Historia general de las civilizaciones*, dirigida por M. Crouzet (Barcelona, Destino, 1959, 5.ª ed. 1984; volumen traducido y completado, en los capítulos relativos a España, por Joan Reglà).

estuvo favorecido sin duda por una estrategia institucional y por factores exógenos, pero también por la solidez científica de unas monografías que se acercaban a la historia total, o al menos a una historia que integraba bien los aspectos demográficos, económicos y sociales.

Espigaré algunas de estas obras bien por tratarse de hispanistas, o por constituir modelos en cierto modo ya clásicos. Hispanistas influyentes, como Bennassar por su *Valladolid et ses campagnes*, y Vilar gracias a *La Catalogne dans l'Espagne moderne*; clásicos como Goubert, que a partir de su monografía sobre *Beauvais et le Beauvaisis*, centrada en una comarca cercana a París, en el siglo XVII, llegaría a ofrecer una síntesis, muy difundida desde fines del decenio de 1970 en España, sobre *El Antiguo Régimen* (en Francia).[26]

Pero no hemos de encajonar abusivamente a los hombres de *Annales* en ese género de la monografía regional. Su talante inquieto les lleva en casi todas las direcciones de la rosa de los vientos historiográfica. A Chaunu, hacia el estudio del tráfico atlántico de Sevilla («Rutas, puertos y tráficos» será el nombre de una de las series de estudios de investigación que publica la VIe Section de l'EPHE). Marc Ferro se interroga seriamente por las relaciones entre la historia y un medio de investigación, enseñanza y propaganda histórica: el cine.

Uno de mis maestros, Charles-Olivier Carbonell, propone una historia sociocultural de la historiografía,[27] y varios de los autores mencionados orientan su labor en un momento u otro hacia la historia de las mentalidades, retomando así una inquietud inicial algo postergada en la época de Braudel.

Para dar algunos sólidos datos cuantitativos y no únicamente pinceladas impresionistas en los que apoyar esta panorámica de la tercera generación, veamos cómo fue evolucionando, según el estudio de Jean-Louis Oosterhoff, el número de artículos, en porcentaje, dedicados en *Annales* a historia económica y a historia cultural, desde la fundación de la revista hasta 1976:

	1929-45	1946-56	1957-69	1969-76
Historia económica	57,8	40,0	39,0	25,7
Historia cultural	10,4	19,4	22,4	32,8

26 La tesis de B. Bennassar fue publicada como *Valladolid au siècle d'or* (La Haya, 1967). Los 3 vols. de la obra de P. Vilar aparecieron, en francés, en 1962 (trad. catalana, Barcelona, 1964). La edición original de *L'Ancien Régime* de Goubert es de 1969, y la 1.ª ed. en castellano se realizó en Buenos Aires, en 1971.

27 Esta propuesta de C.-O. Carbonell se hizo realidad en su gran tesis *Histoire et historiens. Une mutation idéologique des historiens français, 1865-1885*, Toulouse, Privat, 1976. A esa misma concepción responde su pequeño gran libro *La historiografía*. Madrid, Fondo de Cultura Económica, 1986 (ed. orig. fran., 1981).

Estas cifras parecen corroborar la tesis de que el interés se ha desplazado, según la célebre expresión, «del sótano al desván»; de la infraestructura a la superestructura, si quisiéramos emplear terminología marxista clásica. Ya nos preguntaremos por qué.

Hay varios aspectos que merece la pena destacar en esta tercera generación. Uno de ellos es la incorporación metodológica de la cuantificación y la estadística. Esta incorporación es coherente, puesto que se quiere abarcar todo el espesor social, mediante una *pesée globale* (una ponderación global) que se realiza empleando el utillaje conceptual y metodológico facilitado por las ciencias sociales del presente. La demografía histórica o la historia de la población es un ejemplo paradigmático. No por casualidad, sino porque a partir del empleo creciente de la píldora anticonceptiva y del trabajo de la mujer fuera del hogar, la natalidad se desploma en Europa occidental.

Lógica es también la preeminencia otorgada a las fuentes que permiten establecer series y un análisis comparativo, incluso en periodos relativamente dilatados de tiempo. De ahí el gran interés, por ejemplo, por los registros parroquiales y por los protocolos notariales. Estos últimos fueron, así, la fuente estrella en el ya citado Congreso de Santiago de Compostela de 1982. Cuando la informática se empieza a difundir, las bases de datos se disparan y se hacen profecías extremas —y luego desmentidas— por historiadores deslumbrantes... y deslumbrados. El historiador, en el futuro, será un programador o no será. *Le Roy* [Ladurie] *a dit.*

Pero si la historia cuantitativa o serial comienza en el primer nivel, no tarda en llegar al tercero, el de las mentalidades, al estudio, también cuantitativo, de las actitudes ante el amor y la muerte, por ejemplo. Los trabajos de Chaunu y de Vovelle acerca de estas últimas son una buena e influyente manifestación.

¿Por qué, ya es hora de encarar esta cuestión fundamental, se produce ese giro hacia la historia antropológico-cultural o sociocultural, que no es privativo, por lo demás, de *Annales*? Una vez más, la historiografía, intento de comprensión, a través del pasado, de lo que nos interesa y admira en el presente, sigue a la historia. La descolonización intensifica el contacto con otras civilizaciones. Admira y desconcierta la fuerza de resistencia de esas sociedades, la permanencia de sus estructuras, de sus valores, que parecen irreductibles al modelo occidental. Esa constatación favorece un discurso antropológico o etnológico. Esa alteridad u otreidad, cercana y lejana a la vez, que se experimenta ahora a gran escala en el propio tiempo, en las aglomeraciones urbanas, impulsa una reflexión sobre la alteridad, la diferencia, aplicada a las sociedades europeas de la época preindustrial.

¿Cuál es la clave que permite comprender cómo un grupo humano se interpreta a sí mismo? Ya no basta la verificación de las hipótesis desde la lógica de las sociedades occidentales del presente. Se hace necesaria la escucha del discurso del otro... y los presuntos programadores se ponen a reconstruir, mediante el relato, las historias vitales que los campesinos de un pueblo del sur de Francia del siglo XIV han contado en los interrogatorios de un inquisidor. Es Le Roy Ladurie en *Montaillou, village occitan* (1975), uno de los más impresionantes éxitos editoriales de un libro de historia en los últimos decenios.[28] Obra de un autor cuya peripecia ideológica e historiográfica es bastante más que un itinerario personal. Le Roy Ladurie pasa en lo ideológico del Partido Comunista de Francia, línea estalinista, al liberalismo; y en lo historiográfico, del estudio del reajuste homeostático bisecular neomalthusiano entre población y recursos (en su magnífico libro sobre *Les paysans de Languedoc* de 1966), al relato histórico-antropológico. Su trayectoria es el reflejo de cierto clima intelectual en el que se preanuncia la crisis de la modernidad y de lo que algunos llaman, pomposamente, los grandes paradigmas científico-sociales.

Esta historia antropológica puede considerarse que es «el último avatar de la Nueva Historia». Charles-Olivier Carbonell ha señalado algunos hitos significativos en esta evolución de una buena parte de la tercera generación de *Annales*. Entresaco algunos: en 1976, solo un año después de la publicación de *Montaillou*, Jacques Le Goff cambia el título de su seminario en l'École d'Hautes Études en Sciences Sociales, de «Histoire et Sociologie de l'Occident médiéval» a «Anthropologie historique de l'Occident médiéval». En 1978, André Burguière presenta al gran público la antropología histórica como el nuevo territorio privilegiado. Realiza esta consagración en la obra colectiva escrita por historiadores afines a *Annales* y titulada *La nouvelle histoire*.[29]

2.6. BALANCE RETROSPECTIVO: PUNTOS FUERTES Y LÍMITES DE LA «NOUVELLE HISTOIRE»

Hasta ahora he seguido las aportaciones que la (en su momento) *nouvelle histoire* propuesta por los hombres de *Annales*, realizó al debate historiográfico,

---

28 Trad. ingl.: *Montaillou. The Promised Land of Error*, 1978; trad. esp.: *Montaillou, aldea occitana de 1294 a 1324*, Madrid, 1981; trad. alemana: *Montaillou. Ein Dorf unter dem Inquisitor*, Berlín, 1983.

29 Véase CARBONELL, Charles-Olivier: «Antropología, etnología e historia: la tercera generación en Francia», en Andrés-Gallego, José (ed.): *New History, Nouvelle histoire. Hacia una nueva historia*. Madrid, Actas, 1993, pp. 91-100.

desde una perspectiva más bien de notable identificación con esta tendencia. Hemos precisado «propuesta» por *Annales* porque, como ha escrito Donald Kelley con razón, pocas expresiones o términos son tan viejos como el de «nueva historia».[30]

Sin embargo, cuando tratamos de la época reciente y empleamos la expresión en francés, no es difícil deducir que esa denominación alude a la propuesta historiográfica de *Annales*. Pienso que, para matizar y concluir esta panorámica, es conveniente complementarla ahora con un breve balance retrospectivo. Un balance en el que tengo muy en cuenta el enfoque y las informaciones que ofrece un *outsider*, H. Coutau-Bégarie, en su importante y extensa obra *Le phénomène nouvelle histoire*, publicada por primera vez en 1983. Un libro del que se ha hecho ya una segunda edición en francés, pese a que la gran mayoría de los historiadores afines a *Annales* ha procurado silenciarlo.[31]

Para Coutau-Bégarie, el ímpetu intelectual y el espíritu de conquista que mostraron los hombres de *Annales* en los años sesenta y setenta se convirtió después en duda y en rutina. La cuarta generación no ha ofrecido esas obras maestras individuales sobre las que se ha fundamentado la reputación de la escuela. El *Dictionnaire de sciences historiques*, compilado por Burguière y aparecido en 1986,[32] es un testimonio involuntario de esa pérdida de vigor. Prácticamente todos los trabajos citados como modelo en él, figuraban ya en una influyente obra colectiva, *La nouvelle histoire*, dirigida por Jacques Le Goff, publicada siete años antes.[33] Los hombres de *Annales*, que desde fines de los setenta perdieron su *auctoritas*, se quedaron sin la *potestas* desde que en 1985 no pudieron retener la presidencia de la École des Hautes Études en Sciences Sociales. No lograron entonces encontrar un candidato con la cualificación requerida para reemplazar a Furet. Si a este hito le añadimos la muerte de Braudel en el mismo año, y algunas declaraciones casi coetáneas de influyentes personalidades vinculadas a *Annales*, se puede justificar que en 1985 se dé por finalizada la existencia de *Annales* como una escuela con importante peso, influencia y cierta unidad. Es cierto que Burke extiende la cronología de *Annales* hasta 1989, pero ello obedece en buena parte, pensamos, a las connotaciones

---

30 KELLEY, Donald: «El giro cultural en la investigación histórica», en OLÁBARRI, J., y CASPISTEGUI, F. J. (eds.): *La «nueva» historia cultural: la influencia del postestructuralismo y el auge de la interdisciplinariedad*, Madrid, Complutense, 1996, pp. 35-48.

31 COUTAU-BÉGARIE, Hervé: *Le phénomène nouvelle histoire. Grandeur et décadence de l'école des Annales*. París, Economica, 1989 (2.ª ed., revisada).

32 Trad. esp.: *Diccionario de ciencias históricas*. Madrid, Akal, 1991.

33 COUTAU-BÉGARIE, H.: *Nouvelle...*, pp. VIII-IX.

simbólicas que tienen esos dos últimos dígitos «89» en relación con la Revolución francesa, pues «Revolución» es un término que Burke introduce, como sabio anzuelo, en el título de su estudio. Con todo, la revista *Annales* sigue existiendo y sigue constituyendo un importante observatorio del panorama historiográfico coetáneo, desde el que se avistan los nuevos interrogantes y los nuevos debates.

Entre los puntos fuertes más claros en el balance historiográfico de *Annales* se encuentran sus grandes aportaciones a la historia económica, a la demografía histórica, a la historia de la cultura material, a la historia de las mentalidades y a la historia social. En cuanto a esta última, vale la pena matizar algo más. Por una parte, la historia social llega a ser un género —o al menos un enfoque— dominante, como símbolo de la búsqueda de la historia total. «L'histoire est sociale tout entière, par définition», decía L. Febvre. Y tanto M. Bloch como Braudel compartían este punto de vista. Pero de esta vocación a la totalidad resulta una «indeterminación fundamental» de la historia social. Esta puede ser entendida de muy diversas maneras. A partir de la historia económica, como hace E. Labrousse, para quien la historia social no es más que el envés de la historia económica, o desde la historia política e institucional, itinerario que ha seguido, por ejemplo, R. Mousnier —un autor situado, para mí, en las fronteras de los *Annales* y considerado parte de la *nouvelle histoire* por Coutau-Bégarie—. Esa «indeterminación profunda» en cuanto a la concepción de la historia social podría entenderse —pienso yo— como una condensación de la ambigüedad teórica de *Annales*.

Pero junto a estos puntos fuertes, ahora —con cierta distancia— pueden trazarse también los límites que, en diferentes dimensiones, se detectan en la práctica historiográfica dominante en la Escuela de *Annales*. En cuanto a las épocas estudiadas, desde una perspectiva general, cabe señalar el escaso interés por la historia antigua y por el siglo XX, correlato de una clara preferencia por la investigación del mundo preindustrial del Antiguo Régimen. ¿A qué se debe esta preferencia? En alguna medida, me parece, a la especialización originaria de los fundadores de la «escuela». Pero también a otras razones. Una sería la existencia de una afinidad electiva entre las propias tendencias conceptuales de los *Annales* —se interesa sobre todo por las estructuras y otorga una preeminencia, como tema de estudio, a las sociedades más estables—. Otra razón es quizá, que los autores agrupados en *Annales* experimentan cierto malestar respecto a la civilización del «presente», un presente en el que hay más arenas movedizas que las sólidas seguridades de la época victoriana. Por esta focalización en la época preindustrial, la *nouvelle histoire* francesa se distingue y contrapone a la historia social (*Gesellschaftsgeschichte*) alemana practicada por la

Escuela de Bielefeld —con la que por otra parte está emparentada— y de la que pronto nos ocuparemos.

Más importante es quizá la limitación de *Annales* en los dominios temáticos abordados habitualmente. Apenas se ha hecho historia política e institucional, historia de las relaciones internacionales, historia militar, y se ha desdeñado un tanto, pese a la atención inicial de Febvre, la historia religiosa.

Todos estos dominios han quedado con frecuencia desdibujados en el cajón de sastre del «tercer nivel», el nivel de las *civilisations*.

Por último, en cuanto a los géneros historiográficos, la Escuela de *Annales* ha privilegiado de facto las monografías en detrimento de las biografías, aunque de nuevo Febvre (y no solo él) invitarían a introducir matizaciones.

Podría achacarse también a la Escuela de *Annales* que apenas se han fijado como objetivo producir grandes síntesis. Sabemos ciertamente que estas no abundan en ninguna escuela y que la ya citada *Las civilizaciones actuales*, de Fernand Braudel, es una obra de gran aliento en todos los sentidos que ha tenido una duradera e importante influencia incluso en los planes de estudios de la enseñanza media. Una de esas pocas obras que permite avizorar, en pocas páginas, una panorámica mundial, en la que resulta capital la gran perspectiva histórica y en la que se discuten términos y conceptos interpretativos fundamentales, comenzando por ese neologismo de *civilisation*.

Con todas sus limitaciones y más allá de la autopropaganda que ha realizado de sí misma, el impulso que dieron los hombres nucleados por *Annales* a la investigación y a la escritura de la historia ha resultado fecundo y ha dejado una huella importante. Es una lástima que, con el creciente desconocimiento del francés, la gran mayoría de los nuevos universitarios no puedan captar ese alentador *esprit* directamente. Por ello, y porque el léxico básico de *Annales* no puede ya darse por conocido, pienso que ha sido una excelente idea de P. Burke el incluir un breve glosario al final de su estudio sobre *The French Historical Revolution*. Por mi parte, algo he contribuido también al conocimiento, aunque sea indirecto, de las obras maestras de esos autores. En la revisión y adaptación del libro de Iggers *La ciencia histórica en el siglo xx* he añadido las referencias de las traducciones al castellano disponibles, de entre las numerosas obras debidas a esa escuela, incluidas en la bibliografía seleccionada por dicho autor.

Las propuestas y el contexto de la historia, como ciencia social, en Alemania y Norteamérica

3.1. Introducción

A veces existe cierta tendencia a reducir excesivamente las propuestas historiográficas vigentes después de la Segunda Guerra Mundial en el mundo occidental. Ciertamente persiste, aunque modulado, el modelo historiográfico básico al que hemos llamado también Antiguo Régimen historiográfico. La renovación que supuso el espíritu de *Annales* a lo largo de tres generaciones, la hemos ponderado ya con algún detenimiento en el capítulo anterior. Más tarde me referiré a la evolución de la ciencia histórica en las diferentes corrientes del marxismo. Pero no todo se agota ahí.

Uno de los méritos del ensayo panorámico publicado por Georg Iggers en 1995 sobre *La ciencia histórica en el siglo XX* estribó en incluir y reivindicar la importancia de algunas escuelas históricas alemanas como la Escuela de Bielefeld, de la que me ocuparé ahora (y de la *Alltagsgeschichte*, de la que trataré en un capítulo ulterior).[1] Iggers realizó esta tarea, por una parte, mediante el comentario de varias obras emblemáticas —con frecuencia no traducidas al español—, de algunas revistas como *Geschichte und Gesellschaft* (Historia y Sociedad), o de instituciones insignia de estas escuelas, como la Universidad de Bielefeld. Por otro lado, Iggers contextualiza estas propuestas en relación con el rico legado teórico en el que se fundan —en el que Max Weber tiene un peso especial—, a las experiencias formativas de las personas integrantes de esas escuelas y al debate político social en que se suscitaron. Tras la «catástrofe alemana» del nacionalsocialismo y la Segunda Guerra Mundial, era imprescindible clarificar en profundidad las raíces y los motivos del descarrío político-social de Alemania en su proceso de modernización.

Aspiro a recoger en este capítulo lo que me parece más relevante de esta aportación, a partir de la obra de G. Iggers, y le añado algunas informaciones

---

1   Esa inclusión fue una de las razones por las que impulsé la edición en español del libro de Georg IGGERS: *La ciencia histórica en el siglo XX.* Barcelona, Labor, 1995 (2.ª ed. en Idea Books, 2002. Para este tema, cfr. especialmente las pp. 33-38 y 62-72. Cfr. asimismo SÁNCHEZ MARCOS, F.: «La influencia de la historiografía germánica en España en el decenio de 1990-1999», en BARROS, C. (ed.): *Actas del II Congreso Internacional Historia a Debate.* vol. I, A Coruña, 2000, pp. 129-138.

y reflexiones. Cabe resaltar ya ahora que, en relación con el debate historiográfico, el mundo germánico no se agota en las teorizaciones ya clásicas (expuestas anteriormente) de Hegel y Marx como pensadores de la historia, ni de Ranke como paradigma de la historiografía *savante* historicista, ni de Dilthey como filósofo de las *Geisteswissenschaften* (ciencias del espíritu, ciencias culturales o humanísticas).

Para facilitar el seguimiento en esta sección temática relativa a las propuestas germánicas de historia social, me apoyaré en las informaciones e ideas que he expuesto ya en el capítulo anterior sobre la escuela de *Annales*, pues, al fin y al cabo, esta es una escuela más conocida y más próxima al ámbito historiográfico y cultural hispánico, al cual se dirige prioritariamente mi libro.

La aproximación a la historia en clave, en cierto modo, de sociología retrospectiva, mediante modelos interpretativos diferentes al marxista, ha tenido también una importante presencia en el mundo anglosajón (basta pensar en la importante figura de Lawrence Stone) y especialmente en Norteamérica.[2] En esta, en una sociedad industrial moderna con una arraigada tradición democrática liberal, difícilmente podía encontrarse satisfactorio el modelo del historicismo clásico alemán (con su concentración en el estado, la política y la élite gobernante). Además, la propensión a estudiar la historia como *Social Science* y la cuantificación a gran escala tenían ancho campo para ejercitarse en el país de la IBM, adalid del ordenador personal y paraíso del mecenazgo desgravable. No es raro, pues, que fuera en Norteamérica donde surgieran los más sofisticados experimentos historiográficos de los cliometristas, aunque a largo plazo estos hayan resultado decepcionantes en buena medida.

3.2. Las raíces intelectuales y sociopolíticas de la historia, como ciencia social, en Alemania y en Norteamérica

Antes y sobre todo después de la Segunda Guerra Mundial, circulaba también en la República Federal de Alemania la misma savia historiográfica que en Francia. En este sentido no hay que desdeñar la influencia del fermento de *Annales*, ni tampoco la difusión del marxismo, en la evolución de un sector

---

2 Una introducción clara y útil al respecto es la magnífica síntesis de Peter Burke: *Sociología e historia*. Madrid, Alianza, 1987 (ed. orig. ingl. 1980). El historiador británico trata de las relaciones históricas entre ambas ciencias, de los conceptos básicos que emplea la sociología y de los modelos explicativos del cambio social más relevantes. La teorización weberiana, por ejemplo, se incluye en esta obra como un caso que se puede reducir en cierto modo al modelo de «modernización» y de «evolución social» que Burke remonta a Spencer.

importante de la historiografía germánica desde el historicismo clásico a lo Ranke hacia la historia como ciencia social.[3] En realidad, el modelo historiográfico rankeano había sido ya desafiado por Karl Lamprecht a fines del siglo XIX, oponiéndole una historia sociocultural y socioeconómica, en la que la psicología colectiva tenía un papel importante. Pero Lamprecht, aunque acertado en la orientación general de su crítica y con atisbos indudables de genio, fue incapaz de construir una teorización alternativa sólida al historicismo clásico. En la discusión metodológica del cambio de siglo quedó bastante aislado y desacreditado frente a un gremio que cerró filas en aras de la legitimación del expansionismo del Segundo Imperio alemán.[4]

Mucha más influencia y consistencia que la propuesta de Lamprecht iban a tener en la evolución de la historiografía germánica tras la Segunda Guerra Mundial las aportaciones de Otto Hintze y, sobre todo, las de Max Weber, las cuales se originaron en la práctica científica de la Nueva Escuela Histórica de Economía Nacional (una escuela en la que se encuadra por ejemplo Gustav von Schmoller, al que los modernistas debemos el término «mercantilismo» como sustantivo abstracto). Tanto Hintze como Weber participaron en la polémica sobre Lamprecht y su *Deutsche Geschichte*, y se sumaron a la posición de este de que la historia, para ser científica, necesitaba una conceptualización rigurosa que permitiera aprehender no solo fenómenos singulares sino también generales. Por otra parte, Hintze y Weber compartían la tesis del historicismo clásico de que toda sociedad constituía un entramado de significados y valores. Por ello, Max Weber, un sociólogo de vasta formación histórica que participó activamente en la vida política de su país como uno de los impulsores de la constitución democrática de Weimar, buscaba una *verstehende Soziologie* (sociología comprensiva o interpretativa). Esta no excluía sino que integraba en la comprensión el análisis racional y causal. Weber optaba por una «ciencia social histórica» que ciertamente «aspira a desarrollar teorías científico-sociales, pero, al mismo tiempo, ve su función propia en determinar la significación cultural de los procesos sociales».[5]

---

3 La existencia o no de traducciones al alemán de las obras más significativas de *Annales* y de la corriente marxista, así como el *décalage* con el que estas se realizaron, puede verificarse en la bibliografía que presenta Iggers en *La ciencia histórica...*, donde se nos ofrecen algunas pistas acerca de esas influencias.

4 Los escritos de teoría de la historia de Lamprecht suscitaron interés también en la RDA. Pocos años antes de la desaparición de esta, el profesor Hans Schleier, miembro fundador de la Comisión Internacional de Historia de la Historiografía, editó la obra de Karl LAMPRECHT: *Alternative zu Ranke. Schriften zur Geschichtstheorie*. Leipzig, P. Reclam, 1988. El libro se abre con un amplio estudio introductorio.

5 Cfr. MOMMSEN, Wolfgang J.: «Max Weber y la ciencia histórica moderna», *Arbor*, núm. 539-540, p. 107. W. Mommsen (un sobrino nieto del autor de la celebrada *Historia de Roma*) ha sido uno de los

En su introducción a la edición castellana de los *Ensayos sobre metodología sociológica* de Weber, Pietro Rossi ha resumido la reinterpretación que este hacía de la teorización de Dilthey. Weber consideraba legítimo que las ciencias histórico-sociales emplearan un procedimiento adecuado a su objeto, «si tal procedimiento no es ya un *Verstehen*, un acto de intuición, sino que se convierte en la formulación de hipótesis interpretativas que esperan su verificación empírica, que se las asuma sobre la base de una explicación causal. La comprensión ya no excluye la explicación causal, sino que coincide ahora con una forma específica de esta: con la determinación de relaciones de causa y efecto individuadas».[6]

Para Weber, el científico social que considera la historia puede y debe descubrir las líneas de desarrollo o la dinámica interna de las sociedades humanas, cuyo foco habría de ser buscado, tanto o más que en la esfera material, en las estructuras de pensamiento y de comportamiento que hacen comprensibles las relaciones sociales y el cambio sociohistórico. A partir del conocimiento concreto de estas estructuras de pensamiento y de comportamiento, se puede construir hipótesis explicativas o conceptuales, los famosos *Idealtypen*, para ilustrar y simplificar la complejidad de lo real.[7] Weber aplica este método en su influyente y discutido ensayo sobre *La ética protestante y el espíritu del capitalismo*, publicado por primera vez en 1901 en la revista *Archiv für Sozialwissenschaft und Sozialpolitik* ('Archivo para la Ciencia Social y la Política Social').

Este tipo de aproximación sociocultural y socioeconómica a las realidades del pasado es la que emplearon también algunos autores en la estela de Weber, recientemente redescubiertos, entre los cuales está Norbert Elias. Su tesis doctoral, *Die höfische Gesellschaft* ('La sociedad cortesana'), escrita en Frankfurt en 1933 cuando era profesor asistente de K. Mannheim, se ha publicado (y reimpreso) en español, e interesa especialmente a los modernistas.[8]

---

especialistas que han llevado a cabo la edición crítica (todavía en curso) de las obras completas de M. Weber (*Max-Weber-Gesamtausgabe*), en la Verlag J. C. B. Mohr (Tubinga). Están previstos 47 volúmenes, que incluyen también el epistolario de M. Weber.

6 Buenos Aires, Amorrortu, 1973 (3.ª reimpr., 1990), p. 19. Los cuatro ensayos de Max Weber traducidos en esta obra, que fueron escritos entre 1904 y 1917, proceden del volumen *Gesammelte Aufsätze zur Wissenschaftlehre* ('Compilación de ensayos de doctrina de la ciencia'), Tubinga, 1968, cuya primera edición, en 1922, corrió a cargo de Marianne, la esposa de M. Weber.

7 He aquí cómo un léxico histórico reciente define el Tipo Ideal weberiano: «Es una especie de concepto-límite, una abstracción generalizante que permite organizar la experiencia histórica y convertir en inteligible el mundo en el que vivimos dejando constancia de los rasgos generales y específicos de una conducta humana ("romántica", por ejemplo) o de un fenómeno histórico de gran amplitud ("el capitalismo occidental")» (OFFENSTADT, Nicolas (ed.): *Les mots de l'historien*. Toulouse, Presses Universitaires du Mirail, 2003, p. 63 [trad. del autor].

8 El subtítulo de esta tesis, traducido, era «Investigaciones sobre la sociología de la nobleza, la realeza y la corte, especialmente en Francia durante el siglo XVII». La traducción del prefacio que escribió

Si he tratado con cierta extensión las propuestas metodológicas e interpretativas de Max Weber es porque estas han sido uno de los puntos de referencia más importantes para los historiadores aglutinados en torno a la revista *Geschichte und Gesellschaft*, como ha afirmado explícitamente Jürgen Kocka, uno de los académicos más relevantes de este grupo.

En Norteamérica, las tradiciones y el contexto histórico en el que surgió la ciencia social histórica, aun teniendo algunos puntos en común con los alemanes, eran sensiblemente diferentes. Era común el esfuerzo por ampliar el objeto y el enfoque de la historia, superando las limitaciones del historicismo clásico rankeano.[9] Era bastante diferente —mucho menor que en Alemania— el peso que el Estado tenía en la sociedad. Por otra parte, en la concepción que tenían de la historia y de su aproximación científica a ella, los historiadores anglosajones de los Estados Unidos y de Gran Bretaña, que respiraban en un clima cultural más pragmático, se sentían menos inclinados a delinear una concepción sistemática que los historiadores alemanes (o, en menor medida, franceses).

En Norteamérica, el intento de superación del modelo historiográfico básico fue realizado por autores partidarios de una *New History* que implicaba una asociación distendida y ecléctica entre investigación histórica y ciencias sociales, aunque era bastante heterogénea de facto. Estos *new* o *progressive historians* de los primeros decenios del siglo XX,[10] compartían en todo caso cierto evolucionismo y un compromiso con una sociedad de frontera y en vías de democratización, insistiendo en la ruptura que se había producido, en la sociedad americana, con el pasado europeo «premoderno» (del Antiguo Régimen). Sin embargo, especialmente algunos de ellos, no dejaban de subrayar no solo los elementos de consenso, sino también los enfrentamientos internos en el seno de esa sociedad.

Roger Chartier para la edición francesa de *Die Höfische Gesellschaft* (*La société de cour*) puede encontrarse en Chartier, R.: *El mundo como representación*. Barcelona, Gedisa, 1992, pp. 83-104.

9 La influencia de Ranke también había sido muy grande en Norteamérica en el siglo XIX hasta el punto de que fue nombrado «father of History» por la American Historical Association. Por una serie de circunstancias, la biblioteca privada de Ranke fue a parar a Syracuse (Estados Unidos).

10 La expresión *The New History* da título a una obra de un historiador de este grupo, James H. Robinson, aparecida en 1912. Sobre los aspectos diferenciales entre estos historiadores, véase Iggers, G.: *La ciencia...*, pp. 42-44, y el libro de R. Hofstadter: *The Progressive Historians. Turner, Beard, Parrington*. Nueva York, Knopf, 1968 (trad. esp.: *Los historiadores progresistas*, Buenos Aires, Paidós, 1970).

3.3. LA ESCUELA DE BIELEFELD EN LA CIENCIA SOCIAL HISTÓRICA ALEMANA

Se designa en ocasiones con el nombre de Escuela de Bielefeld a una tendencia historiográfica, liderada sobre todo por Hans-Ulrich Wehler y Jürgen Kocka, la cual adquiere un importante protagonismo e institucionalización con la fundación de una nueva universidad en la ciudad de Bielefeld en 1971 y con el lanzamiento de la revista *Geschichte und Gesellschaft* ('Historia y Sociedad') en 1975. El subtítulo de esta revista, *Zeitschrift für Historische Sozialwissenschaft* ('Revista de Ciencia Social Histórica'), es ya muy expresivo de su orientación: hacer de la historia una ciencia social interdisciplinar en estrecha relación con las ciencias sociales vecinas, especialmente la sociología, la ciencia política y la economía.

Geschichte und Gesellschaft ha desempeñado un papel muy relevante como fórum para la discusión internacional y para poner al corriente a los especialistas alemanes de la investigación extranjera realizada con ese enfoque sociohistórico. Los dos primeros volúmenes de la revista fueron dedicados a dominios en los que la erudición histórica alemana se encontraba rezagada: demografía, estratificación y movilidad social.

Bien significativo de la importancia que esta escuela concedía a la formulación de teorías explícitas en la investigación histórica es el hecho de que en 1977 la revista publicase un número especial o monográfico, el tercero, editado por Jürgen Kocka, dedicado al papel de las teorías en la obra del historiador. Sobre esa misma idea (la importancia de las teorías explícitas en la investigación histórica) insistiría J. Kocka en un artículo publicado en 1986. En él, el historiador alemán afirmaba que:

> Orientación teórica significa uso flexible de conceptos, modelos y tipos explícitos, frecuentemente tomados en préstamo de las ciencias sociales vecinas a fin de estructurar la temática de uno, para delinear el tema de estudio, para plantear preguntas, para relacionar entre sí los diferentes aspectos y datos, para el desarrollo de hipótesis y de explicaciones. En contraste con los historiadores tradicionales, los que abogan por la teoría en la historia, están convencidos de que puede ser fructífero y necesario usar conceptos sistemáticos surgidos en el presente para analizar el pasado.[11]

---

11 KOCKA, Jürgen: «Theory Orientation and the New Quest for Narrative. Some Trends and Debates in West Germany», *Storia della Storiografia*, núm. 10, 1986, pp. 175-176 [trad. del autor].

Desde 1972 este grupo de historiadores, en el que puede incluirse también a Wolfgang Mommsen, había comenzado a editar asimismo una serie de monografías: *Kritische Studien zur Geschichtswissenschaft* ('Estudios críticos sobre la ciencia histórica'). La serie se centró en un problema considerado de capital importancia: el análisis de los desarrollos sociales y políticos en el mundo «moderno» industrializado, especialmente —pero no solo— en Alemania.

Las iniciativas mencionadas favorecieron, de modo similar a como lo hizo la École des Hautes Études en Sciences Sociales respecto a los *Annales*, el diálogo interdisciplinar entre los científicos sociales y humanísticos y potenció una reorientación de los estudios históricos especialmente entre quienes iniciaban su madurez en los años sesenta.

El prisma político-intelectual desde el que se ha abordado el estudio social del pasado y el compromiso decidido de estos historiadores suponían una perspectiva crítica respecto a las sociedades y tradiciones establecidas y a las disfunciones de las sociedades capitalistas. Esta crítica era afín, en este aspecto, a la que realizaba la escuela paramarxista de Frankfurt que tenía en Theodor Adorno y en Jürgen Habermas a dos destacados exponentes. En palabras del ya citado artículo de Kocka, «en Alemania, la historia teóricamente orientada no significó nunca *l'art pour l'art*, sino *histoire engagée* [historia comprometida en lo político-social]». El reiterado uso de términos franceses por parte de Kocka constituye —me parece— un testimonio nada desdeñable de cómo circulaba una savia intelectual común entre Francia y la República Federal de Alemania.

El futuro que propugnaban los historiadores de Bielefeld no estaba lejos del que ya hemos visto esbozar a Braudel. El futuro esperado y promovido por la Escuela de Bielefeld era un futuro de emancipación personal kantiana, de justicia social y de libertad civil. Por ello, la transitoria hegemonía anterior del nazismo en Alemania constituía un enigma por descifrar y era una interpelación que serpenteaba en los trabajos de esos historiadores. La gran cuestión, que dista de estar resuelta todavía hoy, y el gran compromiso eran estudiar en qué medida se había realizado y en qué había fallado en Alemania la conexión entre el desarrollo económico e industrial y el progreso cívico para construir una sociedad de ciudadanos libres y emancipados. De ahí el gran interés que, a diferencia de la Escuela de *Annales,* estos historiadores mostraron por el mundo político contemporáneo. Por otra parte, bastante influenciados por la herencia intelectual de Marx y especialmente por la de Weber, la escuela de la que ahora nos ocupamos utilizó la cuantificación en menor medida que la historia regional y serial francesa (ya antes comentada) o que los cliometristas americanos y enfatizó más los aspectos cualitativos que operan en la intelección de la historia como producto de las acciones humanas.

Esta historia analítico-estructural, centrada en los procesos y en los cambios sociales, tiene un buen exponente teórico en la obra de Jürgen Kocka, *Sozialgeschichte* ('Historia social'), aparecida en 1977.[12] Anteriormente, Kocka había publicado ya sus grandes monografías sobre la historia sociopolítica de los empleados en las grandes empresas industriales, en Alemania y en los Estados Unidos.[13] La Escuela de Bielefeld, que durante algún tiempo hizo figura de corriente innovadora en la República Federal de Alemania, empezó a ser impugnada, sobre todo desde el decenio de 1980, como si fuese el *establishment* académico, por la tendencia de la *Alltagsgeschichte*, de la que me ocuparé más tarde.

Pero, en cualquier caso, la tendencia o Escuela de Bielefeld, que se asocia con razón a preferir una historia sociológica, utilizando modelos teóricos fruto de la conceptualización y propicios para realizar historia comparativa, sigue manteniendo su influjo y su importancia dentro y fuera de Alemania. Un ejemplo de ello sería la creación y el debate en torno al paradigma interpretativo de la *Konfessionalisierung* (confesionalización), para explicar interrelacionadamente los cambios sociales, políticos y religiosos que se dieron en Europa, especialmente en Alemania, desde el comienzo de la difusión de la Reforma protestante hasta la Paz de Westfalia.[14]

Merece la pena que ampliemos la anterior referencia a la historia comparativa. La importancia y las funciones metodológicas de la comparación han sido sintetizadas por Kocka —certeramente en mi opinión— en un artículo importante. Heurísticamente, la comparación sirve para identificar mejor problemas y cuestiones; descriptivamente, para perfilar de modo más explícito los casos individuales; analíticamente, para verificar mejor la validez de las explicaciones causales en las relaciones históricas; y en cuanto al estilo y la atmósfera de la obra histórica, la comparación ayuda a ampliar las perspec-

12 KOCKA, Jürgen: *Historia social: Concepto. Desarrollo. Problemas.* Barcelona, Alfa, 1989 (trad. de la 2.ª ed. alemana de 1986, a su vez revisión de la 1.ª de 1977 que recopilaba artículos escritos entre 1966 y 1975).

13 Aunque esas monografías de J. Kocka sean poco accesibles, disponemos ya de una buena recopilación de textos suyos en español, realizada por Jesús Millán, con una presentación de «El contexto de la historia social crítica en la Alemania contemporánea», en Kocka, Jürgen: *Historia social y conciencia histórica.* Madrid, Marcial Pons, 2002.

14 Uno de los autores que más activo y prolífico se ha mostrado en este debate es el profesor Heinz Schilling. Cfr., por ejemplo, su obra *Konfessionskonflikt und Staatsbildung. Eine Fallstudie über das Verhältnis von religiösem und sozialem Wandel in der Frühneuzeit am Beispiel der Grafschaft Lippe.* Gütersloh, G. Mohn, 1981.

tivas. Con todo, a pesar de sus grandes ventajas, el historiador alemán reconoce que hay cierta tensión entre el proceso de comparación y algunos fundamentos inalienables de la ciencia histórica. Ello se debe a que, por una parte, un fenómeno no es totalmente aislable, a efectos comparativos, de los demás. Por otro lado, la comparación rompe la narración como totalidad continuada.[15]

3.4. LA HISTORIA COMO CIENCIA SOCIAL EN EL MUNDO ANGLOSAJÓN. LOS CLIOMETRISTAS NORTEAMERICANOS

Enlazando con las inquietudes ya mencionadas de la *New History*, los historiadores del mundo anglosajón se vieron involucrados también en esa especie de «guerra civil» metodológica en que se confrontaron los partidarios del modelo historiográfico clásico y las nuevas tendencias de apertura a las ciencias sociales.[16] La influencia de los *Annales* se hizo notar más allá del Canal de la Mancha y al otro lado del Atlántico. La fundación y la evolución de la revista inglesa *Past and Present* y de alguna análoga americana en el decenio de 1960 son buenos testimonios de ese nuevo clima historiográfico.[17]

De hecho, hay más de una similitud entre la demografía histórica francesa y los propósitos y objetivos, en Inglaterra, del Cambridge Group for the History of Population, dirigido por Peter Laslett. Y un estudio de historia social tan emblemático para los modernistas como *The Crisis of the Aristocracy, 1558-1641*, de Lawrence Stone (1965), está inspirado en buena parte en ideas que «proceden de la escuela francesa de historiografía» (de los *Annales*), según el mismo autor reconoce explícitamente en la introducción de esta obra.[18]

En cuanto a los Estados Unidos, hay varios desarrollos que conviene esbozar. Por un lado, una buena parte de las obras históricas surgen en los años cincuenta en el contexto político de la confrontación de bloques y de la con-

---

15 KOCKA, Jürgen: «The Uses of Comparative History», en Björk, R., y Molin, K. (eds.): *Societies made up of history*. Edsbruk, Akademitryck, 1996 (recopilación de ensayos como homenaje al profesor. Rolf Torstendahl con ocasión de su 60 cumpleaños). Esa temática constituye también el capítulo primero de la recopilación de textos de Kocka citada anteriormente (editada en 2002).

16 Esta expresión ha sido utilizada por Lawrence Stone en su artículo, escrito en 1976, «La historia y las ciencias sociales en el siglo XX», incluido en el volumen *El pasado y el presente* (México, Fondo de Cultura Económica, 1981, p. 29).

17 Por lo que respecta a los Estados Unidos, me refiero a *Comparative Studies in Society and History*. El tema concreto de la *Recepción de la Escuela de Annales en la historia social anglosajona* ha sido estudiado en una monografía específica de título homónimo por X. Gil Pujol (Madrid, Fund. Juan March, 1983).

18 Cfr. STONE, Lawrence: *La crisis de la aristocracia*. Madrid, Revista de Occidente, 1976, p. 18.

cepción de los Estados Unidos como el modelo de las sociedades libres capitalistas de desarrollo acelerado. En el decenio de 1960, la lucha por los derechos civiles produce una mayor fermentación social y adquieren más fuerza los enfoques alternativos al mencionado, iniciándose, por ejemplo, los movimientos feministas a los que me referiré más tarde.

Por encima o por debajo de estos climas político-historiográficos conviene subrayar la tendencia a la cuantificación, que se potencia extraordinariamente desde la aparición del ordenador personal.[19] En el decenio de 1960 es ya relativamente común aplicar esta cuantificación a varios dominios de historia social: el comportamiento electoral, en relación con la politología; el inicio de la demografía histórica; el estudio de la movilidad social mediante los datos aportados por los censos; y los procesos económicos, intentando incluso una econometría retrospectiva.[20]

Quizá sea este un buen momento para retomar una afirmación ya citada anteriormente de Krzysztof Pomian respecto a la heterogeneidad de prácticas cognitivas y de escritura que abarca la historia, pues él mencionaba expresamente las ecuaciones matemáticas que utiliza la econometría como uno de los extremos de las «prácticas de escritura» (tal vez sería mejor decir, de representación), constituyendo el otro extremo de este gran abanico el relato literario. Pomian aseguraba que bajo el término historia se incluía «un conjunto estilísticamente heterogéneo de prácticas de escritura que van desde el relato literario hasta las ecuaciones de un modelo econométrico retrospectivo».

Volviendo a la cliometría, por lo que tiene de ilustrativo como fenómeno límite en varios aspectos, me ceñiré ahora únicamente a los supuestos metodológicos, realizaciones y deficiencias de la llamada *New Economic History*, una de las ramas de la cliometría con perfiles más acusados.[21] Los representantes más característicos de esta escuela, estudiada por Ralph Andreano y otros,[22] son quizá Robert W. Fogel y Stanley Engerman. Estos autores, teniendo en cuenta las

19 Puede encontrarse una interesante recopilación de artículos sobre las oportunidades, problemas y fuentes para la historia cuantitativa, especialmente de Europa occidental, en LANDES, David S.: *Las dimensiones del pasado. Estudios de historia cuantitativa*, Madrid, Alianza, 1974 (ed. orig. ingl. 1972).

20 La econometría ha sido definida como la rama de la economía que se dedica al «análisis cuantitativo de fenómenos económicos reales basado en el desarrollo concurrente de teoría y observación, relacionadas por métodos apropiados de inferencia estadística» («Report of the Evaluative Committee for Econometrica», *Econometrica*, abril de 1954, p. 142).

21 Algunos ámbitos y enfoques de trabajo más recientes de la Cliometría pueden verse en la revista de título homónimo, creada en 2006: *Cliometrica. Journal of Historical Economics and Econometric History* (Springer Verlag).

22 ANDREANO, R. (ed.): *The New Economic History: Recent Papers on Methodology*. Nueva York, John Wiley, 1970.

leyes de bronce de la economía formuladas en su día por Adam Smith y David Ricardo, creen en el crecimiento imparable de la economía capitalista, la cual, con la modernización económica, conducirá al establecimiento de sociedades libres y democráticas. Por otra parte, conceden una gran importancia al método cuantitativo asociado al utillaje informático, no solo para el esclarecimiento de los procesos económicos sino también para estudiar los cambios sociales.

Uno de los trabajos más emblemático de esta escuela, que llega a incluir en su metodología las hipótesis contrafactuales, fue el gran estudio, publicado en 1974 por Robert Fogel y Stanley Engerman, sobre la discutida cuestión de hasta qué punto se podía hablar de una «rentabilidad» económica de la esclavitud en los estados sureños de la Unión y de las condiciones socioculturales de los esclavos.[23] Pese a su éxito momentáneo y a que Fogel fuera llamado por eso a la Universidad de Harvard, el libro recibió después críticas durísimas, no solo desde la historiografía tradicional, sino también desde el campo de otros historiadores cuantitativistas de la economía que pensaban que en esa obra se habían convertido arbitrariamente testimonios cualitativos en datos cuantitativos. Desde luego, no es fácil calibrar en qué medida esas críticas obedecían a deficiencias metodológicas reales o a discrepancias frontales con el proyecto político-social que subyace, pese a toda la parafernalia cuantitativa, en ese discutido trabajo. En cualquier caso, en una obra posterior sobre el mismo tema (*Without Consent or Contract*, 1989), la tesis conclusiva de R. Fogel fue que la esclavitud en los Estados Unidos no terminó porque fuera económicamente ineficiente, sino porque era moralmente repugnante.

Otro gran hito en el itinerario de la tendencia historiográfica de la cliometría norteamericana fue la publicación de la obra de Fogel *Railroads and American Economic Growth*, en 1964.[24] Pero este estudio, importante como investigación histórico-econométrica, no llevaba asociada, por sí misma, una problemática moral tan viva como la anterior. Quizá por ello ha tenido, fuera de los círculos académicos especializados, una menor difusión que la anteriormente comentada y ha suscitado menores controversias.

No todos los historiadores que aplican modelos tomados de las ciencias sociales del presente llegan a los extremos de cuantificación, sofisticación y

---

23 FOGEL, Robert, y ENGERMAN, Stanley L.: *Time on the Cross: The Economics of American Negro Slavery*, 2 vols., 1974 (trad. esp.: *Tiempo en la cruz: la economía esclavista en los Estados Unidos*. Madrid, Siglo XXI, 1981).

24 Véase una valiosa reseña en DAVIS, Lance: «Review of Robert W. Fogel *Railroads and American Economic Growth: Essays in Econometric History*», Economic History Services, 1 de julio de 2000. http://eh.net/booksreviews/libray/davis.

riesgo que Robert Fogel. Hay también muchas obras excelentes, incluso en la historia económica, que dosifican perfectamente la cuantificación necesaria con la calidad narrativa. En el plano de una obra más de síntesis que de investigación, pienso por ejemplo en la *Historia económica de la Europa preindustrial* de Carlo M. Cipolla.[25]

25 CIPOLLA, Carlo M.: *Historia económica de la Europa preindustrial.* Madrid, Revista de Occidente, 1977 (ed. orig. ital., Il Mulino, Bolonia, 1974). Cipolla estuvo muy vinculado a la historiografía norteamericana y enseñó en el prestigioso Institute of Advanced Studies of Princeton. Fue también el editor de la colección The Fontana Economic History of Europe, traducida al español por Ariel.

La evolución y diversificación de la historiografía marxista desde el materialismo histórico hasta la antropología crítica

4.1. Introducción

Hasta ahora he tratado de la renovación y ampliación del concepto de historia que propugnaron, frente al modelo básico tradicional, dos corrientes o tendencias bastante afines. Una de ellas, la Escuela de *Annales*, es designada por su revista emblemática. La otra toma su nombre más bien por la ciencia del presente —la sociología— a la que los adalides de la corriente conceden especial importancia como fuente de teorización. Al abordar ahora la historiografía marxista me refiero a una corriente —la cual se ha plasmado en orientaciones sensiblemente diferentes como veremos— que toma su nombre de Karl Marx, un pensador alemán del siglo xix cuyas teorías científico-sociales y utopías revolucionarias dejaron una profunda huella en el siglo xx.[1] Un corto siglo, magnífico y atroz, acotado quizá por dos hitos: 1917, inicio de la Revolución soviética liderada por un marxista ruso (Lenin), y 1991, cuando se desintegra la Unión Soviética, el coloso político cuya ideología oficial era cierta interpretación (más o menos genuina o espuria) del marxismo.[2]

Una de las especificidades del marxismo, frente a otras teorías sociales, es su estrecha vinculación a un colosal proyecto político para reemplazar y superar al capitalismo. Proyecto que muchos identificaron con el comunismo. Por

[1] Edgar Morin ha escrito al respecto: «Le génie de Marx est d'avoir voulu, dans ce qu'il appelait *praxis,* associer, entre-féconder, entre-déchirer la philosophie, la science et l'action. Cette association dialectique c'est si audacieuse, si instable que le marxisme tend naturellement à se décomposer, soit en philosophisme, soit en scientisme, soit pragmatisme. Et dans le pire des cas, à ne conserver en lui, d'une façon hétérogène et incohérente, que les formes les plus dégradées de philosophisme (système clos, abstrait et dogmatique), du scientisme (matérialisme réificateur), du pragmatisme (l'action du parti, critère de toute vérité)». Morin, E.: *Pour et contre Marx.* París, Temps Présent, 2010, p. 17.

[2] Según Pierre Vilar, la definición de «las clases» más válida teóricamente es, sin lugar a dudas, la de Lenin: «Llamamos clases a grandes grupos de hombres que se diferencian por el lugar que ocupan en un sistema históricamente definido de producción social, por su relación (fijada y consagrada por las leyes, en la mayoría de los casos) con los medios de producción, por su función en la organización social del trabajo, por lo tanto, por los modos de obtención y la importancia de la parte de que disponen. Las clases son grupos de hombres, uno de los cuales puede apropiarse del trabajo del otro gracias al distinto lugar que ocupa en una estructura determinada: la economía social». Cfr. Vilar, P.: *Iniciación al vocabulario del análisis histórico.* Barcelona, Crítica, 1980, p. 129.

ello, no tiene sentido hoy prescindir, en el debate historiográfico, del enorme impacto que tuvo, también en el clima intelectual de Occidente, el súbito desmoronamiento entre 1989 y 1991 del «socialismo real» en los países vinculados a la antigua Unión Soviética. Para constatarlo basta, por ejemplo, leer las intervenciones de los participantes en la mesa redonda sobre «Marxismo e Historia» celebrada en el I Congreso Historia a Debate, celebrado en Santiago de Compostela en 1993.[3] También son reveladoras las afirmaciones de Julio Aróstegui en 1995 de que el «abandono de las posiciones marxistas y la influencia polivalente del análisis del lenguaje son los dos movimientos cuya influencia sobre el futuro de la historiografía podemos ver de forma menos confusa».[4]

Con todo, sería asimismo distorsionador exponer la importancia y evolución de las diferentes aproximaciones a la historia inspiradas en el marxismo, tomando como única lente de lectura la crisis que ha vivido ese paradigma historiográfico —condensación, en cierto sentido, de las esperanzas y frustraciones de la modernidad— en los últimos años. Es cierto que como *Ersatz* (sucedáneo) de la religión y como *Weltanschauung* (visión omnicomprensiva de la realidad, de la sociedad y de la historia), el marxismo ha perdido hoy casi toda su relevancia. Pero no debe desconocerse la gran influencia y las aportaciones que las diferentes interpretaciones del marxismo han realizado a la teoría y a la práctica historiográfica a largo del siglo. (Las dos tendencias historiográficas que a las que nos hemos ocupado en capítulos anteriores no serían totalmente comprensibles sin tener en cuenta la influencia del pensamiento marxiano.) Las interpretaciones del marxismo son tan diferentes entre sí que llevan a cuestionarse si no es mejor hablar hoy de marxismos que de marxismo.[5] Dar una idea de la importancia, evolución y heterogeneidad de esas aportaciones es lo que me propongo a continuación.

Existen importantes confluencias entre la concepción de la historia derivada de la tradición marxista y las de las corrientes renovadoras historiográficas

3 Están publicadas en «Marxismo e historia en los años 90», en Barros, Carlos (ed.): *Historia a Debate*, t. 1 «Pasado y futuro». Santiago de Compostela, 1995, pp. 69-91.

4 Aróstegui, Julio: *La investigación histórica: Teoría y método*. Barcelona, Crítica, 1995, p. 134. También es muy revelador en ese sentido que en una breve y valiosa *Introduction à l'historiographie*, de P. Poirrier (París, 2009) ni «Marx» ni «marxisme» figuren en el índice de contenidos; algo impensable hace veinticinco años en Francia y (casi) ahora en España.

5 La opinión de que hablar de marxismo en general «implica una posición cómoda pero carente de base real» fue expuesta por Bolívar Echevarría en el citado I Congreso *Historia a Debate*, p. 71. Aun sin llegar a ese extremo, la enorme diversidad e importante heterogeneidad de *Las principales corrientes del marxismo* se podía ya constatar desde años atrás en la obra homónima de Leszek Kolakowski (3 vols., Madrid, Alianza): 1, *Los fundadores*, 1980; 2, *La edad de oro*, 1982; 3, *La crisis*, 1983 (ed. orig. 1976-1978).

ya expuestas: la de *Annales* y la Escuela de Bielefeld. Las tres consideran la historia una ciencia social que debe basarse en una teorización y en una lógica de investigación común, en buena parte, a las ciencias naturales. Como las otras dos, la tradición marxista rechaza la separación, propuesta por el historicismo, entre el método hermenéutico (que sería el propio de las ciencias humanas) y el analítico (como el adecuado a las ciencias naturales).

El marxismo tiene en común con las corrientes sociohistóricas francesa, alemana y anglosajona antes explicadas, la idea matriz de que las formaciones sociales tienen una lógica evolutiva y de progreso, a través de diferentes estadios, que es posible discernir; hay que apuntar, sin embargo, que la idea de progreso es menos acentuada en Weber. El marxismo y la Escuela de Bielefeld rechazan de manera aún más clara que los *Annales* la concepción de la historia como una ciencia neutral y sostienen que la historia debe estar al servicio de la crítica social: debe servir para la emancipación, para superar la alienación y la reificación del hombre.

Por último, pero no menos importante, el marxismo, al igual que otras corrientes de la ciencia sociohistórica, se ha visto obligado a revisar desde mediados del decenio de 1970 y, sobre todo, en el decenio de 1980, su aproximación macrohistórica y estructuralista para dar respuesta a la creciente demanda de una historia más existencial y cercana a las experiencias vividas por los sujetos.[6]

4.2. LA AMBIGUA TRADICIÓN MARXISTA HASTA COMIENZOS DEL SIGLO XX Y SUS COMPLEJAS CLAVES

Para entender la heterogeneidad de teorías y prácticas historiográficas que han reclamado ser marxistas desde la Segunda Guerra Mundial, conviene referirse a algunas contradicciones o fuertes tensiones internas en las propias obras de Marx (y Engels). En primer lugar, las obras de Marx (especialmente del Marx maduro) y, más aún, las de su colaborador Engels tienen una clave cientificista, naturalista, objetivista, dialéctica y cuasi determinista que impregna su consideración de la historia humana. Esta queda así en buena parte predeterminada por unas leyes generales —asunción de la dialéctica hegeliana— que conducen, de forma relativamente mecanicista, a estadios superiores de desarrollo hasta el socialismo. En el análisis de las formaciones sociales los condi-

---

6 Retomo y modulo personalmente aquí algunas ideas y expresiones de Georg Iggers en *La ciencia histórica en el siglo XX*. Barcelona, Labor, pp. 72 y ss.

cionamientos socioeconómicos (la infraestructura) tiene un papel decisivo para el marxismo. Si hubiera que escoger un texto para exponer esta visión global, evolutiva, de hegemonía de la infraestructura y, en parte, determinista, quizá el más adecuado sería el tantas veces citado fragmento de la introducción a la *Contribución a la crítica de la economía política* de Marx de 1859:

> En la producción social de su existencia, los hombres entran en relaciones determinadas, necesarias, independientes de su voluntad; estas relaciones de producción corresponden a un grado de desarrollo de sus fuerzas productivas materiales. El conjunto de estas relaciones de producción constituye la estructura económica de la sociedad, la base real sobre la cual se eleva una superestructura jurídica y política y a la cual corresponden formas de conciencia social determinadas. El modo de producción de la vida material condiciona el proceso de vida social, política e intelectual en general. No es la conciencia de los hombres la que determina su ser; por el contrario, su ser social es el que determina su conciencia.[7]

Esta clave filosófico-histórica, un tanto reduccionista y determinista, podría interpretarse en cierto modo como una predeterminación de los resultados de la investigación histórica. En estos resultados se debía encontrar la verificación de este esquema general. Sin embargo, hay otra clave en el marxismo difícilmente conciliable con la anterior: es la perspectiva sociocrítica, ética, en pos de una sociedad más justa, según la cual se rechaza el objetivismo como positivismo. Es una concepción que apuesta también por una aproximación problematizadora e interdisciplinar a las realidades sociales. Esta perspectiva problematizadora supone una importante contribución al conocimiento de las realidades históricas y al progreso social, por sus hipótesis conceptualizadoras (por ejemplo en torno a la clase y a la lucha de clases) y por su compromiso con los menos favorecidos.

Las ambigüedades, si no contradicciones internas, latentes en el pensamiento de Marx se tradujeron en lecturas muy diferentes de su propuesta teórico-historiográfica. Ya desde comienzos del siglo pasado encontramos, por ejemplo, unas acusadas diferencias entre la interpretación más científico-naturalista y objetivista del austro-marxista Karl Kautsky, secretario de Engels, y la concepción del marxismo del político e historiador francés Jean Jaurès. Este,

---

7 El texto completo puede encontrarse en las numerosas ediciones de la obra de Marx. Este fragmento procede de FONTANA, Josep: *Historia. Análisis del pasado y proyecto social.* Barcelona, Crítica, 1980, pp. 145-146. J. Fontana ha sido uno de los mejores conocedores (y apologistas) del marxismo y de su incidencia en la historia.

autor de una *Historia socialista de la Revolución Francesa* (1901-1903), muerto trágicamente en vísperas de la Primera Guerra Mundial, acentuaba en el socialismo ante todo su dimensión de aspiración a la justicia y se declaraba también discípulo de Michelet.

4.3. LA DOGMATIZACIÓN DEL MARXISMO EN LOS PAÍSES DEL SOCIALISMO REAL

En octubre-noviembre de 1917 tiene lugar en Rusia el triunfo de la Revolución bolchevique, es decir, de la Revolución en la versión propugnada por la fracción comunista dirigida por Lenin.[8] Tras este triunfo, el marxismo-leninismo se convierte en ideología oficial del nuevo Estado soviético. Y la dogmatización y simplificación del marxismo se incrementará durante la época estalinista, ya que Stalin (1879-1953) tuvo, o pretendió tener también, una dimensión de teórico del marxismo. En 1938 Stalin publicó la obrita u opúsculo «Materialismo dialéctico y materialismo histórico» (que formaba parte del *Breve curso de Historia del Partido Comunista de la Unión Soviética*). Este texto fue saludado por algunos intelectuales, también en Occidente, como un «nuevo discurso del método».[9] Se produjo así, como señala Charles-Olivier Carbonell, una paradoja: el marxismo, que quería ser un método doblemente revolucionario —por su naturaleza y su finalidad—, fue transformado en instrumento de ordenación mecanicista de lo real y de mantenimiento del nuevo orden intelectual y social del Estado soviético y de los países controlados por este.[10] La historia de arma revolucionaria se convertía en sierva de una *nomenklatura*. Bien es cierto que en los años anteriores a 1956 —año en que Jruschov denunció el régimen de Stalin en el XX Congreso del PCUS— las victorias que había conseguido el «socialismo real» en los planes económicos quinquenales o en su lucha contra el totalitarismo nazi (así en Stalingrado) eran más cono-

---

8 He aquí un importante testimonio de la excepcional significación que los historiadores conceden a esta ruptura histórica: la Revolución de Octubre (últimamente, la Revolución rusa) es el único gran «acontecimiento», junto con la Revolución francesa, que da nombre a alguna de las numerosas Comisiones especializadas que están afiliadas al Comité Internacional de Ciencias Históricas.

9 Sartre afirmaba en 1953: «La única interpretación válida de la historia humana es el materialismo dialéctico [...]. El materialismo histórico es su propia prueba [...]. Es la filosofía insuperable de nuestro tiempo» (cfr. CARBONELL, C.-O., y WALCH, J. (eds.): *Les sciences historiques de l'Antiquité à nos tours.* París, Larousse, 1994, p. 606).

10 Con razón se ha podido titular algún estudio de la historiografía oficial en esos países de la «Europa del Este» como «Captive Clio» (Clío, en cautiverio). Cfr. PAPACOSTEA, Serban: «Captive Clio: Romanian Historiography under Comunist Rule», *European History Quarterly*, vol. 26, 1996, pp. 181-208.

cidas que los gulags y las purgas de la KGB (la policía secreta soviética).[11] Así estos éxitos parecían legitimar el comunismo (estalinista) como la esperanza del futuro.

La dogmatización del marxismo en su versión marxista-leninista se manifiesta, por ejemplo, en la tesis de la acción permanente y determinante de la causalidad ascendente (es decir, de la infraestructura a la superestructura), y en la afirmación de la unicidad y linealidad de la ley de desarrollo histórico general, a través de los cinco tipos fundamentales de relaciones de producción (comunismo primitivo, esclavismo, feudalismo, capitalismo y socialismo).

Si bien es necesario pergeñar esa dogmatización del marxismo, ello no implica desdeñar en bloque la tarea, a veces creativa e importante, pese a las limitaciones institucionales, desarrollada por algunos autores marxistas. Es lógico que esta creatividad se diera con más frecuencia en los países en los que, por tradición, había un mayor intercambio científico con el exterior. Así, por ejemplo, en Polonia, en donde hubo un grupo destacado de historiadores que mantuvieron contactos con el Boulevard Raspail (la sede parisina de los *Annales*). Uno de estos testimonios de reflexión creativa sería por ejemplo la obra de Witold Kula, *Teoría económica del sistema feudal*, cuya edición original polaca es de 1962. En esta obra Kula se propone estudiar la lógica interna del feudalismo, de modo análogo y con la guía del análisis que Marx había hecho sobre el capitalismo.[12]

También en la llamada República Democrática Alemana o Alemania Oriental (RDA) surgieron obras valiosas. Algunas de ellas, como la de Hartmut Zwahr (1978) sobre la constitución del proletariado en Leipzig durante la Revolución industrial, tienen como objetivo enlazar la historia de los grandes procesos y estructuras sociales con las acciones de los seres humanos individuales. Georg G. Iggers, con la autoridad moral que le confiere su lucha por los derechos humanos, ha espigado y comentado en una obra específica las aportaciones, en su opinión, más válidas de la historiografía de la RDA.[13]

---

11 Cfr. Courtois, Stéphane et al.: *El Libro negro del comunismo*. Barcelona, Planeta, 1998.

12 Marx, como Lenin, son puntos de referencia para W. Kula, pero también lo es, por ejemplo, Lévi-Strauss. Cfr. Kula, W.: *Teoría económica del sistema feudal*. Buenos Aires, Siglo XXI, 1976, 2.ª ed. corregida.

13 Iggers, G. (ed.): *Ein anderer historischer Blick. Beispiele ostdeutscher Sozialgeschichte*. Frankfurt am Main, Fischer Verlag, 1991.

4.4. La evolución y diversificación de la historiografía marxista en los países occidentales

Me limitaré a presentar aquí una panorámica de las diferentes corrientes dimanadas en los países occidentales de la tradición intelectual y política marxista. Así y todo, este epígrafe habrá de ser más extenso que el anterior. Ello se debe a la gran influencia y diversidad de estas corrientes, a su estrecha interrelación con otras tendencias —en el ámbito de un debate intelectual abierto—[14] y a que, en definitiva, este es el marco geopolítico que nos concierne más directamente.

¿Cuáles fueron las razones de la atracción que ejerció el marxismo sobre muchos historiadores e historiadoras de Occidente?: la invitación a pensar globalmente la realidad y el cambio social, la búsqueda de certezas intelectuales y éticas como sucedáneo de la religión, el compromiso en pos de lograr un mundo unificado de progreso donde se pusiera fin a la dominación del hombre por el hombre. La interpretación marxista tenía el camino más abonado para llegar a ser hegemónica en los países donde la tradición societaria-eclesial, en cierto sentido, era más fuerte que la liberal (como en los países latinos e Hispanoamérica). Especialmente cuando, como en el caso hispánico, parecía legitimar con singular fuerza la lucha contra una dictadura de derechas. Con todo, hay que señalar que también en los Estados Unidos y en Inglaterra han surgido algunas importantes tendencias históricas marxistas, aunque más bien minoritarias.

Me concentraré fundamentalmente, por ahora, en las aportaciones anteriores a 1979, antes de que se extendiera el clima posmoderno y el retorno de la narrativa. Esta cronología, sin embargo, solo sirve desde una perspectiva europea general; en el caso español, la evolución historiográfica presenta un desfase cronológico notable.

En su panorámica de la ciencia histórica en el siglo xx, Georg Iggers ha distinguido básicamente y de manera plausible a afectos orientativos dos corrientes en la historiografía marxista occidental: la estructuralista y la culturalista. La estructuralista sería aquella corriente más estrechamente ligada a la doctrina marxista de la infraestructura, la superestructura y los estadios de evolución. Para los historiadores de esa orientación, las relaciones sociales objetivas de producción y de posesión son el elemento determinante en el desarrollo de la conciencia de clase (un aspecto capital para la praxis revolucionaria).

14 Con la notable excepción ibérica, hasta fines del decenio de 1960.

En Francia, el referente teórico más importante de esta corriente estructuralista fue, durante algún tiempo, Louis Althusser, cuya lectura de Marx (*Pour Marx*, 1965; *Lire «Le capital»*, 1966) rechazaba toda interpretación historicista y humanista de la obra de este. Para Althusser, el marxismo era un método estructuralista de investigación, estrictamente científico. En cuanto a Gran Bretaña, o para decirlo con palabras del título de un célebre libro de Harvey H. Kaye, entre los *Historiadores marxistas británicos*,[15] como Maurice H. Dobb, Paul Sweezy y Robert Brenner, así como en los norteamericanos Guy Bois e Immanuel Wallerstein, buena parte de los esfuerzos se dedicaron un tiempo a estudiar la transición del modo de producción feudal al capitalista (del feudalismo al capitalismo).[16]

Desde una panorámica de decenios, quizá la propuesta interpretativa que ha tenido mayor trascendencia fuera de los ámbitos estrictamente marxistas de entre las citadas ha sido la gran tesis de I. Wallerstein (afín en algunos aspectos a los *Annales*), publicada en 1974. Según este, el origen del capitalismo y de las relaciones de dependencia de la periferia respecto al centro del moderno sistema mundial comienza ya en el siglo XVI. Esa propuesta tendría una gran repercusión en todas las teorías de la dependencia económica del que —todavía por inercia— se sigue llamando Tercer Mundo, aunque uno puede preguntarse qué sentido tiene hablar de tercero si no existe ya, como bloque articulado, el Segundo Mundo. Una prueba del impacto que significó la obra de I. Wallerstein fue la inclusión de esa temática de centro y peri-

---

15 KAYE, Harvey J.: *Los historiadores marxistas británicos: un análisis introductorio*. Zaragoza, Universidad de Zaragoza, 1989 (ed. orig. ingl. 1984). La edición española de este libro ha sido preparada por Julián Casanova, autor también de un estudio sobre historia social, centrado especialmente en la historiografía marxista: *La historia social y los historiadores. ¿Cenicienta o princesa?* Barcelona, Crítica, 1991. En esta obra, Casanova sostiene que existe una segunda generación de historiadores marxistas británicos, formados en los años sesenta y setenta, suficientemente diferenciados de los tratados por Kaye como una escuela. Casanova incluye en esta segunda oleada a Gareth Stedman Jones, Raphael Samuel y el heterogéneo círculo en torno a la revista *History Workshop* (fundada en 1976 con el subtítulo *A Journal of Socialist Historians;* en 1982 se cambió por el de *Journal of Socialist and Feminist Historians* y desde 1995 se prescindió del subtítulo). Cfr. también, GEOFF, Eley: «The British Marxist historians: shaping an intellectual culture», en BERGER, S.; FELDNER, H., y PASSMORE, K.: *Writing History. Theory and Practice*. Londres, Arnold, 2003, pp. 71-75.

16 Cfr. SWEEZY, Paul: *La transición del feudalismo al capitalismo*, Madrid, Ayuso, 1975 (ed. orig. ingl. 1950); BRENNER, Robert: «Estructura de clases agraria y desarrollo económico en la Europa preindustrial», en ASHTON, T. H., y PHILPIN, C. H. E. (eds.): *El debate Brenner*, Barcelona, Crítica, 1988 (ed. orig. ingl. 1976); BOIS, Guy: *Crise du féodalisme*, París, 1976; WALLERSTEIN, Immanuel: *El moderno sistema mundial. La agricultura capitalista y los orígenes de la economía-mundo europea en el siglo XVI*, Madrid, Siglo XXI, 1979 (ed. orig. ingl. 1974). Mientras que Dobb atribuye el colapso del feudalismo a sus contradicciones económicas internas, Sweezy lo atribuye a una razón externa: el auge del comercio. Josep Fontana (*Historia. Análisis...*) acusa a Bois de no haberse distanciado suficientemente del malthusianismo.

feria en el moderno sistema mundial (y el gran interés que despertó) en el XVII Congreso Internacional de Ciencias Históricas (CICH) celebrado en Madrid en 1990.[17]

La corriente marxista más culturalista está formada por historiadores como George Rudé, Eric Hobsbawm, Roll Jordan, Eugene D. Genovese y, sobre todo, Edward P. Thompson.[18] (Dejo aparte, por ahora, a los historiadores italianos de matriz gramsciana como Ginzburg, Levi y Poni, sobre cuyas propuestas historiográficas trataré más adelante en relación con la microhistoria.)

La corriente historiográfica del marxismo culturalista sigue teniendo como centro de gravedad, en consonancia con sus convicciones marxianas, la lucha de clases y el problema de la dominación; sin embargo, recalca el papel de la conciencia y de la cultura como factores decisivos en la acción social. Parece que hay un notable consenso entre los especialistas marxistas (por ejemplo J. Fontana y H. Kaye) y entre otros que ven el marxismo con más distanciamiento, sin serle hostiles (como G. Iggers), en destacar la importancia y la gran aportación que significaron las obras de Edward P. Thompson en la renovación teórica del marxismo occidental. Veamos con cierto detenimiento en qué residieron estas.[19]

Thompson quiso renovar con su obra la interpretación del marxismo, entendiéndolo como un fundamento para efectuar una crítica abierta a los problemas de los nuevos tiempos. Unos problemas que no podían resolverse simplemente de una manera escolástica con la invocación a unos textos surgidos hacía más de cien años. La obra más importante e influyente —convertida ya en clásico— de E. P. Thompson es *The Making of the English Working Class, 1780-1832* (3 vols., 1963). La tesis que se expone en ella es que la formación de

---

17 Sobre la influencia de I. Wallerstein (así como de G. Frank) en Hispanoamérica mediante su teoría de la dependencia, cfr. IGGERS, G., y WANG, Q. E.: *A Global History of Modern Historiography*. Londres, Pearson Longman, 2008, pp. 290-294.

18 Cfr. RUDÉ, George: *La multitud en la historia. Disturbios populares en Francia e Inglaterra, 1730-1848*, Madrid, Siglo XXI, 1972; HOBSBAWM, Eric: *Rebeldes primitivos*, Barcelona, Crítica, 1968; JORDAN, Roll: *The World the Slaves Made*, New York, Vintage Books, 1976. E. Genovese se ocupó de la relación amo-siervo en el Sur de los Estados Unidos. En el decenio de 1990, Eugene Genovese cambió de orientación historiográfica y vital (se convirtió al catolicismo). Hobsbawm sigue siendo un referente de primer orden del marxismo. Es significativo a este respecto que en una obra relativamente reciente, *Rostros de la historia. Veintiún historiadores para el siglo XXI*, escrita por E. Ruiz-Domènech (1999), Hobsbawm sea el historiador marxista escogido para ser comentado.

19 Harvey J. Kaye y Keith McClelland editaron una recopilación de artículos que constituye «a critical engagement with E. P. Thompson's work», titulada *E. P. Thompson. Critical Perspectivas*. Cambridge, Polity Press, 1990.

la clase obrera inglesa concreta no es simplemente el resultado de las nuevas fuerzas productivas. Es un desarrollo en el ámbito de la historia política y cultural y en el de la historia económica. La clase obrera no solo fue creada, fue al mismo tiempo su propia creadora. Las relaciones sociales de producción no son cosas, solo existen en el marco configurado por el ámbito de la cultura y de la conciencia. Además de este peso de los factores específicos político-culturales, Thompson se distancia del marxismo clásico en su evaluación del proceso de industrialización. En E. P. Thompson podemos comprobar cómo comienza ya a vacilar la fe ilustrada en el progreso, heredada en general por las ideologías del siglo XIX como el marxismo. La modernización, admite el historiador británico, trajo también pérdidas de calidad de vida. Así, en Thompson, a diferencia de Althusser, observamos algunos elementos en común con la hermenéutica historicista según la cual cada tiempo tiene su propio valor y el pasado es algo más que el camino hacia el futuro.

Esta valoración creciente de los aspectos culturales en el análisis de la realidad y dominación social no puede separarse de la pujante atención que los historiadores —también los marxistas— prestan a la antropología. El concepto de cultura popular o plebeya, tan discutido en los últimos años por Roger Chartier o Peter Burke, ha sido el engarce entre la tesis capital marxista de la lucha de clases, como factor teórico hegemónico, y las nuevas perspectivas en pos de la vivencia y de la interpretación del sujeto que aporta la antropología cultural. Así E. P. Thompson puede entenderse también como un puente tendido entre la aproximación analítico-sociológica y la aproximación hermenéutica a la historia. Partiendo del materialismo histórico clásico, la historiografía marxista se ha diversificado y evolucionado en diferentes orientaciones que la han llevado a conjugarse, en algunos casos pero no siempre, con el retorno de la narrativa o con el cuestionamiento de las aproximaciones macrohistóricas. Debates como este del retorno de la narrativa o la propuesta de cambio de escala en la observación histórica serán los que centrarán nuestra atención en los siguientes capítulos.

4.5. ¿QUÉ HA QUEDADO DEL MARXISMO EN EL PRIMER DECENIO DEL SIGLO XXI?

En los epígrafes anteriores he expuesto las distintas variantes historiográficas del marxismo desde una perspectiva más bien analítica y objetivista. A continuación, en cambio, me atreveré a proponer una reflexión más personal y sintética, a modo de microensayo, sobre el legado que el marxismo ha dejado, en el plano histórico e historiográfico, al siglo XXI.

La grandeza y debilidad del marxismo ha consistido en querer ser a la vez un método científico-filosófico y una apuesta revolucionaria cierta para superar las inhumanidades del sistema liberal-capitalista. En ese sentido, por el poderoso atractivo que ha ejercido y por la decepción que han provocado entre los marxistas la «inesperada» evolución de las sociedades «capitalistas» y el derrumbamiento de los sistemas políticos del «socialismo real», puede decirse con Leszek Kolakowski que el marxismo ha sido la mayor utopía del siglo XX.

La evolución social ha desmentido gran parte de los análisis y profecías de Marx: ni el capitalismo se ha derrumbado, ni la polarización social ha aumentado —al menos en muchos países—, ni la revolución socialista se ha mostrado irreversible, ni ha tenido lugar el fin de la alienación religiosa, ni las revoluciones han logrado superar las contradicciones humanas. (Desde luego, se había teorizado mucho sobre las transiciones de unos modos de producción a otro, pero muy poco o nada sobre la transición del socialismo al capitalismo que se ha dado en gran parte de Europa después de 1989-1991.)

Pese a los desmentidos por parte de la realidad histórica que el marxismo ha sufrido y la consecuente difuminación del futuro radiante que preconizaba, sigue teniendo vigencia su denuncia ética o su aspiración a la justicia frente a la inhumanidad que suponía (y supondrá siempre) reducir el hombre a una fuerza de trabajo.[20] Que la solución política ofrecida (y garantizada «científicamente») por el marxismo haya fracasado no quiere decir que no existiera el problema de la alienación de la persona humana.[21] Así pues, el marxismo ha supuesto, pese a su reduccionismo antropológico —en el que la persona queda circunscrita a su praxis—, un acicate para potenciar una mayor conciencia de que era necesario promover la justicia social y la solidaridad como bien común. Sin embargo, cuando muy frecuentemente, al menos en Europa occidental, la interpelación del marxismo se ha asumido de modo acrítico y sin unas convicciones trascendentes sólidas, el naufragio del marxismo como saber de salvación y de «esperanza» ha conllevado una propensión al nihilismo o al cinismo ético. Con ello, indirectamente, ese naufragio ha socavado los fundamentos éticos de una democracia comprometida con la eutopía de forma idealista y madura a la vez. Nihilismo ideológico y pragmatismo hedonista se han

---

20 El gran escritor francés Victor Hugo, coetáneo de Marx, afirmaba ya en su breve nota introductoria al primer volumen de su novela *Los Miserables* (1862) que «la degradación del hombre por el proletariado» era uno de los grandes problemas, pendientes de resolver, de su siglo.

21 En este sentido se expresaba, por ejemplo, Karol Wojtyla —buen conocedor de la teoría y la práctica del marxismo— en su exhortación social *Centesimus annus*, escrita en el centenario de la famosa encíclica *Rerum Novarum*, de León XIII.

dado peligrosamente la mano en las sociedades tecnológicamente avanzadas de principios del siglo XXI.

En cualquier caso, con una perspectiva más que secular, hay algunos indicios para conceder a la acción del marxismo el beneficio de la duda y postular que el triunfo de la socialdemocracia (una de las posibles derivaciones del marxismo) quizá haya sido posible indirectamente por la acción (o la prevención de la posible acción revolucionaria) del marxismo. De ser así, serían los trabajadores de Occidente quienes se habrían beneficiado de él, en vez de quienes estuvieron sometidos a los regímenes del socialismo real.

En el ámbito de la práctica historiográfica, el legado del marxismo, como un punto de referencia ya clásico y relativamente compartido (bien sea como teoría explicativa o como instrumento analítico hipotético) ha tenido un efecto saludable para impulsar los estudios económicos y sociales a largo plazo, la visión de la historia *from below* (desde abajo) y las exposiciones que implican una conceptualización teórica, sin quedarse en una mera erudición positivista. Y ello, aunque sea rotundamente falsa la equiparación que se ha querido establecer a veces entre historia con teoría e historiografía marxista. Desde luego hay también historia con mucho calado teórico, sin que esta derive del marxismo. La que hicieron Pierre Chaunu o Reinhart Koselleck, son un ejemplo de ello.

«La auto-deificación de la humanidad a la que el marxismo dio plena expresión filosófica ha terminado de la misma forma que todos los intentos de este tipo, ya sean individuales o colectivos, se ha revelado a sí misma con el aspecto trágico-cómico de las limitaciones humanas.»[22] Con estas palabras, el polaco Leszek Kolakowski describía el esfuerzo teórico y práctico prometeico que conllevó el marxismo. Un sistema de pensamiento que revolucionó la cultura intelectual y política de Occidente y Oriente. Un sistema que señaló horizontes de plenitud humana y social. Pero un modelo que se encontró desde el principio constreñido por una antropología y una interpretación de la historia tan brillante como reduccionista y parcial.

---

22 Kolakowski, Leszek: *Las principales corrientes del marxismo*. Madrid, Alianza, 1985, vol. III, p. 508.

El retorno de la narrativa y de los acontecimientos y el cuestionamiento de la historia socioestructural. ¿Hacia qué narrativa se encamina la nueva historia?

5.1. Introducción

El título de este capítulo retoma, en su primer elemento, la denominación de un célebre artículo publicado por Lawrence Stone en 1979 en *Past and Present*, «The revival of narrative: reflections on a new old history»,[1] que se ha convertido ya en un clásico y en el altavoz de un punto de inflexión en la práctica historiográfica. Aunque muy discutido en su momento, con la perspectiva de más de tres decenios ese texto aparece como un hito muy significativo y casi profético de la evolución historiográfica posterior. Las tendencias que Stone detectaba y resumía con la categoría clave de *narrative* han ganado terreno ampliamente después, como tendremos ocasión de ver enseguida. Así, ese título de «renacimiento de la narración» aparecía también en uno de los artículos de la influyente obra de Peter Burke *New Perspectives on Historical Writing*, de 1991.[2] Tomaré estas dos contribuciones como punto de partida para mi exposición en este capítulo.

El «resurgimiento de la narrativa» no es solo una apreciación o un fenómeno anglosajón. Ese paulatino cambio en la praxis historiográfica se ha dado en todos los países de Occidente. La *microstoria* italiana o la *Alltagsgeschichte* germánica, de las que trataré en el siguiente capítulo, encajan bien, en varios aspectos, en el retrato trazado por Stone.[3] Por otra parte, esa renacida preocupación por la escritura de la historia —aunque *narrative* implica mucho más que el

1 Exactamente en el núm. 85 de la revista. Una traducción española de este artículo (aunque con algunas deficiencias) se encuentra en STONE, Lawrence: «El resurgimiento de la narrativa: reflexiones acerca de una nueva y vieja historia», *El pasado y el presente*. México, Fondo de Cultura Económica, 1986, pp. 95-120 (ed. orig. ingl. 1981).

2 Trad. esp.: BURKE, Peter: «Historia de los acontecimientos y renacimiento de la narración», en BURKE, P. (ed.): *Formas de hacer historia*. Madrid, Alianza, 1993, pp. 287-305.

3 También en Francia (y anteriormente) Pierre Nora había ya reivindicado la importancia del acontecimiento, muy ligado a la narrativa, en un artículo de 1972: «Le retour de l'événement», en LE GOFF, J., y NORA, P. (eds.): *Faire de l'histoire*, 3 vols., París, 1974, vol. I, pp. 210-218.

aspecto de representación— tiene mucho que ver con el «giro lingüístico» teorizado por Hayden White, otra de nuestras temáticas posteriores en esta obra.

La sintética e irenista panorámica escrita por Georg Iggers en 1995 aborda la temática suscitada por Lawrence Stone desde una perspectiva más continuista y quizá un tanto apresurada. Para Iggers, más que la negación de la historia sociocientífica y estructural anterior, la nueva narrativa representaría su transformación; pues el retorno de la narrativa —y en esto no hay duda— no significa una vuelta al modelo historiográfico básico tradicional. Stone, por su parte, acentúa más el contraste y se extiende más en las causas de la crisis de la historia analítico-estructural. Puesto que a Stone pertenece la tesis «originaria» en este debate y el tiempo parece haberle dado la razón, bien merece la pena exponer qué entiende él por «resurgimiento de la narración» y qué pruebas aportaba en 1979 de ese, entonces, incipiente cambio.[4] Su tesis no está lejos, como podremos comprobar, de la que más recientemente constata un «giro cultural» en la historia.

Por su lado, Peter Burke, siempre muy atento a las nuevas inquietudes, ha ampliado el debate, antes centrado en las polaridades «historia narrativa / historia estructural». Burke ha efectuado también un interesante examen de los tipos de narrativa que, en su opinión, resultan más valiosos y constituyen una «regeneración de la narrativa». Al hacerlo ha puesto de manifiesto, por lo demás, su gran bagaje literario y horizontes culturales que desbordan los límites del mundo occidental.

5.2. TESTIMONIOS Y RAZONES DEL RETORNO DE ¿QUÉ NARRATIVA?

¿Cómo sintetiza Lawrence Stone los cambios en el discurso histórico que percibía en los años anteriores a 1979, entre sectores reducidos pero muy influyentes y significativos de los historiadores? He aquí el denso fragmento con el que concluye su célebre artículo de 1979:

> Está claro que una única palabra como «narrativa», especialmente esta que encierra una historia tan complicada tras de sí, no resulta adecuada para describir lo

---

4 Pocos años después del artículo de L. Stone, la polaridad entre «Narrative History and Structural History» fue la que articuló la revisión de toda la historia de la historiografía, desde los griegos al siglo XX, en las sesiones científicas de la Comisión Internacional de Historia de la Historiografía que tuvieron lugar en el XVI CICH (el de Stuttgart, de 1985). Buena parte de las intervenciones en dichas sesiones, entre ellas la de Jürgen Kocka, se han publicado en un número especial de la revista *Storia della Storiografia* (núm. 10, 1986).

que viene a ser de hecho un amplio conjunto de transformaciones con respecto a la naturaleza del discurso histórico. Existen indicios de un cambio en el problema histórico central, con un énfasis sobre el hombre en medio de ciertas circunstancias más bien que sobre las circunstancias que lo rodean; en los problemas estudiados, sustituyéndose lo económico y lo demográfico por lo cultural y lo emocional; en las fuentes primarias de influencia, recurriéndose a la Antropología y la Psicología en lugar de a la Sociología, la Economía y la Demografía; en la temática, insistiéndose sobre el individuo más que sobre el grupo; en los modelos explicativos de las transformaciones históricas, realzándose lo interrelacionado y multicausal sobre lo estratificado y monocausal; en la metodología, tendiéndose a los ejemplos individuales más bien que a la cuantificación de grupo; en la organización, abocándose a lo descriptivo antes que a lo analítico; y en la conceptualización de la función del historiador, destacándose lo literario sobre lo científico. Estos cambios multifacéticos en cuanto al contenido, lo objetivo de su método y el estilo de la historiografía, que están dándose todos a la vez, presentan claras afinidades electivas entre sí: todos se ajustan perfectamente. No existe una palabra única que abarque a todos, y por ello la palabra «narrativa» nos servirá por el momento como una especie de símbolo taquigráfico para todo lo que está sucediendo. Tengo la esperanza de que al centrar la atención sobre el resurgimiento de la narrativa este artículo estimulará futuras reflexiones acerca de su importancia para el porvenir de la historia y acerca de la cambiante relación —la cual se vuelve ahora cada vez más débil— entre la historia y sus hermanas las ciencias sociales, suponiendo que la historia ataña en primer término a las ciencias sociales.[5]

Aunque la cita es algo extensa para los estándares habituales, pienso que vale la pena, por las muchas y profundas dimensiones a las que se alude, en menos de una página, con esa *code-word* de narrativa. En cierto modo, su comentario será un hilo conductor de los siguientes capítulos.

Para ilustrar ese viraje hacia la narrativa en la trayectoria que la investigación histórica tendió a seguir entre 1959 y 1979, Stone nos presentaba el caso de Jean Delumeau, un destacado historiador vinculado a la Escuela de *Annales*. Delumeau había comenzado en 1962 estudiando un producto económico importante para la elaboración de productos textiles: el alumbre. Había continuado, en 1969, por una sociedad (la de Roma). En 1971 había pasado a trabajar sobre una religión (el catolicismo). Más tarde, en 1976,

---

5 Este texto es una versión directa hecha por mí y ligeramente distinta de la citada traducción española, a partir del original inglés en *The Past and the Present* (Boston, Routledge & Kegan Paul, 1981, p. 96).

había abordado un comportamiento colectivo (*Les Pays de Cocagne*).[6] Finalmente, en 1979, Delumeau acababa de escribir sobre una emoción (el miedo).[7]

Podría pensarse que Delumeau era un caso aislado; pero no lo era. Stone
enumeraba una serie de obras emblemáticas de autores de diferentes orientaciones ideológico-políticas que indicaban esa tendencia. Así, en *Le dimanche
de Bouvines* (1973), Georges Duby nos relata un acontecimiento sucedido el
27 de julio de 1214, ¡una batalla!, a partir del cual él esclarece las características
de la sociedad feudal francesa; en *Cristofano and the Plague* (1973), un autor
ya citado en esta obra, Carlo Cipolla, describe y estudia las reacciones personales en la ciudad toscana de Prato ante la epidemia de peste de 1630; en
Montaillou, village occitan (1975), Le Roy Ladurie (cuya importancia ya se ha
señalado en varios pasajes), ofrece un fresco apasionante de las formas de vivir
la religión y el sexo en una aldea pirenaica a comienzos del siglo xiv. Stone
incluía también como testimonio significativo de ese «revival of the narrative»
la narración explicativa que había publicado en 1975 E. P. Thompson (de
quien también hemos tratado ya) en *Whigs and Hunters* sobre el choque en
los bosques de Windsor entre las autoridades que amparan a los patricios y los
furtivos plebeyos; y, *last but not least*, el relato por una de las más prominentes
historiadoras norteamericanas, Natalie Zemon Davis, de rituales de ignomi-
nia que tenían lugar en las regiones de Lyon y Ginebra en el siglo xvii. Por
entonces, N. Z. Davis todavía no había tallado su joya narrativa sobre Martin
Guerre, sobre la que volveremos unas páginas más adelante.

No es difícil estar de acuerdo en que, en conjunto, los mencionados autores
constituyen un grupo muy relevante. Las razones por las que se empezó a cuestionar la historia socioestructural aducidas por Lawrence Stone en 1979 y se
llegó a esta *New Quest for Narrative* son en lo esencial las que Jürgen Kocka,
representante destacado de la Escuela de Bielefeld reconoció en 1986, constatando también la pujanza de la nueva tendencia en la República Federal de
Alemania.[8] Los excesos en la cuantificación y la sofisticación conceptualizadora
habían hecho casi indigeribles, cuando no ininteligibles, las obras históricas, en

---

6 DELUMEAU, Jean: *La mort des Pays de Cocagne: Comportemens collectifs de la Renaissance à l'Âge
Classique*. París, Publications de la Sorbonne, 1976. (*Cocagne* significa 'cucaña'; *les Pays de Cocagne* podría traducirse por 'las tierras de Jauja').

7 Para poner un contrapunto optimista, en esta elección de emociones también ha habido historiadores, como Theodore Zeldin, que han estudiado *le bonheur* (la felicidad).

8 Esta cadena semántica aparece en el título de una comunicación, ya mencionada antes, presentada por Jürgen Kocka al Congreso Internacional de Ciencias Históricas de Stuttgart: «Theory Orientation and the New Quest for Narrative. Some Trends and Debates in West Germany», *Storia della Storiografia*, núm. 10, 1986, pp. 170-171.

las que el elemento humano, el vino de la personalidad humana, escaseaba alarmantemente.[9] Y la merma del interés del gran público no había sido compensada por el grado de consenso que se podía esperar entre los historiadores sobre problemas capitales como las causas de la Revolución inglesa o si la Revolución industrial trajo consigo un aumento o una disminución del nivel de vida de los trabajadores. Por otra parte, la gran crisis cultural coetánea vivida por los países occidentales y centroeuropeos en los decenios de 1960 y 1970 (una de cuyas manifestaciones serían las revueltas estudiantiles de 1968) favorecía un clima de escepticismo general contra las macroteorías sociológicas omnicomprensivas y un relativismo que encontraba su aliado en la antropología cultural.

El retorno a la narrativa, la importante dedicación a la historia de las mentalidades en la tercera generación de *Annales*, la deriva de una parte significativa de los historiadores marxistas italianos hacia la microhistoria, el giro, en cierto modo culturalista, de un E. P. Thompson responden, en mi opinión, a un clima histórico occidental cultural común. Este se caracterizaba por una crisis de valores y de identidad de esa sociedad, cuyo progreso económico parecía más claro que sus certidumbres básicas sobre las que articular la convivencia política y las relaciones con otras culturas en los años posteriores a la descolonización. Ese retorno de la «narrativa» obedece en suma a una crisis de la modernidad ilustrada. Responde también a un lógico y necesario efecto de compensación frente al déficit de relato al que se encaminaba la historia. Como había escrito Pierre Chaunu haciendo cierta autocrítica desde *Annales*, quizá en el afán por no limitarse al relato y superarlo, algunos historiadores habían carecido de prudencia y de mesura y entonces era necesario insistir de nuevo en recuperar lo que la historia tenía de escritura.[10]

5.3. CARACTERÍSTICAS Y PROBLEMAS QUE PLANTEA ESTA NUEVA NARRATIVA

El resurgimiento de la narrativa no implica necesariamente —aunque tampoco la excluye totalmente— una rehabilitación del modelo historiográfico básico. La nueva narrativa a la que Stone se refiere, y en cierto modo reivindica, se diferencia de la narrativa de los historiadores tradicionales en varios aspectos.

---

9 «Las estadísticas nos suministran una dieta seca e insípida si no se las rehoga con el vino de la personalidad humana», había escrito ya el propio L. Stone en la introducción a su célebre monografía de historia social *The crisis of the aristocracy* (cita de la ed. esp., Madrid, 1976, p. 19).

10 Cfr. CHAUNU, Pierre: *Histoire et décadence*. París, Perrin, 1981, p. 2.

Esta nueva narrativa se interesa por las vidas y los sentimientos del hombre común más que por el grande y poderoso, y no excluye el análisis, que continúa siendo esencial en su metodología. Los historiadores revalorizan nuevas fuentes, como los procesos criminales o las transcripciones detalladas de comportamientos. En su intento de comprensión de la realidad humana, esta nueva narrativa intenta explorar también el subconsciente (aquí la influencia de la psicología es decisiva) y busca el sentido simbólico. Y, como rasgo no menos importante, esta nueva narrativa cuenta la historia de una persona o un episodio dramático no por sí mismos, sino para esclarecer los entresijos de una sociedad y una cultura pasadas. De hecho, añado yo, estos relatos resultan esclarecedores si, como en el caso de Natalie Zemon Davis o George Duby, han brotado de las plumas (o de los ordenadores) de historiadores que tenían ya un importante bagaje de conocimiento de las estructuras sociales, económicas, culturales, institucionales y políticas de los grupos humanos en los que se ubican sus *dramatis personae* (los protagonistas de su relato).

Me parece importante señalar algunas de las ideas y modelos sobre los que Burke ha llamado la atención, en su empeño de comentar y promover una narrativa enriquecida o renovada, una propuesta de síntesis entre la historia analítico-estructural (centrada en los grandes procesos y estructuras) y la historia narrativa (atenta ante todo a las vivencias y acontecimientos). Burke es sensible a la crítica que hace Hayden White a los historiadores que descuidan las sugerencias que puede brindar la literatura coetánea para embarcar mejor al lector en el relato. Así, Burke hace suyo un desiderátum de Golo Mann, un importante historiador alemán, quien escribió una monografía sobre Wallenstein, una de las *dramatis personae* más descollantes de la guerra de los Treinta Años (1618-1648).[11] Según el autor alemán, hijo del gran novelista Thomas Mann, el historiador ha de ensayar la armónica conciliación de una doble perspectiva temporal en su relato: por una parte, la de los protagonistas del tiempo que estudia, «para nadar con la corriente de los acontecimientos» y poner de manifiesto la apertura o incertidumbre del futuro; y por otra parte,

---

11 La turbulenta y meteórica trayectoria vital de Albert Wallenstein, que terminó con su asesinato político en 1634, había ejercido ya un poderoso atractivo anteriormente en Alemania. Así, a él le dedicó ya Friedrich Schiller una de sus más aclamadas piezas teatrales. Cfr. SAFRANSKI, R.: *Goethe y Schiller: Historia de una amistad*. Barcelona, Tusquets, 2011, pp. 215-228. No menos fascinación, a nivel europeo, despertó la vida del León del Norte, el rey sueco, coetáneo de Wallenstein, Gustavo II Adolfo, muerto en combate en Lützen en 1632. Cfr. mi estudio de la obra histórica *Gustavo Adolfo, vencedor y vencido en Alemania* publicada en 1648 en Madrid por el [entonces] exiliado catalán F. Pons de Castellví (*Pedralbes.Revista d'Història Moderna*, 28-II (2010), pp. 331-347; accesible on-line en www.culturahistorica.es/sanchez_marcos/pons_castellvi.pdf, 01-11-2011).

la postura de un testigo posterior y mejor informado, que le permita analizar esas realidades con la perspectiva de la influencia o resultado posteriores de esos mismos acontecimientos.[12]

Además, Burke piensa que para que «las voces diversas y opuestas» de los muertos se oigan de nuevo, el historiador, como el novelista, necesita practicar la heteroglosia y la multivocalidad.[13] Así, presenta como modélico el estudio de Richard Price sobre Surinam (la otrora Guayana Holandesa) en el siglo XVIII, titulado *Alabi's World* (1990). Price, un historiador (euro)norteamericano, habla más de multivocalidad que de heteroglosia. En su estudio trata de revivir y explicar el conflicto intercultural en Surinam a la par que la vida de Alabi (un saramaka, descendiente de esclavos africanos). Para ello enlaza en su obra, visualizándolas con tipografías diferentes, cuatro voces que son cuatro interpretaciones: la de los esclavos negros transmitida oralmente por sus descendientes saramakas no cristianos,[14] la de los administradores y gobernantes holandeses, la de los misioneros moravos germanos y la del propio historiador, cuya intervención se visibiliza así más claramente.

El reto fundamental al que debe hacer frente esta nueva narrativa queda bien planteado, en mi opinión, en los términos en que Burke lo formula:

> That of making a narrative thick enough to deal not only with the sequence of events and the conscious intentions of the actors in these events, but also with structures, institutions [no «intuiciones», como se lee en la edición castellana, *Formas de hacer historia*, de 1993], modes of thought, and so on —whether these structures act as a brake on events or as an accelerator.[15]

Como posibles respuestas a esta cuestión, traducidas en prácticas historiográficas, Burke destaca algunos modelos. Por la relación más directa que tienen

---

12　Citado en Cf. ELLIOTT, J. H.: *Richelieu y Olivares*. Barcelona, Crítica, 1984. Golo Mann aplica esta misma perspectiva en su magnífica *Deutsche Geschichte des 19. und 20. Jahrhundert* (1958). Esta extensa obra, que se lee como una verdadera novela, sazona el rigor histórico con algunos giros ensayísticos, y retoma algunos conceptos clásicos de la historiografía germánica como «espíritu del tiempo» (*Zeitgeist*).

13　La «heteroglosia» es un concepto difundido entre los historiadores en los últimos decenios y forjado por el teórico de la literatura ruso Mijaíl Bajtin (1895-1875). Se refiere a la diversidad lingüística dentro de un mismo texto (cfr. BURKE, Peter: *Hibridismo cultural*. Madrid, Akal, 2010, pp. 101-102).

14　Los testimonios orales formarían parte de la *oraliture*. Esta es una expresión utilizada en Francia desde hace algunos años para designar el conjunto de la «littérature orale», incluidas las expresiones de la cultura oral transmitidas por escrito. (Véase el glosario de POIRIER, J. et al.: *Les récits de vie. Théorie et pratique*. París, Presses Universitaires de France, 1989, 2.ª ed.).

15　BURKE, P. (ed.): *New Perspectives on Historical Writing*. Cambridge, Polity Press, 1993, p. 240.

con la llamada Edad Moderna, me centraré en dos de ellos. Uno es *El regreso de Martin Guerre* de N. Z. Davis, en que la autora presenta una historia insólita y de gran tensión dramática, sobre un marido suplantado por un convincente impostor. A través de ella, Davis recrea —Michelet hablaba de la «resurrección integral de la vida»— y explica la forma en que los campesinos, hombres y mujeres, experimentan las limitaciones y posibilidades de sus vidas en una aldea del sur de Francia a mediados del siglo XVI. Así, el relato es a la vez un drama social, en el sentido de los antropólogos; es decir un suceso que revela conflictos latentes e ilumina estructuras sociales.

El otro modelo que comentaré, de entre los retomados por Burke, es el propuesto por el antropólogo social e historiador Marshall Sahlins. Este ha analizado los encuentros interculturales en el Pacífico, en las islas Hawai y Fidji, especialmente con la llegada de la expedición del inglés Cook en 1778.[16] En su estudio, Sahlins nos muestra cómo los acontecimientos son percibidos de acuerdo con las estructuras culturales preexistentes, pero también cómo las categorías o estructuras mentales se ponen a prueba, peligran y pueden cambiar cuando se someten al choque de los acontecimientos y de nuevas experiencias de las sociedades en cuestión. Así, algunas de las consecuencias estructurales de estos contactos y acontecimientos fueron tanto el fin del sistema cultural indígena del *tabú* como el nacimiento del comercio internacional entre Inglaterra y esas zonas.

Ese gran objetivo de combinar la aproximación al sujeto (mediante la narración interpretativa y empática) y la explicación del objeto histórico (mediante el análisis conceptual y distanciado) no se lo han planteado solo los historiadores anglosajones a los que en este capítulo he dado en cierto modo preferencia. En buena parte de los capítulos que siguen, retomaré este debate bajo diferentes aspectos y centrando la atención también en algunas «escuelas» o tendencias más o menos acotadas y ubicadas en otras tradiciones histórico-culturales.

---

16 Trad. esp.: *Islas de historia: la muerte del Capitán Cook. Metáfora, antropología e historia.* Barcelona, Gedisa, 1988.

6 Nuevos enfoques de la historia en pos del sujeto: la historia de la vivencia cotidiana, la microhistoria y la historia antropológica

6.1. Introducción

En los próximos capítulos me propongo ofrecer una panorámica de cuáles han sido las tendencias e incluso escuelas o cuasi escuelas historiográficas en las que se ha plasmado, en el mundo occidental en el último cuarto de siglo xx, la revisión de la historia sociológica analítico-estructural.[1] Analizaré las propuestas teóricas y las realizaciones prácticas más destacadas de la *microstoria* italiana y de la *Alltagsgeschichte* (historia de la vida o experiencia cotidiana) germánica. Una y otra tienen aspectos en común, por la temática y el enfoque, con la historia de las mentalidades, tan importante en la tercera generación de *Annales,* a la que ya me referí. En todas estas tendencias, la influencia de la antropología cultural y social resulta muy decisiva. Por ello precisaré en qué sentido y a través de qué autores – como Clifford Geertz— se recibe esta principalmente. El hecho de que haya nacido en Alemania una importante revista de antropología histórica es todo un símbolo al respecto.[2]

Me parece importante subrayar la internacionalidad y la relativa homogeneidad de estos nuevos enfoques. La nómina de miembros del consejo asesor editorial de los primeros números de una revista que antes mencionábamos, *Historische Anthropologie,* es un dato muy relevante en este sentido. Como afirma Iggers, desde la Ilustración no ha habido quizá ninguna coyuntura en la que existiera la prevalencia de un discurso histórico tan homogéneo, extendido por Italia, Francia, Estados Unidos, Inglaterra, la República Federal de Alemania, Japón y otros países.

---

1 El título del capítulo está inspirado tanto en la expresión «Retorno del sujeto», escogida para el segundo volumen de las *Actas del I Congreso Historia a Debate* (1993), como en la tematización de estas escuelas que propone Georg Iggers en *La ciencia histórica en el siglo XXI* (Barcelona, Labor, 1995, pp. 82-96). También dos estudios panorámicos más recientes, el de Jaume AURELL: *La escritura de la memoria: De los positivismos a los posmodernismos* (Valencia, Universitat de València, 2005) y el P. POIRRIER: *Introduction a l'historiographie* (París, Belin, 2009), dedican algunas páginas a la microhistoria y a la historia antropológica.

2 Cfr. SÁNCHEZ MARCOS, F.: «Influencia de la historiografía germánica en España 1990-1999», *Actas del III Congreso Historia a Debate*. Santiago de Compostela, 1999.

6.2. EL CUESTIONAMIENTO DE LA HISTORIA SOCIOESTRUCTURAL: CONTEXTO Y PROPUESTAS HERMENÉUTICAS DE ESTOS NUEVOS ENFOQUES

Los nuevos prismas en la lectura del pasado que comentamos derivan en buena parte de un clima filosófico-cultural diferente que empezó a cristalizar a mediados del decenio de 1970. En los decenios de 1970 y 1980, en sectores intelectuales influyentes se empieza a cuestionar radicalmente la valoración optimista del progreso técnico y civilizador. Anteriormente, tanto las visiones de Marx como —aunque con algunos matices— las inspiradas en Weber (J. Kocka) y las teorías americanas del crecimiento (F. Fukuyama) hacían una valoración globalmente optimista del progreso, a la vez que dejaban en la penumbra las fuerzas destructivas: el coste humano de la industrialización y del desarrollo económico a largo plazo. A fines del siglo xx, con la experiencia de una extendida pauperización en el Sur, las amenazas nucleares, las experiencias totalitarias, las catástrofes ecológicas y las graves incertidumbres bioéticas, el clima cultural es menos optimista y más propenso a considerar también la actuación de las fuerzas destructivas en la historia.[3] Ya no se contempla con tanta arrogancia ni la época preindustrial, ni las culturas extraeuropeas. Estos nuevos enfoques de los que nos ocupamos son tentativas históricas en un tiempo de incertidumbres o de crisis de paradigmas. Por otra parte, la quiebra de algunas utopías colectivistas influye también en ese interés por los sujetos y su praxis, en el seno del desarrollo de las grandes realidades históricas: el Estado, la clase, la nación, el mercado, etc.

El problema metodológico y epistemológico fundamental es cómo se puede captar y dar cuenta de los comportamientos y las vivencias subjetivas de las muchas personas que constituyen cada una de esas grandes realidades más o menos abstractas antes mencionadas.[4] Frente a este reto, una de las propuestas será la utilización preferencial, si no única, de una escala distinta de observación de la realidad, más cercana a los sujetos individuales; otra, la reivindicación de la percepción que tuvieron los propios sujetos, los propios protago-

---

3 La publicación en 1979 de la influyente obra de Hans Jonas *Das Prinzip Verantwortung*, traducida a varios idiomas, marca un hito, en mi opinión, en ese cambio de clima filosófico-cultural. La obra puede encontrarse en castellano bajo el título *El principio de responsabilidad: ensayo de una ética para la civilización tecnológica*, Barcelona, Herder, 2008 (2.ª ed.).

4 Cfr. IGGERS, G.: *Historiography in the Twentieth Century. From Scientific Objectivity to the Postmodern Challenge*. Hanover, Wesleyan University Press, 1997, cap. 9: «From Macro- to Microhistory: The History of Everyday Life». El autor habla también del cuestionamiento de los «macrohistorical social science approaches».

nistas de las historias, en sus vivencias o experiencias (también las cotidianas).[5] En algún sentido, hay una aproximación a los postulados del historicismo clásico, aunque con importantes diferencias.[6] Sí, en el sentido de que la historia se aleja de nuevo de la física social y de su cuasi determinismo. No, por cuanto para el historicismo clásico apenas se problematizaba, como se hace ahora, la capacidad de comprensión e identificación, el puente cognitivo-temporal que se establece entre la interpretación del historiador y la autointerpretación de los sujetos estudiados (manifestada en los vestigios, especialmente en los relatos, de estos últimos).

Es interesante observar que en esos nuevos enfoques convergen historiadores forjados en distintos humus culturales (buena parte de ellos, entre los italianos, en la tradición gramsciana), pero pertenecientes básicamente a una misma generación de posguerra. Son historiadores que han compartido unas experiencias formativas e intelectuales: su iniciación profesional —la de un Giovanni Levi o un Hans Medick, por ejemplo— se realizó en el marco de la Historia socioestructural (socioeconómica en ambos casos) y cuantitativa.

Una de las discrepancias de estos nuevos enfoques con la historia científico-social radica en que cuestionan la validez del método histórico científico-analítico de verificación de teorías abstractas, antes empleado. Los teóricos de la historia de la vida cotidiana y de la microhistoria —como Medick— se inclinan por un método más próximo a la hermenéutica y, en diálogo con la antropología, por la «descripción densa» propuesta por Clifford Geertz.[7] Pero advierten a la vez contra la falacia de la hermenéutica que propugnaba el historicismo clásico. Este postulaba o daba prácticamente por resuelta la compenetración directa con el objeto de investigación. Medick y Ginzburg enfatizan que solo es posible para el historiador una comprensión indirecta y problemática.

Medick propone tratar de aprehender la lógica informal de la vida y dejar hablar a los sujetos. Mediante la descripción densa se procura reconstruir y

---

5 Con la reivindicación de la vida cotidiana, muy a menudo sin gran relieve público, como objeto válido de estudio, se superaba las limitaciones de muchas definiciones clásicas de historia.

6 Para esa aproximación selectiva, F. Ferrarotti emplea el término *neohistoricismo crítico* en *La storia e il quotidiano* (Bari, Laterza, 1986).

7 Clifford James Geertz es un antropólogo estadounidense (1926-2006). Fue uno de los padres de la «antropología simbólica», que considera que los imaginarios simbólicos son el marco de la vida y de la acción social y, por tanto, la clave para entender a un conjunto humano. A través de la «descripción densa», el antropólogo debe interpretar y traducir los símbolos base de cada cultura, mediante los cuales las personas que la conforman dan sentido al mundo. Pero ello no se puede lograr con un método teórico apriorístico, sino a través de la observación fenomenológica y de la experiencia atenta.

describir el entramado de significados del grupo sociocultural estudiado y descubrir esa alteridad, esa otra «lógica». Pues las acciones y los modos de vida del pasado forman un «texto», en el sentido de conjunto interrelacionado de símbolos, que puede y ha de ser interpretado unitariamente.

En ese acercamiento al pasado, el historiador verifica y ha de resaltar la cualidad de extraño (*Fremdartigkeit*) que tienen para nosotros hoy, por ejemplo, los campesinos del Württemberg del siglo XVII (como también los actuales habitantes de Bali), pues *el pasado es un país extranjero*.[8] El historiador, nos dice Medick, no ha de renunciar a la interpretación. Sí, en cambio, debe renunciar a suscitar en el lector la «[falsa] apariencia de univocidad [único sentido posible], coherencia [en cuanto consistencia lógica perfecta] y finalidad [es decir, logro de un final cerrado] de una intervención interpretativa».[9]

Los teóricos de la *microstoria* italiana, como Carlo Ginzburg, comparten la idea de Medick de que es necesario que el historiador haga visible su intervención y su itinerario *cognitivo* por pistas más o menos indiciarias. Estamos, pues, muy lejos no solo del método científico-analítico de la verificación de las hipótesis generales surgidas de nuestro presente, sino también de la concepción, ingenuamente realista, del historiador «amanuense», de la que sería un ejemplo excelente el historiador barroco Francisco de Melo. Siguiendo a Cicerón, afirma al abrir una de sus obras que «la verdad es la que dicta, yo quien escribe».[10] Se trata, sin duda, de un *noble sueño* que, sin embargo, es un saludable horizonte y un difícil compromiso ético del historiador, que ha de conocer (y contener) sus inevitables condicionamientos.[11]

Si bien los teóricos de la *microstoria* italiana, como Ginzburg o Levi, están de acuerdo en esta conveniencia de que el historiador se haga visible en su obra (como también logra Richard Price en *Alabi's World*), esto no significa que

---

8 *The Past is a Foreign Country* es el título y la tesis de un bello libro de David Löwenthal (1.ª ed., Cambridge, Cambridge University Press, 1985).

9 MEDICK, Hans: «Missionare im Ruderboot? Ethnologische Erkenntnisweisen als Herausforderung an die Sozialgeschichte», en Lüdtke, Alf (ed.): *Alltagsgeschichte. Zur Rekonstruktion historischer Erfahrungen und Lebensweisen*. Frankfurt am Main, 1989, pp. 48-84 (citado en IGGERS: *La ciencia histórica...*, p. 93). Hay traducción inglesa del artículo («Missionaries in the Row boat», *Comparative Studies in Society and History*, núm. 29, 1987, pp. 76-98) y traducción catalana («Els missioners en la barca de rems? Vies de coneixement etnològic com a repte per a la història social», en COLOMINES, A., y OLMOS, V. S. (eds.): *Les raons del passat*. Barcelona, Afers, 1998, pp. 147-181).

10 MELO, Francisco de: *Historia de los movimientos y separación de Cataluña, y de la guerra entre la majestad católica de D. Felipe el IV, rey de Castilla y de Aragón, y la diputación general de aquel Principado*. Barcelona, Universitat de Barcelona, 1981, p. 5.

11 NOVICK, Peter: *That Noble Dream: The «Objectivity Question» and the American Historical Profession*. Cambridge, Cambridge University Press, 1988.

compartan totalmente la orientación geertiana de Medick. Carlo Ginzburg está más cerca de ella. Levi, en cambio, piensa que esa actitud es demasiado relativista y culturalista.[12] Levi, más cercano al marxismo clásico en sus concepciones epistemológicas, reprocha a C. Geertz, por una parte, que con su antropología interpretativo-simbólica descuide los conflictos internos dentro de una cultura y que no tenga en cuenta suficientemente la realidad de que ninguna sociedad es un sistema totalmente integrado. Por otra, le reprocha su propensión al relativismo.

Así pues, en sus concepciones epistemológicas, estos nuevos enfoques, pese a que tengan unos objetivos comunes, presentan notables diferencias. Incluso, como veremos, dentro de un mismo grupo de historiadores, como el de *microstoria* italiana, que visto desde el exterior podría ser calificado de «escuela». Pero la aplicación del concepto de «escuela» a la *microstoria* italiana quizá sea más cuestionable aún que en el caso de *Annales*, puesto que en aquella no existe una revista común de referencia.[13]

6.3. ALGUNAS REALIZACIONES EMBLEMÁTICAS DE LA «ALLTAGSGESCHICHTE»

Alltagsgeschichte se traduce habitualmente por historia de la vida cotidiana. Sin embargo, Jacques Revel, en una obra colectiva sobre microhistoria, ha propuesto —con acierto a mi entender— traducir mejor ese término alemán por historia de la experiencia cotidiana.[14] Bien sea llamada historia de la vida o de la experiencia, me interesaré ahora brevemente por algunas realizaciones emblemáticas de esta tendencia historiográfica, muy vinculada a la antropología

---

12 LEVI, Giovanni: «El perill del geertzisme», en Colomines, A., y Olmos, V. S. (eds.): *Les raons...*, pp. 241-350. Levi discute los peligros de la orientación geertziana partiendo de la recensión de la obra de DARNTON, R.: *The Great Cat Massacre and Other Episodes in French Cultural History*, 1984. Darnton, catedrático de Historia en Princeton, es autor del artículo «History of Reading», publicado en BURKE, P. (ed.): *New Perspectives on Historical Writing*, 1992.

13 Sí existió, en cambio, como veremos después, una colección de obras asociada a esa práctica historiográfica de la *Microstoria*.

14 REVEL, Jacques (ed.): *Jeux d'échelles. La micro-analyse à l'expérience*. París, Seuil / Gallimard, 1996. Esa prioridad de «experiencia» frente a «vida» se manifiesta asimismo en el título alemán e inglés de una importante obra recopilada por A. LÜDTKE: *The History of Everyday Life: Reconstructing Historical Experience and Ways of Life*, Princeton, Princeton University Press, 1995 (ed. orig. alem., 1989). Podría decirse también que el objeto de estudio de la *Alltagsgeschichte* es la vivencia cotidiana: la vida cotidiana desde la perspectiva del modo en que la experimentan quienes la hacen y la padecen, en un contexto social y cultural dado.

cultural. También me referiré al paso importante, en la institucionalización de la *Alltagsgeschichte,* que significó la aparición en Alemania, en 1993, de una nueva revista específica titulada *Historische Anthropologie. Kultur, Gesellschaft, Alltags* ('Antropología histórica. Cultura, Sociedad, Cotidianidad').

El interés por la vida cotidiana de las élites culturales o políticas, e incluso de grupos sociales más amplios, no es nuevo y hay importantes precedentes en épocas históricas anteriores. Tito Livio (coetáneo del emperador Augusto) ya encarecía la importancia de conocer las *mores* (costumbres) de sus conciudadanos romanos. Alcuino, en el siglo IX, retrató las de Carlomagno en la célebre biografía que dedicó al emperador centroeuropeo. Ya en el siglo XX, el historiador neerlandés Jan Huizinga pintó un espléndido fresco literario sobre las formas de vida y las costumbres de la nobleza borgoñona en *El otoño de la Edad Media* (ed. orig. 1919). Pero a las figuras más relevantes de la *Alltagsgeschichte,* como Hans Medick, Alf Lüdtke y Carola Lipp, lo que les interesa sobre todo son las experiencias y la vivencias cotidianas de la *kleine Leute* (de la gente común, los hombres y mujeres de a pie, «pequeños» en rango social).[15] Esta preferencia de la *Alltagsgeschichte* por una historia desde abajo (*from below*) es común a la *microstoria* italiana y ambas pueden entenderse como formas de historia antropológico-cultural para describir y explicar mejor el cambio social.

Por otra parte, la *Alltagsgeschichte*, a diferencia de la Escuela de Bielefeld, no ha descuidado el estudio de la época preindustrial y está relacionada, en cierto modo, con la recepción en Alemania de la historia de las mentalidades francesa.

Todas las obras más relevantes de la *Alltagsgeschichte* se han centrado en el estudio de pequeñas comunidades alemanas. Algunas veces en un ámbito cronológico extenso, como Medick en *Weben und Überleben in Laichingen, 1650-1900* ('Tejer y sobrevivir en Laichingen, 1650-1900') (1997);[16] otras en la duración breve de un acontecimiento, como la Revolución de 1848 y su impacto en las relaciones personales cotidianas, en el estudio de Carola Lipp y Wolfgang Kaschuba sobre Esslingen (una pequeña ciudad cercana a Stuttgart).[17]

---

15 Ya nos hemos referido antes a H. Medick y A. Lüdtke. Carola Lipp es la autora de un importante y combativo artículo: «Writing History as Political Culture. Social History versus "Alltagsgeschichte". A German Debate», *Storia della Storiografia*, núm. 17, 1990, pp. 67-99.

16 Laichingen es una pequeña población de Suabia que se encuentra entre Stuttgart y Ulm. *Annales* publicó enseguida una versión francesa de un capítulo de la citada obra de Hans MEDICK: «Une culture de la considération. Les vêtements et leurs couleurs à Laichingen entre 1750 et 1820», *Annales: Histoire, Sciences Sociales*, París, 1995, 4, pp. 753-774. Puede encontrarse una buena recensión de Medick, *Weben...* (1997), escrita por Pierre Merlin en *Revue d'Histoire du XIXe Siècle*, 2001, núm. 23, accesible on-line en http://rh19.revues.org/document326.html (17-11-2011).

17 LIPP, C., y KASCHUBA, W: *1848 [Achtzehnhundertachtundvierzig]. Provinz und Revolution*. Tubinga, 1979.

Es interesante señalar que el viraje inicial hacia la *Alltagsgeschichte* lo ha realizado un grupo de historiadores que provenían de la historia social de corte marxista. El núcleo más definido y aglutinado en este itinerario lo representa el grupo de historiadores de Göttingen (o Gotinga) que comenzó trabajando sobre la protoindustrialización. Este grupo se proponía observar la relación entre el cambio económico, el social y el demográfico en la Europa de la Edad Moderna.[18] En él se incluían Peter Kriedte, Hans Medick, Jürgen Schlumbohm y otros autores como Franklin Mendels.[19] Veamos cómo ha sintetizado Schlumbohm su itinerario conceptual, en la introducción metodológica a una importante monografía. Versa esta sobre los campesinos y personas privadas de propiedad en la feligresía de Belm (cerca de Osnabrück) entre 1650 y 1860. Schlumbohm escribe: «cuanto más progresa la investigación, tanto menos los hombres (cuyo modo de vida es el objeto de la misma) aparecen enteramente determinados en su comportamiento por las duras estructuras, las condiciones económicas y el macro-cambio; y tanto más patente se hace que ellos colaboraron de manera activa en la configuración de la estructura social en la que vivían».[20]

En 1993 apareció el primer número de una nueva revista alemana que está bastante vinculada, por sus planteamientos y el equipo que la ha impulsado, a la tendencia de la *Alltagsgeschichte*. Se titula, como ya anticipé, *Historische Anthropologie* y en ella la expresión *Alltags* aparece como el tercer término de su subtítulo (trinómico, como el de *Annales*): *Kultur-Gesellschaft-Alltags* [Cultura-sociedad-cotidianidad].

En un texto de presentación de *Historische Anthropologie* escrito por uno de sus fundadores (Michael Mitterauer), se hace una referencia expresa a la influencia de *Annales*, así como a Clifford Geertz.[21] Es muy interesante reparar por un momento en que mientras que el subtítulo de *Annales* más estable fue *Économies, Sociétés, Civilisations*, el de *Historische Anthropologie* otorga la primacía a la cultura, mantiene en el lugar intermedio —¿o mediador?— a la sociedad y sustituye la antes preeminente economía por la vida cotidiana (sin especificar ninguna dimensión prioritaria en esta última). Otra analogía entre *Historische Anhropologie* y *Annales* reside en que, en ambos casos, una revista

---

18 KRIEDTE, P.; MEDICK, H., y SCHLUMBOHM, J.: *Industrialización antes de la industrialización*. Barcelona, Crítica, 1986 (ed. orig. alem. 1977). La traducción contiene un muy breve y muy útil glosario de términos alemanes.

19 Franklin Mendels, un norteamericano de origen belga, fue quien acuñó en 1972 el término «protoindustrialización».

20 Citado en IGGERS, G.: *La ciencia histórica en el siglo XX*. Barcelona, Labor, 1997, p. 95.

21 Este texto apareció, no por casualidad, en *Quaderni Storici*, núm. 82, pp. 267-276.

nueva y que se constituye en un punto de referencia importante para los historiadores europeos surge en una zona de encrucijada franco-alemana. En efecto, la primera sede de la dirección de la redacción estuvo en Saarbrücken, a menos de cien kilómetros en línea recta de Estrasburgo, la cuna de *Annales*.

El primer director de *Historische Anthropologie* fue el profesor Richard van Dülmen, del Instituto Histórico de la Universidad del Saarland (Sarre). La iniciativa de fundar la revista se debió también a Alf Lüdtke, Hans Medick y al ya mencionado Michael Mitterauer. Todos los miembros del consejo editorial de esta nueva publicación pertenecían al ámbito germanófono. Sin embargo, en la treintena de miembros de su consejo científico asesor inicial se descubrían las conexiones internacionales de la *Historische Anthropologie* y las relaciones con la *microstoria* italiana, pues entre esa nómina se encontraban, por ejemplo, Natalie Z. Davis, Carlo Ginzburg y Giovanni Levi. Todos los miembros del consejo asesor eran europeos y norteamericanos, excepto tres profesores de Tel Aviv, Melbourne y Osaka.

La misma inquietud interdisciplinar que guió en su momento a los fundadores de los *Annales* alentó a los impulsores de *Historische Anthropologie*, aunque en 1993 los interlocutores privilegiados de los historiadores fueran los antropólogos o etnólogos, además de los sociólogos, a juzgar también por la formación y los centros donde trabajaban los autores de los artículos.

Entre quienes constituían ya inicialmente la redacción de la revista que comentamos, había una gran presencia de mujeres, si bien estas estaban ausentes del equipo editorial y escasamente presentes en el consejo científico asesor. Esta situación ha cambiado en gran medida en dos decenios. En el año 2011 constatamos (y ello es bien significativo) que en el consejo científico asesor de *Historische Anthropologie* las mujeres son cerca de la mitad de la veintena de personas que lo componen. Y esta proporción es mayor entre quienes forman el consejo de redacción. De hecho, de las cinco personas que forman la dirección colegiada de la revista (Gesine Krüger, Rebekka Habermas, Edith Saurer, Jakob Tanner y Beate Wagner-Hasel) cuatro son mujeres. A la vez, los trabajos relacionados con la diferenciación por género han ido adquiriendo una notoria presencia.[22]

Tenemos otro testimonio, este relativamente reciente, de la reorientación hacia la antropología que ha experimentado buena parte de la historiografía alemana en la aparición, en 2006, de otra revista. Se trata de *Paragrana. Inter-*

---

22 Otros dos cambios destacables son que la sede de la revista ha migrado a Zúrich y que, en su autopresentación actual, *Historische Anthopologie* ha diluido el ya mencionado subtítulo trinómico. Se ha mantenido, en cambio, la editorial que edita la revista desde su inicio: Böhlau Verlag.

nationale Zeitschrift für Historische Anthropologie, la cual es editada por el Centro Interdisciplinar de Antropología Histórica de la Freie Universität de Berlín.

6.4. APORTACIONES DE LA MICROHISTORIA, ESPECIALMENTE EN ITALIA

La difusión entre los historiadores del mundo hispánico del término «microhistoria» se debe muy probablemente a que en *New Perspectives on Historical Writing* —la influyente recopilación editada y presentada por Peter Burke (1991)— apareció un artículo titulado con el referido término. Fue escrito por uno de los adalides de esta tendencia historiográfica, Giovanni Levi.[23] Desde entonces, esta tendencia parece haber adquirido carta de naturaleza y casi de escuela en el panorama internacional. En efecto, se han publicado después varias recopilaciones de artículos dedicadas específicamente a ella.

Comentaré brevemente tres obras, pues considerar los títulos que se les han dado me parece una buena manera de efectuar una primera aproximación a esta tendencia. En orden cronológico, la primera fue la obra de E. Muir y G. Ruggiero, *Microhistory and the Lost Peoples of Europe,* aparecida en ese mismo año de 1991.[24] La segunda, que vio la luz en 1996, es la mencionada recopilación en francés dirigida por Jacques Revel, *Jeux d'échelles. La micro-analyse à l'expérience.*[25] La tercera es una colección de textos (en alemán) editada por Hans Medick —de cuya vinculación con la *Alltagsgeschichte* ya se ha hablado—, titulada *Mikro-historie. Neue Pfade in die Sozialgeschichte* ('Microhistoria. Nuevas sendas hacia la historia social').[26] Si consideramos en conjunto los títulos y autores vemos una propuesta renovadora de la historia social que

23 LEVI, G.: «On Microhistory», en Burke, P. (ed.): *New perspectives on Historical Writing*. University Park, Pennsylvania State University Press, 1992, pp. 93-113 (trad. esp.: «Sobre microhistoria», en BURKE, P. (ed.), *Formas de hacer historia*. Madrid, Alianza, 1994, pp. 119-144).

24 Muir es autor, entre otras obras, de *Ritual in Early Modern Europe* (Cambridge, Cambridge University Press, 1997). Un texto de Muir sobre la microhistoria, «Observar les petiteses», se incluye en COLOMINES, A., y OLMOS, V. S. (eds.): *Les raons del passat. Tendències historiogràfiques actuals*. Barcelona, Afers, 1998.

25 REVEL, Jacques: *Jeux d'échelles. La micro-analyse à l'expérience*. París, Gallimard-Seuil, 1996.

26 MEDICK, H.: *Mikro-historie. Neue Pfade in die Sozialgeschichte*. Frankfurt, Fischer, 1995. Tanto de esta última obra como de la editada por A. Lüdtke tuve una primera noticia por la recopilación de Revel. De hecho, uno de los artículos publicados en esta recopilación, el de Edoardo Grendi «Repenser la micro-histoire?» (pp. 233-243), se incluye también en el «Reader» editado de Medick. El texto de Grendi apareció por primera vez en *Quaderni Storici* (núm. 86, 1994), aunque fue escrito para la obra planeada por Medick.

juega con el cambio de escala de observación y se beneficia de la información suplementaria que esta aporta, y que tiene como tema de interés los pueblos europeos, la gente común, «perdida» en cierto sentido por los historiadores y dejada al estudio de los antropólogos. Digo pueblos europeos porque los trabajos del núcleo principal y solo relativamente homogéneo de esta corriente historiográfica han sido realizados por historiadores mayoritariamente (al menos en el origen) del norte de Italia (de Bolonia, Turín o Venecia), que han trabajado con un enfoque socioantropológico o de antropología cultural sobre grupos humanos ubicados en diferentes regiones italianas.

La *microstoria* italiana tiene sus representantes más destacados quizá en Carlo Ginzburg, Giovanni Levi, Edoardo Grendi y Carlo Poni. Surgió de manera informal y sin textos fundacionales en la segunda mitad del decenio de 1970, como una práctica y un estilo de hacer historia. Los artículos en los que se reflejaban esas inquietudes de los adalides de la microhistoria fueron apareciendo en *Quaderni Storici*, y desde 1981 —dos años después del «retorno de la narrativa»— comenzó a editarse en Turín, por la Editorial Einaudi, la colección *Microstorie* ahora ya desaparecida como tal.[27]

Uno de los pocos rasgos que claramente tuvieron en común los autores de la microhistoria italiana era la convicción de que si el historiador reducía su escala de observación podía aprehender realidades significativas que de otra manera le pasarían inadvertidas en el dato promedio o que consideraría, de forma injustificada, suficientemente descritas.[28] Otro es que se trataba de autores que tenían unas aspiraciones teóricas fuertes, en buena medida procedentes de la herencia intelectual gramsciana, de la cual tomaban su concepción inicial de que se había dado históricamente una dominación social y cultural que había que denunciar y superar; de ahí su compromiso con los dominados y marginados en todos los ámbitos. Desde estos presupuestos, lo que les interesa es el margen de maniobra y de libertad, las estrategias seguidas por los individuos o los pequeños grupos (familiares o de otro tipo), en el seno de las estructuras económicas, sociales y culturales.

Para Grendi (1994), la microhistoria o el microanálisis «ha representado una especie de "vía italiana" hacia una historia social más elaborada (y mejor

27 Grendi, en el artículo ya citado de 1994, «Repenser...», afirmaba que la empresa colectiva había terminado y hablaba de «la heterogeneidad y el carácter profundamente informal del grupo de "micro-historiadores"» (p. 239).

28 Así, G. Levi pudo apreciar en el caso del mercado de la tierra en el Piamonte del siglo XVII, que «el objeto de observación era un mercado complejo en el que las relaciones sociales y personales tenían una importancia determinante» y hacían oscilar muchísimo los precios de tierras de una misma calidad y la forma en que la tierra pasaba de unas manos a otras (*La herencia inmaterial*, 1990, p. 125).

fundamentada teóricamente) en un contexto particular»;[29] pero, a diferencia de los *Annales,* no ha producido nunca un manifiesto ni trazado nunca un programa coordinado de investigación. «Como sucede a menudo, es el hecho de haber renunciado a un compromiso exigente lo que puede explicar por qué una experiencia colectiva ha terminado».[30]

Se puede adscribir en el haber de esta corriente, ya que no escuela, algunas obras en su momento rupturistas y que se han convertido casi en clásicos. Así, *El queso y los gusanos,* de Carlo Ginzburg (1976), traducida en el decenio de 1980 a diversas lenguas europeas.[31] En esta obra se indaga con maestría narrativa en la cosmología (de ahí ese título metafórico) y la mentalidad de un molinero heterodoxo de Friuli (en el nordeste de Italia), que es sometido a un proceso inquisitorial. Ginzburg muestra y preconiza así la existencia de una cultura popular opuesta a la oficial, aunque entre ellas existan interacciones.[32] Otra obra clásica es *La herencia inmaterial,* sobre un exorcista en el Piamonte del siglo XVII, de Giovanni Levi (1985), escrita con un gran bagaje de conocimientos previos sobre el mercado de la tierra.[33]

En el decenio de 1990 la microhistoria llegó, en cierto modo, a España. Un testimonio de ello fueron las referencias a esta corriente o sensibilidad historiográfica que se encuentran en algunas comunicaciones al congreso *Historia a Debate,* de 1993. Así, la clara y esquemática contribución de James Amelang y la referencia que hace Roger Chartier en su panorámica historiográfica a la obra de Jaime Contreras, *Sotos contra Riquelmes,* 1992 (dos linajes del Reino de Murcia), situándola como un buen testimonio de microhistoria. En ese mismo artículo, Chartier alude a las importantes diferencias que existen entre los planteamientos por ejemplo de un Levi, que tiene mucho más

29 No era ajena a ese contexto particular (añado yo), ni mucho menos, la ambición de la izquierda marxista de conseguir, mediante un análisis más matizado y menos mecanicista de la dominación sociocultural, una mayor incidencia en su proyección política. Se trataba de contribuir mejor a finiquitar la larga hegemonía popular de la Democracia Cristiana en Italia.

30 GRENDI, E.: «Repenser...», pp. 240 y 242.

31 El año 1976 es de la edición original italiana. Traducciones: al francés en 1989; al español en 1981 (Barcelona, Mario Muchnik, 3.ª ed. en 1994); al alemán en 1982, y al inglés en 1986.

32 Uno de los problemas que se ha debatido acerca de este importante libro de Ginzburg es, tal como escribe Iggers, hasta qué punto Ginzburg ha leído en el testimonio del molinero Menocchio su propia concepción romántica de que existía una cultura popular con una libertad mayor de la que dan a entender las propias fuentes (IGGERS y WANG: *A Global History...,* 2008, p. 273). Otra cuestión debatida (por ejemplo por P. Burke y R. Chartier) es si, y en qué medida, puede postularse la existencia de esas dos culturas enfrentadas: la popular y la oficial. Cfr. «El «pueblo» y su cultura», en OLÁBARRI, I., y CASPISTEGUI, F. J. (eds.): *La «nueva» historia cultural: la influencia del postestructuralismo y el auge de la interdisciplinariedad.* Madrid, Complutense, 1996, pp. 191-216.

33 Trad. fran.: *Le pouvoir au village,* 1989; trad. esp., Madrid, 1990.

en cuenta los condicionamientos socioeconómicos y defiende un claro realismo epistemológico, y los de un Ginzburg, más afines al culturalismo y con mayor propensión al relativismo geertziano, sin suscribir este totalmente.[34]

En relación con la recepción de la microhistoria en el mundo hispánico, mencionaré por último una obra que abraza la experiencia sudamericana mediante unas historias vitales en las que los protagonistas principales son Francisco de Noguerol de Ulloa y sus dos mujeres. Fue publicado por el matrimonio de hispanistas Noble David Cook y Alexandra Parma Cook en 1992 con el título de *Un caso de bigamia transatlántica.*[35]

Los enfoques descritos en este capítulo demuestran el giro culturalista que se produjo en la historiografía a partir de la década de 1970. El nuevo clima cultural occidental de entonces —cada vez más sensible a las diferencias identitarias y menos inclinado a propuestas conceptuales holísticas— favoreció esta recuperación de la experiencia subjetiva como temática histórica. En el trasfondo de las corrientes abordadas en este capítulo late la recuperación de la narrativa como herramienta básica de la comprensión y la exposición histórica. Al mismo tiempo, podemos distinguir un gran interés por los mundos imaginales y un empeño por escrutar y reivindicar la alteridad, la diferencia y la disidencia. Los autores apuntados en las últimas páginas redescubrieron el interés humano de las historias individuales de la gente común, a la vez que su utilidad para —mediante un análisis pormenorizado y crítico— acceder a las formas de vida y de organización social del pasado.

---

34 CHARTIER, Roger: «L'histoire aujourd'hui: doutes, défis, propositions», en *Historia a Debate*, t. I, p. 121. La edición española de esta comunicación aparece en OLÁBARRI, I., y CASPISTEGUI, F. J. (eds.): *La «nueva» historia cultural...*, pp. 19-48. La obra de J. Contreras *Sotos contra Riquelmes* fue publicada en Madrid por Anaya / Mario Muchnik en 1992. En esta misma línea de interés por la Microhistoria podría ubicarse la publicación en una revista de la Universitat Autònoma de Barcelona, *Manuscrits* (núm. 12, 1994, pp. 13-43) de un artículo de C. Ginzburg: «Microhistoria: dos o tres cosas que sé de ella» (la versión italiana originaria de este texto de Ginzburg, no totalmente idéntica a la española, apareció en *Quaderni Storici*, núm. 86, 1994, pp. 13-24. Cfr. SERNA, J., y PONS, A.: *Cómo se escribe la microhistoria. Ensayo sobre Carlo Ginzburg*. Madrid, Ed. Cátedra, 2000, p. 277.

35 El título de la edición original *Good Faith and Truthful Ignorance: A Case of Transatlantic Bigamy* (1991) nos desvela alguna clave que oculta el de la traducción española.

Otra visión de la historia: historia de las mujeres, historia feminista y problemática del género

7.1. INTRODUCCIÓN

«La única revolución que cuenta: Georges Duby presentó el quinto y último tomo de su *Historia de las mujeres*». Con este titular audaz, los periodistas del diario barcelonés *La Vanguardia* buscaban atraer la atención de los lectores hacia el artículo en que daban noticia de la presentación del último volumen de la obra del ilustre medievalista. La información, publicada ya hace unos años, espigaba también algunas frases recogidas en una conversación con el historiador, que habían servido de inspiración para el encabezamiento.[1] Probablemente, la revolución protagonizada de forma más o menos silente por las mujeres no será la única del siglo pasado que pasará a la historia, pero sin duda es una de las más importantes. Y el movimiento feminista o el feminismo es uno de los pocos «ismos» político-sociales verdaderamente relevantes surgidos en el siglo xx.

Desde luego, ese movimiento tenía claras raíces anteriores; ahí están, por ejemplo, *La declaración de los derechos de la mujer y de la ciudadana* escrita por Olimpia de Gouges en 1791 o el movimiento sufragista inglés y norteamericano del siglo xix que encontró un aliado intelectual en la obra del liberal John Stuart Mill, quien había denunciado *The Subjection of Women* (*El sometimiento de las mujeres*) en 1869.[2] En los últimos decenios, las historiadoras feministas están rescatando del olvido las vidas de sus antecesoras y editando sus escritos.[3] Desarrollan así algunos trabajos pioneros e incipientes de historia del movimiento feminista que se habían llevado a cabo en el primer tercio del siglo xx.[4]

1 La noticia apareció, concretamente, el 29 de octubre de 1993. Esta *Historia de las mujeres en Occidente*, 5 vols., un gran empeño colectivo, dirigido por el medievalista George Duby y la especialista en el siglo xix Michelle Perrot, fue publicada por la Editorial Taurus de Madrid. La coordinación del vol. 3, dedicado a la Edad Moderna, estuvo a cargo de Natalie Zemon Davis y Arlette Farge.

2 Un hito importante en este movimiento fue la convención (y subsiguiente «Declaration» o manifiesto) que tuvo lugar en Seneca Falls, al norte del Estado de Nueva York, el 19 y 20 de julio de 1848.

3 Cfr. por ejemplo Felicia GORDON y Máire CROSS (eds.) en *Early French Feminisms, 1830-1940. A passion for Liberty*. Cheltenham, Edward Elgar, 1996.

4 Así, la obra de Ray Strachey: *The Cause: A Short History of the Women's Movement in Great Britain*, de 1928. Cfr. «Feminism» en *The Blackwell Dictionary of Historians*, 1991, p. 129.

Sin embargo, a pesar de esas primeras movilizaciones, no será hasta bien entrado el siglo xx cuando, en un buen número de países occidentales, la mujer consiga la equiparación en derechos político-sociales con el hombre. En 1975 la ONU consideraba todavía importante declarar ese año como el «año internacional de la mujer» a fin de favorecer la eliminación de toda discriminación contra la mujer, persistente entonces y ahora en numerosos países, incluso en el ámbito del derecho.

Puesto que la historiografía sigue a la historia, no es extraño que haya sido en la pasada centuria, especialmente en los últimos decenios, cuando sobre todo las mujeres —pero no exclusivamente ellas— hayan reclamado un mayor protagonismo en la historia. Esta demanda ha tenido un doble sentido. Por un lado, se ha propulsado la historia de las mujeres como temática específica de estudio. Por otro, se ha promovido a la mujer como investigadora y escritora de la historia, y se ha reivindicado una perspectiva femenina sobre el pasado, como un modo distinto de abordar el pretérito. Este nuevo protagonismo de la mujer hay que relacionarlo, sin duda, con la coyuntura político-cultural del decenio de 1960, que eclosionó en el año 1968, y del siguiente decenio. En ella cobraron fuerza movimientos que iban en pos del pleno reconocimiento de la igualdad de derechos civiles de las minorías y de los excluidos (pensemos en Martin L. King) y que tenían un carácter antiautoritario y pacifista (contra la guerra de Vietnam). En buena medida, preconizaban también la «liberación sexual», con frecuencia en la estela de un marxismo freudiano para el que Marcuse era una referencia importante.

En el XVIII Congreso Internacional de Ciencias Históricas, celebrado en Montreal en 1995, la cuestión de «Women, Men and Historical Change» fue uno de los grandes temas, también por la cantidad de participantes. Ello constituyó un hito bien expresivo, para la comunidad internacional de historiadores e historiadoras, del nuevo papel de la mujer.[5] En el citado congreso se estrenó asimismo una nueva Comisión Interna del Comité Internacional de Ciencias Históricas: la Fédération Internationale pour la Recherche d'Histoire des Femmes.[6]

Apurando la significación del gran hito institucional que marcó el Congreso de Montreal, conviene reparar en la asimetría de los títulos utilizados para

5 Las comunicaciones se encuentran en: *18ᵗʰ International Congress of Historical Sciences. Proceedings:* Major Themes, 2: «Women, Men and Historical Change: Case Studies on the Impact of Gender History / Le rapport masculin/féminin dans les grandes mutations historiques». Montreal, 1995, pp. 47-107.

6 La responsable general de las sesiones científicas de esta comisión fue Karen Offen, del Institute for Research on Women and Gender de la Universidad de Stanford (California).

denominar el tema. Mientras que en el mundo anglosajón se había hecho usual el concepto metodológico de *gender* asociado a la historia de las mujeres, y por eso se incluyó ese término en el antedicho título, no se hizo así en cambio en el título en francés. La razón estriba en que, como ratificó una de las intervinientes en los debates de ese gran tema, en Francia *genre* «ne passe pas du tout».[7]

Quizá haya que relacionar esta asimetría con la mayor fuerza y más temprano desarrollo en el mundo anglosajón de los movimientos y centros institucionalizados de estudios de historia de las mujeres y desde la perspectiva feminista.[8] Un claro reflejo de esta mayor fuerza puede encontrarse en los lugares donde se comenzaron a publicar revistas especializadas en esta problemática: ante todo los Estados Unidos e Inglaterra.[9] Mencionaremos otra manifestación de la hegemonía anglosajona, y más específicamente norteamericana, en este dominio: en el influyente libro compilado por Peter Burke en 1991 sobre las nuevas perspectivas historiográficas, la contribución dedicada a la historia de las mujeres fue confiada a una historiadora norteamericana: Joan Scott. Para cuanto sigue en este capítulo me apoyo, en buena medida, en sus ideas.

Desde luego, la hegemonía anglosajona no es incompatible con la internacionalidad del fenómeno de la difusión de una historia realizada con otra mirada, sobre las mujeres, y a veces —aunque yo no considero esta la mejor opción— solamente por las mujeres. Por ello utilizaremos también algunas ideas y referencias surgidas en el ámbito hispánico. Por lo que respecta a Italia, conviene mencionar que, entre otras muchas iniciativas, allí se ha editado una colección destinada a estudiar las distintas etapas culturales (Renacimiento y Barroco, por ejemplo) centrando la atención en las figuras prototípicas femeninas de ese tiempo,[10] en paralelismo con los prototipos masculinos tratados en otras obras similares. En esta ocasión, al menos por lo que concierne a la época barroca, las contribuciones no han sido escritas exclusivamente por mujeres.

7 Así lo escuché y anoté, pero no podría precisar qué historiadora pronunció esa contundente afirmación.

8 En los Estados Unidos, el número de profesoras dedicadas a los «women's studies» se multiplicó por más de tres entre los años 1974 y 1976. Cfr. ABEL, E.: *Women, Gender & Scholarship*. Chicago, The Chicago University Press, 1983, p. 1.

9 He aquí algunos títulos de revistas consolidadas nacidas en las décadas de 1970 y 1980: *Feminist Studies* (Maryland, 1972), *Women's Studies* (Nueva York, 1972), *Signs: Journal of Women in Culture and Society* (1975), *Gender & History* (Oxford, UK / Cambridge, MA, 1989). Miembro del consejo asesor de esta última es la profesora de la Universitat de Barcelona Mary Nash, autora también de algunos balances de los estudios sobre las mujeres en España publicados en *Historia Social* (núm. 9, 1991, y núm. 20, 1994).

10 Por ejemplo, CALVI, Giulia (ed.): *Barocco al femminile*. Roma-Bari, Laterza, 1991 (trad. esp., con un importante cambio de matiz en el título: *La mujer barroca*. Madrid, Alianza, 1995).

7.2. La emergencia de la historia de las mujeres y su relación con el movimiento feminista

En los últimos treinta años, la historia de las mujeres se ha convertido en una práctica historiográfica asentada, vinculada con intensidad diversa al movimiento feminista de reivindicación del papel de la mujer en la sociedad.[11] Esta vinculación es, a la vez, evidente y compleja. Evidente, porque es indudable que en muchos casos, probablemente en una gran mayoría, la extensión de esta práctica o tendencia historiográfica ha estado asociada con la fuerza y la necesidad de legitimación de ese movimiento. La espera activa de unas sociedades incluyentes, en las que las mujeres han de tener una dinámica propia (y no subordinada a la masculina), ha dejado una profunda huella en esta nueva mirada sobre la historia. Esto ha sido así hasta tal punto que, para algunas representantes del feminismo (como movimiento social emancipador), escribir historia de las mujeres implica necesariamente un compromiso político con el feminismo y con la denuncia de la dominación masculina en la historia. Esta es la posición que sostuvo, por ejemplo, Cristina Segura en el congreso de *Historia a Debate* en 1993.[12]

Pero la asociación entre historia de las mujeres y feminismo es al mismo tiempo compleja porque —pensamos que Joan Scott tenía razón al afirmarlo— se ha dado un creciente distanciamiento entre el trabajo académico y el compromiso político. La historia de las mujeres se ha ido complejizando, diversificando y cobrando cierta autonomía. No es, ni mucho menos, un mero reflejo de la política feminista extraacadémica. Entrado el siglo XXI, incluso desde antes, en analogía con lo que ha sucedido con del marxismo, más que de feminismo, en singular, procede hablar de feminismos, en plural, por las distintas orientaciones político-historiográficas que, a partir de unas pocas ideas comunes básicas, ha ido tomando la práctica de la historia de las mujeres y en favor de las mujeres.[13]

11 A pesar de ello, antes de la segunda mitad del decenio de 1990, la historia de las mujeres o estaba ausente o ocupaba un papel muy marginal en gran parte de las obras panorámicas dedicadas a la teoría y la práctica de la historia. Así, por ejemplo, en BOURDÉ, G., y MARTIN, H.: *Las escuelas históricas.* Madrid, Akal, 1992, y en Fontana, J.: *Historia. Análisis del pasado y proyecto social.* Barcelona, Crítica, 1981. En cambio, después de 1995, incluso las síntesis introductorias, como la de B. Southgate: *History: What & Why? Ancient. Modern and Postmodern Perspectives*, Londres, Routledge, 1996, y la de POIRRIER, P.: *Introduction à l'historiographie.* París, Belin, 2009, dedican una sección a la historia de las mujeres y/o la historia feminista (o del género).

12 Cfr. SEGURA, Cristina: «Algunas cuestiones a debatir sobre la historia de las mujeres», en BARROS, Carlos (ed.): *Historia a Debate: Actas*, vol. 2, *El retorno del sujeto.* Santiago de Compostela, 1995, pp. 285-297.

13 Judith P. Zinsser, escribía ya en 1993: «There are feminisms, but not single monolithic femi-

Ciertamente, la asociación entre historia de las mujeres (como temática) y el compromiso feminista preconizado por algunas líderes puede suponer los riesgos de caer en unas ideas preconcebidas nocivas, como serían las de una historia bien en clave única de victimismo (al considerar el papel de la mujer a lo largo del tiempo bajo la dominación masculina) o bien en clave triunfalista (magnificando la presencia de la mujer en el pasado).[14]

Joan Scott ha propuesto analizar la compleja y ambigua evolución de la historia de las mujeres mediante un concepto que nos parece importante y logrado: el de «la lógica contradictoria del suplemento», que le ha sido inspirado por unas palabras de la escritora Virginia Woolf (*Una habitación propia*, 1929). Esta especie de contradicción que conlleva la aparición de la historia de las mujeres respecto a la historia establecida (de protagonismo y hegemonía masculina) puede resumirse así: «El proyecto de la historia de las mujeres comporta [...] una ambigüedad perturbadora, pues es al mismo tiempo un complemento inofensivo de la historia instituida y una sustitución radical de la misma».[15]

La historia de las mujeres puede entenderse simplemente como una historia a la que se ha(n) añadido un(os) tema(s) más, sin que esto implique trastocar los criterios y enfoques anteriores ya establecidos como objetivamente válidos. O puede entenderse, y ahí radica su potencialidad desestabilizadora o su alternatividad, como otra mirada. Otra mirada u enfoque que cuestiona los criterios anteriores de investigación, de priorización de la *his-story* frente a la *her-story*. En el fondo, esta segunda manera de entender la historia de las mujeres puede llegar a poner en duda «tanto la suficiencia de cualquier pretensión de la historia de contar la totalidad de lo sucedido, como la integridad y obviedad del sujeto [protagonista y objeto de estudio] de la historia».[16] Así pues, esta es una actitud que conlleva la reformulación de una pregunta capital: ¿cuál es

---

nism» (cfr. *History and Feminism. A Glass Half Full*, Nueva York, Twayne, p. VIII). En esa línea interpretativa cabe aducir también la presentación del *Journal of Women's History*, fundado en 1989, en la que leemos: «[It] is the first journal devoted exclusively to the international field of women's history. It does not attempt to impose one feminist "line" but recognizes the multiple perspectives captured by the term "feminisms". Its guiding principle is a belief that the divide between "women's history" and "gender history" can be, and is, bridged by work on women that is sensitive to the particular historical constructions of gender that shape and are shaped by women's experience».

14 Para una exposición más matizada y completa de estas consideraciones remitimos al lector al artículo de Cristina Segura mencionado antes.

15 SCOTT, Joan: «Historia de las mujeres», en Burke, P.: *Formas de hacer historia*, 1993, pp. 59-89. La cita concreta está en la p. 69. J. Scott se basaba en reflexiones anteriores de Natalie Z. Davis, Ann Gordon y otras autoras

16 SCOTT, J., «Historia de las mujeres...», p. 72.

la relación del historiador (o historiadora) con los temas de los que escribe? Una pregunta importante, desde luego, no solo respecto a la dimensión sexual de toda persona, sino también respecto a otras dimensiones grupales que nos condicionan (cultura, religión, etnia, clase...). Y es una pregunta que habíamos visto plantear a Hans Medick cuando tratábamos de sus consideraciones epistemológicas sobre la *Alltagsgeschichte*.

En cualquier caso, y una vez expuesto este enjundioso concepto interpretativo empleado por Joan Scott, añadimos por nuestra parte que la relación femenino/masculino puede ser abordada no solo desde esa lógica del suplemento, sino también desde la lógica (o la antropología filosófica) del complemento. Según esta, la persona femenina y la persona masculina además de ser diferentes, en algún sentido profundo y existencial, son también complementarias y, sin duda, iguales en su dignidad humana compartida de personas de la que dimanan unos mismos derechos cívicos.[17]

Tal como ya hemos mencionado, la práctica hegemónica en la historia de las mujeres, en general, ha mostrado durante mucho tiempo un compromiso muy fuerte con la categoría de «mujeres». El foco central de esos estudios ha sido el antagonismo binario hombre-mujer en que el hombre, mediante un sistema de patriarcado, habría dominado siempre. Es a ese patriarcado al que se ha atribuido la opresión y la falta de visibilidad de la mujer en la historia, sin que en esa práctica dominante de la historia de las mujeres se haya enfatizado mucho las otras variables (clase, raza, cultura) que podían cuartear la conciencia unitaria de la mujer. Progresivamente, la complejidad se ha ido introduciendo en la teoría y la práctica de la historia de las mujeres.

7.3. Género, diferencia y otras cuestiones conceptuales

A fines del decenio de 1970, la disciplina de la historia de las mujeres estaba establecida ya en algunos centros pioneros. Entonces, razones endógenas y exógenas a la disciplina exigieron profundizar en la categoría de mujeres y teorizar sobre la diferencia sexual en sí misma y en relación también con otras diferencias. La categoría metodológica básica para pensar y verificar históricamente la diferencia sexual fue la de género, procedente en parte de la teoría lingüística y en parte de las aportaciones sociológicas. Esta categoría ha servido

---

17 Esta interpretación no es únicamente mía. La terminología de la que me apropio: «persona femenina, persona masculina», la he tomado del libro de Blanca Castilla de título homónimo (Madrid, Rialp, 1995).

como instrumento verbal para analizar, comparativa y relacionalmente, la realidad femenina. En un tiempo y contexto dado, se considera esta realidad en relación con la situación de los hombres de ese mismo medio.[18] Y ello porque lo que interesa no es la mujer abstracta e intemporal, sino la realidad plural y cambiante de las mujeres. «El género, como práctica metodológica, lleva a establecer la realidad social, con lo que se profundiza en la historia de las mujeres y se contribuye a un avance de la historia en general».[19] Las teóricas del feminismo decidieron insistir en las connotaciones sociales del género para subrayar más el aspecto relacional y variable que tenía este concepto, y primaron las connotaciones sociales y culturales frente a las connotaciones físicas de la palabra «sexo». En este sentido, la categoría «género» ha venido a referir la forma socialmente elaborada en que se piensa, vive, representa y ejerce la feminidad y la masculinidad en un grupo social.

En los Estados Unidos, país pionero en la historia de las mujeres, los debates político-teóricos del decenio de 1980 en torno a la «identidad» (de raza, de opción sexual, religiosa, de clase, etc.) hicieron más problemática una categoría y una identidad unitaria de mujeres, incluso considerando un mismo tiempo histórico. Se procuró reconocer la realidad diferenciada de mujeres de color, judías, pobres, lesbianas, etc., respecto a la mujer WASP (White Anglo-saxon Protestant) y heterosexual. Se vio necesario dar un énfasis cada vez mayor a la conceptualización de la diferencia, en general, y no solamente a la diferencia del género.[20] La propia noción de género se volvió más problemática en lo que respecta a su legitimación y aplicación práctica. Por otra parte, el giro general culturalista e incluso lingüístico de la historiografía planteaba nuevos retos. Frente a esta problemática se ha propuesto distinguir entre dos actitudes o corrientes teóricas: una de ellas más basada en el enfoque sociológico estructuralista y otra que pone más énfasis en la construcción cultural de la identidad.

La primera de estas opciones problematiza menos las identidades separadas de hombres y mujeres, que han correspondido a roles sociales distintos. Por lo demás, en esta aproximación se da por sobrentendida y no se cuestiona la correspondencia entre categoría sociosexual y las identidades subjetivas de hombre y mujer; aunque se reconoce que existen otras variantes sociales objetivas

18 SCOTT, Joan Wallach: «Gender: A Useful Category of Historical Analysis», en SCOTT, J. W. (ed.): *Feminism & History*. New York, Oxford University Press, 1996, pp. 152-181.

19 SEGURA, C.: «Algunas cuestiones...», *Historia a Debate*, vol. 2, 1995, p. 301.

20 En SCOTT, J. W. (ed.): *Feminism & History*, 1997, la historiadora de color (*black woman*) Higginbotham, profesora de Harvard University, se refería a las limitaciones de la teoría feminista por lo que respecta a la incorporación de la raza en el análisis. En la introducción Joan W. Scott sostenía que el término conceptualizador analítico capital es *difference*, no *genre*.

que influyen en esta identidad. Con esta aproximación teórica, parece más fácil preservar una conciencia o identidad unitaria femenina en la que basar una decidida y correcta acción política y reivindicativa. Este enfoque teórico ha reclamado que es el único que puede fundamentar una acción política eficaz.

Frente al enfoque anterior, algunas feministas, en consonancia con el giro lingüístico-cultural de la historia en los últimos decenios, han problematizado el proceso de construcción de la identidad femenina. Han pasado de la comprobación de ese antagonismo dicotómico (hombre/mujer) como un hecho dado y una oposición preexistente, al estudio de la construcción cultural del significado de hombre y mujer. Para esta aproximación, la hegemonía masculina ha de entenderse en función de procesos discursivos que producen diferencias (y subordinaciones).[21] Al insistir más en la contextualización y en la variabilidad histórica de la identidad femenina, este enfoque más cultural y posestructuralista queda expuesto a las críticas de las feministas contrarias, que lo han denunciado como una teoría abstracta, elitista y masculinista. Así pues, parece que, tal como habíamos escrito antes, resulta más ajustado a la realidad hablar hoy de feminismos en plural que de feminismo en singular, a la hora de tratar de la historia de las mujeres y de su conexión con la acción político-social. En realidad, tanto para unas como para otras tendencias de la historia de las mujeres se plantea muy seriamente un problema: ¿cómo escribir una historia de las mujeres de forma coherente sin una noción fija y compartida de lo que ellas son?

Sobre esta cuestión fundamental de cómo pensar a la vez la unidad y la diversidad de la historia de las mujeres, me parece interesante incorporar aquí un fragmento del texto «La diferencia como una categoría analítica para el feminismo», de la historiadora Joan Scott:

> La búsqueda del feminismo en pos de una base común para «las mujeres» reprimió las diferencias pero no las eliminó. Podemos leer la historia de los movimientos feministas en términos de una tensión entre unidad y diferencia. En los Estados Unidos, las feministas se dividieron en torno a las cuestiones de la esclavitud y la raza. No todo el mundo aceptó el argumento de Soujourner Truth en 1851 de que ella, también, fue una mujer que dio a luz y educó trece hijos. De hecho, las reclamaciones de los derechos de las mujeres a menudo vinieron de feministas que no incluían a las afroamericanas cuando hablaban de «las mujeres» en térmi-

---

21 Para una exposición más completa y precisa de estos debates, véase SCOTT, J.: «Historia...», pp. 81 y ss.

nos universalistas. A comienzos del siglo xx una reunión de feministas francesas se dividió en torno a la cuestión de la clase. Mientras que la mayoría rechazó una resolución que reclamaba un día libre para el servicio doméstico (algunas delegadas argumentaron que las chicas con tiempo libre podrían convertirse en prostitutas), las socialistas denunciaron el feminismo como una coartada para los intereses de las mujeres de clase media. Algunas argumentaron que no podría nunca haber solidaridad entre las mujeres por encima de las líneas de clase. Defendiendo el feminismo como un movimiento para todas las mujeres (y a «las mujeres» como una categoría homogénea), Hubertine Auclert replicó que «no puede haber un feminismo burgués y un feminismo socialista porque no hay dos sexos femeninos».

El comentario de Auclert busca negar el problema de la diferencia (de clase) que ella también reconoce. Los movimientos feministas de finales del siglo xx no han sido capaces de o no han querido negar las diferencias de la misma manera. Ciertamente, podría decirse que la diferencia está justo en el corazón de la práctica y de la teoría del feminismo contemporáneo; los debates nacionales e internacionales entre las feministas han sido entendidos en términos de diferencias entre mujeres. En los Estados Unidos a fines del decenio de 1970 «las mujeres de color» [*women of colour*] adoptaron este nombre como una manera de exponer la blanquidad [*whiteness*] del feminismo. Ellas argumentaron que la raza no podía ser obviada en las consideraciones de la vivencia de las mujeres y que, por consiguiente, las diferencias entre las mujeres blancas y las no-blancas serían irreductibles —tan diferentes sus necesidades e intereses como para excluir la formación de un programa común.[22]

En este mismo epígrafe, más adelante, Scott se refiere a otros motivos de diferencia entre las mujeres, como la religión y la vivencia de la sexualidad, y postula la necesidad de comprender la diferencia como algo relacional y contingente que se ha de estudiar en sus contextos histórico-discursivos. En cualquier caso, con unos enfoques u otros, por encima de los matices o contraposiciones teóricas, se impone la constatación de que la presencia y la visualización de las mujeres en la historia ha aumentado en los últimos años en gran medida.[23]

---

22 Scott, J. W.: «Introduction», en *Idem* (ed.): *Feminism and History*. Oxford / Nueva York, OUP, 1997, pp. 5-6 [trad. del autor].

23 En estrecha relación con este hecho hay que señalar el incremento de los cursos universitarios de historia de las mujeres en los últimos decenios (un balance estadístico comentado para el caso de España, en Segura, Cristina: «La docencia de la historia de las mujeres en la universidad española», en Barros, C. (ed.): *Historia a Debate*, t. iii, *Actas del II Congreso Internacional Historia a Debate*. La Coruña, 2000, pp. 181-188). También, el surgimiento de algunas iniciativas editoriales como la Colección Feminismos, dirigida por Isabel Morant. En esta colección, justamente ha aparecido la edición españo-

La historia de las mujeres (y/o del género) ha experimentado ya una especialización y diversificación muy importante, al compás también de las nuevas revistas y asociaciones científicas que se han ido creando.[24] Una buena parte de los estudios se siguen centrando o bien en las antecesoras del feminismo, por su actitud o sus logros frente a una sociedad de dominancia masculina. Otros estudios, sin embargo, abogan por estudiar las experiencias de las mujeres más representativas de cada época; también de las que estaban lejos de las actitudes feministas actuales. El estudio dirigido por G. Calvi, antes mencionado, sería un buen ejemplo de estos últimos. En él, Gabi Jancke-Leutzsch escribe que «es importante que el estudio de la historia de las mujeres y del género en sentido amplio, no preste atención solo a las figuras excepcionales y revolucionarias, sino también a las mujeres corrientes, incluidas las que vivieron en órdenes religiosas».[25]

En los dos últimos decenios, también la historia de las mujeres se ha entrelazado con las tendencias generales en la historiografía. Así, respecto a los desafíos del giro lingüístico (del que nos ocuparemos enseguida), aquella ha dedicado una gran atención a estudiar la relación entre la identidad femenina y la práctica de la escritura.[26] Tampoco podía ser ajena la historia de las mujeres a las exigencias de la globalización.[27]

Por otra parte, hasta qué punto las historias de hombres y mujeres pueden entrelazarse con maestría, tensión dramática y una perspectiva femenina, nos lo demuestran obras tan emblemáticas y ya clásicas como *El regreso de Martin Guerre* de Natalie Zemon Davis. En esta, Bertrande de Rols, la esposa del personaje que da título al libro (un marido suplantado), es una coprotagonista, quizá la gran protagonista, también por la empatía que la autora ha mostrado hacia ella.

---

española de otro importante libro de Natalie Z. DAVIS: *Mujeres de los márgenes. Tres vidas del siglo XVII.* Madrid, Cátedra, 1995. En mi propia Universitat de Barcelona, en el último plan de estudios del grado de Historia, iniciado en curso 2009-2010, se ha introducido género e historia como asignatura obligatoria.

24 Así en Francia, en 1995 se fundó la revista *Clio: Histoire, Femmes et Sociétés* y se ha impulsado desde Francia la SIEFAR (Société Internationale pour l'Études des Femmes de l'Ancien Règime; www.siefar.org).

25 CALVI, G.: *La mujer barroca...*, 1995, p. III. Este libro me parece, en el ámbito de la historia de las mujeres, un buen testimonio de la tendencia hacia la historia antropológico-existencial a través de la narración de las experiencias vitales.

26 Un ejemplo de ello en la obra de Elianne VIENNOT: *Marguerite de Valois: Histoire d'une femme, histoire d'un mythe.* París, Payot, 1993.

27 Cfr. SMITH, Bonnie (ed.): *Women's History in Global Perspective,* 3 vols. Urbana / Chicago, University of Illinois Press, 2004.

Finalmente, me parece interesante constatar que, tras unas décadas en que cualquier idea universalista ha sido rehusada por sistema como dogmática y arrogante, la reivindicación feminista vuelve a abrir, en cierta manera, la puerta a un nuevo universalismo. La pugna por los derechos humanos y civiles de las mujeres en muchos países y la implicación occidental para su consecución en otras partes del mundo, es insostenible desde un relativismo cultural o un historicismo analítico radical. La apelación a unos derechos básicos de las mujeres más allá de tradiciones locales y de sistemas culturales nos recuerda, una vez más, que es difícilmente posible el diálogo intercultural y la defensa de unos principios éticos universales sin aceptar que existe una naturaleza humana básica (una «ecología humana») de la que se derivan una dignidad y unos derechos inviolables.[28] En este sentido, la reivindicación feminista vuelve a plantear un debate universalista que puede dar frutos interesantes en los próximos lustros. La dicotomía entre universalismo y particularismo, entre la unidad y la pluralidad que presenta la humanidad, volverán a aparecer unos capítulos más adelante cuando se trate el giro globalizador en la historia. Centrémonos, de momento, en analizar algunos de los retos filosóficos e historiográficos que ha planteado la posmodernidad, el discurso intelectual que ha caracterizado el pensamiento occidental en los últimos decenios.

28 Evidentemente, la definición y precisión de lo que conforma la «ecología humana» no es en absoluto sencilla. La historia de la filosofía es, en cierto modo, un gran intento por clarificarlo. La pretensión racional de establecer el ser y el comportamiento propio del ser humano tiene el riesgo de provocar imposiciones, pero es una tarea ineludible, por cuanto solo bajo su amparo es posible oponerse a la hegemonía arbitraria del poder absoluto o de los intereses espurios. La antropología cultural nos ha ayudado, también, a moderar las afirmaciones excesivamente categóricas o simplistas sobre la persona. Y cabe recordar que uno de los ejes ontológicos de la persona es su libertad y su creatividad. Podríamos decir, en este sentido, que las «autopistas» de la naturaleza humana (los caminos de la vivencia humana en plenitud) son muy amplias.

Los desafíos del posmodernismo
y el giro lingüístico

8.1. Introducción

Si echamos un vistazo a los índices alfabéticos de algunas obras publicadas en los últimos lustros sobre teoría de la historia o historia de la historiografía, o a los programas de algunos grandes encuentros internacionales de historiadores, constataremos hasta qué punto el giro lingüístico[1] y los autores emblemáticos asociados a él como Hayden White han ocupado y ocupan un lugar destacado.[2] Esta cuestión puede considerarse una manifestación de un fenómeno más amplio que Donald Kelley ha denominado «el giro cultural en la investigación histórica».[3] Con este término engloba no solo el «giro lingüístico» del que nos ocuparemos ahora, sino también otras dos tendencias de las que ya he tratado anteriormente en un mismo capítulo. Una de éstas es la que

---

1 «Linguistic turn» en inglés; «Wendung zur Sprachlichkeit» ('Viraje hacia la lingüisticidad'), en KOSELLECK, R, y GADAMER, H. G.: *Historia y hermenéutica*. Barcelona, Paidós, 1997, p. 115.

2 La presencia importante de H. White y de otros teóricos posmodernos se refleja bien en los índices tanto de obras historiográficas de la década de los noventa del siglo XX como de la primera década del siglo XXI. Véase, a modo de ejemplo, ARÓSTEGUI, Julio: *La investigación histórica: Teoría y método*. Barcelona, Crítica, 1995; SOUTHGATE, Beverley: *History: What & Why?*, Londres, Routledge, 1996; IGGERS, G.: *La ciencia histórica en el siglo XX*. Barcelona, Labor, 1995; BREISACH, Ernst: *Sobre el futuro de la historia. El desafío posmodernista y sus consecuencias*. Valencia, Publicacions de la Universitat de València, 2003; AURELL, Jaume: *La escritura de la memoria. De los positivismos a los postmodernismos*. Valencia, Publicacions de la Universitat de València, 2005; BABEROWSKI, Jörg: *Der Sinn der Geschichte. Geschichtstheorien von Hegel bis Foucault*. Múnich, C.H. Beck, 2005. En el XVIII CICH de 1995, celebrado en Montreal, la introducción al tema especializado n. 2, «Fiction, narrativité, objectivité (l'histoire et la littérature, l'objectivité historique)» —que tuvo gran audiencia—, se abrió con estas palabras: «The special theme. [...] is probably the most characteristic and endemic preoccupation of our common intellectual discipline at the close of the twentieth century» (PARTNER, N., y MIYAKE, M.: *Actes*, p. 159). Otro testimonio notable sobre la relevancia de las cuestiones lingüísticas en la historiografía de finales del siglo XX se encuentra en Edoardo Grendi: «Este deslizamiento de una problemática de la producción y del intercambio [económicos] a la del lenguaje y de la representación es probablemente un elemento decisivo de la experiencia historiográfica del decenio último» («Repenser la microhistoire?», en REVEL, Jacques (ed.): *Jeux d'échelles. La micro-analyse à l'expérience*, París, Gallimard, 1996, p. 236).

3 KELLEY, Donald: «El giro cultural en la investigación histórica», en OLÁBARRI, I., y CASPISTEGUI, F. J. (dirs.): *La «nueva» historia cultural: la influencia del postestructuralismo y el auge de la interdisciplinariedad*. Madrid, Complutense, 1996, pp. 35-48.

D. Kelley llama «el giro hacia dentro» (la historia en pos del sujeto). La otra es el «giro hacia el exterior», es decir la fascinación por el Otro cultural (los nuevos enfoques antropológicos).

El objetivo de este capítulo es clarificar, en la medida de lo posible, el contenido y las complejas implicaciones de los debates sobre el giro lingüístico. Digo complejas implicaciones porque esa nueva tendencia historiográfica nos invita —y en cierto modo nos obligará— a los historiadores a ponernos enseguida en contacto o a retomar —en el mejor de los casos— teorías, términos y tecnicismos del ámbito de la lengua y la literatura; de modo análogo a como en los años setenta, por ejemplo, al menos en España, nos abocamos a la sociología y la economía. ¡Inquieta y siempre renovada Clío!, a la cual ningún horizonte humano es ajeno, aunque solo sea eso: un horizonte imposible de alcanzar. He ahí la grandeza y la debilidad de nuestro oficio. Tenemos que habérnoslas con el ser humano en toda su complejidad e irreductibilidad a cualquier aproximación unidimensional.

En realidad, considerados en profundidad, muchos de estos «nuevos» debates no son sino la reformulación, de manera más sofisticada y acorde con la actual situación cultural y política de Occidente, de una magna y vieja cuestión: ¿qué límites y posibilidades existen para un conocimiento histórico objetivo, que aprehenda la realidad? Por tanto, las cuestiones discutidas no tienen *solo* que ver con la dimensión estética y retórica de la historia (con el *delectare* y el *persuadere*), sino que poseen también una dimensión epistemológica. La conexión entre ambas es ya, por otra parte, muy antigua.[4]

Estamos ante una problemática que conlleva riesgos éticos importantes, como podría ser el de conducir —al menos en la teoría— a un relativismo cultural radical, propenso al nihilismo. Máxime si converge con la influencia de la antropología cultural que tiende a hacer una apología a ultranza de la «diferencia». De ahí, en nuestra opinión, la conveniencia de tomarse esas cuestiones en serio y de explorar algunas vías de refundamentación moderadamente realista del conocimiento histórico, a partir de las propuestas filosóficas de Hans G. Gadamer[5] y de Paul Ricœur[6] por ejemplo.

---

4 Un buen exponente de hasta qué punto se interrelacionan las diferentes dimensiones de la historia lo tenemos en el hecho de que es en un célebre pasaje de un discurso de Cicerón titulado *De oratore* donde nos aparece una de las formulaciones más clásicas y tempranas de las pautas ético-metodológicas para el historiador en pos de la objetividad.

5 Sobre Gadamer y su *Verdad y método*, véase SÁNCHEZ MARCOS, F.: «La influencia de la historiografía germánica en España en el decenio 1990-1999», en *Actas del II Congreso Internacional Historia a Debate*, La Coruña, 2000, pp. 129-138, especialmente pp. 134-135.

6 Una buena recopilación y traducción de textos de Paul Ricœur se encuentra bajo el título *Historia y narratividad* (Barcelona, Paidós, 1999). Más recientemente, se ha traducido uno de los últimos li-

8.2. Las implicaciones del giro lingüístico
y la «revancha de la literatura»

Entre los historiadores españoles la expresión «giro lingüístico» —aplicada a la teoría y a la investigación del pasado— es relativamente reciente. Sin embargo, tiene ya casi cuarenta años: fue acuñada en 1964 por Gustav Bergman. Comenzó a popularizarse desde la edición en 1967 de una colección de ensayos del filósofo norteamericano Richard Rorty titulada *The Linguistic Turn. Recent Essays in Philosophical Method*.[7] Indirectamente y cada vez más este giro ha afectado de manera importante a la historia. Así, en la *American Historical Review* apareció en 1987 un artículo cuyo título daba ya por descontada la existencia de ese giro lingüístico. Era concretamente el de John Toews, «Intellectual History after the Linguistic Turn. The Authonomy of Meaning and the Irreducibility of Experience». Y en 1991, una breve nota de Lawrence Stone publicada en *Past & Present* sobre «Historia y posmodernismo» (agosto, núm. 131) desencadenó un vivo debate, muy vinculado al impacto del giro lingüístico en la historia y a sus potenciales ventajas y eventuales amenazas.[8]

¿Qué se quiere decir, básicamente, con esa expresión de «giro lingüístico»? Con ella se subraya vigorosamente lo que la historia tiene de lenguaje, de discurso, de constructo literario y lingüístico. La historia, en palabras de Hans G. Gadamer, es «la recopilación de la obra del espíritu humano, escrita en lenguajes del pasado, cuyo texto hemos de entender».[9] Más precisamente, la idea directriz en este giro es poner de manifiesto que «el lenguaje no mantiene una relación simple, transparente y de referencia unívoca con las realidades multiformes de un mundo externo, extralingüístico y cognoscible».[10] Porque —puedo también en esto estar de acuerdo con Gadamer en cierto sentido—«el pasado es lenguaje, descubierto en los textos por alguien que no habla el mismo lenguaje. Aunque esta distancia entre el pasado y el presente no puede ser salva-

bros de Ricœur antes de su muerte, en el que aborda *La memoria, la historia, el olvido* (Madrid, Trotta, 2003; ed. orig. fran. 2000).

7 Trad. esp.: *El giro lingüístico: dificultades metafilosóficas de la filosofía lingüística*. Barcelona, Paidós, 1990. R. Rorty es uno de los directores, junto con Q. Skinner, J. B. Schneewind y W. Lepenies, de la importante colección Ideas in Context publicada por la Cambridge University Press (Reino Unido). En ella apareció por ejemplo la influyente recopilación de ensayos de PAGDEN, Anthony (ed.): *The Languages of Political Theory in Early-Modern Europe*, Cambridge, 1987.

8 Los textos de ese debate pueden encontrarse traducidos al castellano en *Taller d'Història*, núm. 1, 1.er semestre de 1993, pp. 59-73.

9 Citado por KELLEY, D.: «El giro cultural...», p. 39.

10 PARTNER, N., y MIYAKE, M.: comunicación del XVIII CICH, *Actes*, Montreal, 1995, p. 160.

da del todo, algunos aspectos de cada uno pueden ponerse de manifiesto a través de una "fusión de horizontes", es decir comunicándose de tal manera que la tensión entre el horizonte del texto y el horizonte del lector se disuelve».[11]

En cualquier caso, con el giro lingüístico y la teoría posmoderna, aunque no se lleve a sus extremos (encarnados, entre otros, por Roland Barthes y Jacques Derrida), se insiste en que el lenguaje constituye una estructura relativamente autónoma («Sprache spricht»: la lengua habla por sí misma en alguna forma) y relativamente opaca a la realidad extralingüística.

Fue justamente Gabrielle Spiegel, la autora del artículo cuya breve alabanza por parte de Stone suscitó el debate de *Past & Present* antes mencionado, quien calibró en el mismo las aportaciones que el pensamiento posestructuralista y el giro lingüístico han supuesto para la práctica histórica. Afirma Spiegel que «uno de los mayores [...] avances ha sido desplazar la metáfora controladora de la evidencia histórica de la reflexión a la mediación». El avance ha consistido en el cambio siguiente: se ha pasado de «la noción de que los textos y documentos reflejan transparentemente las realidades pasadas, como creía el Positivismo, a otra en la que el pasado se capta en la forma mediatizada preservada para nosotros en el lenguaje». Por ello —concluye sensatamente Spiegel—, «necesitamos pensar detenidamente cómo entendemos la mediación y cómo este entendimiento [o intelección] incide en nuestra práctica».[12]

Así, el giro lingüístico centra la atención en la mediación que el uso del lenguaje introduce en el conocimiento histórico y el modo en que condiciona de forma inconsciente al historiador. Este giro subraya a la vez la afinidad que la historia tiene con la creación literaria. Como corolario de todo esto, se ha producido una especie de «revancha de la literatura». De este modo, los teóricos de la literatura[13] han adquirido un notable protagonismo en el debate reciente sobre el conocimiento histórico, no solo en el sentido de la creación, sino también en el de la recepción literaria.

Llegados a este punto quizá convenga recordar que los historiadores nunca habían descuidado totalmente la dimensión estético-literaria, muy presente en la historiografía grecorromana. E incluso habían teorizado sobre ella. En el siglo XVII, por ejemplo, basta evocar los nombres de Cabrera de Córdoba y Francisco de Melo. El propio Ranke, padre para algunos de la historia cientí-

---

11   GADAMER, H. G.: *Wahrheit und Methode: Grunzüge einer Philosophischen Hermeneutik*, Tubinga, J. C. B. Mohr, 1975. Citado en MACHARDY, Karin: «Crisis in History, or: Hermes Unbounded», en *Storia della Storiografia*, núm. 17, 1990, p. 16.

12   Citas tomadas del artículo de G. Spiegel traducido en *Taller d'història*, núm. 1, 1993, p. 68.

13   Como G. Steiner en *¿Hay algo en lo que decimos?*

fico-erudita, consideraba importante esta faceta estética. Es significativo que uno de los grandes historiadores decimonónicos, Theodor Mommsen, fuera galardonado con el Premio Nobel de Literatura. Y en cuanto a Michelet y Braudel, ya he tenido ocasión de mostrar algún testimonio de la calidad literaria de su escritura histórica. Exceptuando quizá algunas formas extremas de historia sociocientífica, no ha existido ninguna historiografía sin un importante componente literario. Pero desde Ranke, este aparecía como un elemento subordinado en la historia profesionalizada. Justamente, la des-retorización es para algunos teóricos de la historia, como Jörn Rüsen, *la* característica distintiva de la historiografía «moderna» o posilustrada.

Ahora, tras el giro lingüístico, este aspecto literario que podríamos considerar formal y secundario se conecta más estrechamente con el conocimiento del historiador objetivado en sus relatos. Bien expresivo en este sentido es el propio título de una recopilación de ensayos del teórico de la historia norteamericano, Hayden White: *El contenido de la forma. Narrativa, discurso y representación histórica*.[14] Para White la coherencia que presta el historiador a los hechos al crear una trama narrativa —mediante cierto número de posibilidades básicas— va asociada a una serie de decisiones metacientíficas. Así, para H. White la «*narración* es tanto la forma en que se realiza una interpretación histórica como el tipo de discurso en el que se representa una comprensión efectiva de una materia histórica».[15]

White ha enfatizado la relación entre historia y literatura, de forma que difumina notablemente la diferencia entre literatura histórica y literatura de ficción. «Por lo general —escribe refiriéndose a los historiólogos anteriores— han mostrado cierta aversión a considerar las narraciones históricas como lo que *más* [la cursiva es mía] manifiestamente son: ficciones lingüísticas [*verbal fictions*], cuyo contenido resulta tanto de la invención como del hallazgo y cuyas formas presentan más puntos en común con sus equivalentes en la literatura que con los que pueden tener en las ciencias».[16] Con su referencia al «hallazgo», White se remite a las fuentes, pero la «invención», la forma de organizar la trama y la concatenación de los hechos dotándoles de sentido está determinada por apreciaciones estéticas y morales. Para White, y creo que en eso tiene razón, no hay una divisoria clara entre ciencia histórica y filosofía de la historia. Toda historia

---

14 Barcelona, Paidós, 1992. Se ha respetado en la traducción el título de la obra original inglesa, *The Content of the Form: Narrative Discourse and Historical Representation* (Baltimore / Londres, The Johns Hopkins University Press, 1987).

15 WHITE, H.: *El contenido de la forma...*, 1992, p. 78.

16 WHITE, H.: *Tropics of Discourse. Essays in Cultural Criticism*, Baltimore, 1978. Citado en IGGERS, G.: *La ciencia histórica...*, pp. 96-97.

conlleva una metahistoria. Esta afirmación de que las apreciaciones morales y la filosofía de la historia propia del historiador se traslucen en la forma de organizar el relato recuerda las tesis de E. H. Carr, efectuadas desde posiciones ideológicas muy diferentes en su célebre y clásico *¿Qué es la historia?*, en el que decía que «el lenguaje nos veda la neutralidad» y que el historiador no puede escapar a la necesidad de efectuar juicios de valor político-morales.

Pero lo que White remarca no es solamente que las categorías ideológicas del historiador inciden inevitablemente en la lectura que realiza del pasado. La tesis en la que insiste el autor norteamericano es que también las formas lingüísticas, los registros literarios y las figuras retóricas condicionan la comprensión del pasado.[17] Nuestro acceso al pasado es literario y está sujeto a unos determinados esquemas o recursos lingüísticos y formales. Sin atender a ellos es imposible construir y comprender un relato histórico.[18] En *The Content of the Form* y en *Metahistory*,[19] White analiza algunos de los *tropos* o recursos retóricos más habituales en la práctica historiográfica. Un ejemplo reciente del interés por las estructuras formales que subyacen en los discursos históricos, es el historiador Eviatar Zerubavel, que ha analizado los patrones narrativos que laten bajo los relatos de historia nacional.[20] Podamos estar más o menos de acuerdo con los enfoques formalistas y textualistas de estos autores, sus postulados nos han recordado un principio central para el historiador: la historia no es una ciencia experimental o meramente empírica. La historia es una ciencia

17 El historiador Jaume Aurell ha tratado ampliamente del giro lingüístico y los retos que la posmodernidad presenta a la historia en su panorámica historiográfica *La escritura de la memoria. De los positivismos a los postmodernismos*. Valencia, Publicacions de la Universitat de València, 2005. En diversos artículos ha abordado la propuesta teórico-metodológica de Hayden White (por ejemplo: «Hayden White y la naturaleza narrativa de la historia», *Anuario Filosófico*, 39/3, 2006, pp. 625-648).

18 La obra de Jürgen STRAUB (ed.): *Erzählung, Identität und historisches Bewusstsein. Die psychologishe Konstruktion von Zeit und Geschichte*. Frankfurt am Main, Suhrkamp Taschenbuch, 1998, recoge la reflexión de diversos historiadores del mundo germánico sobre la estrecha relación existente entre narrativa, conciencia histórica e identidad.

19 WHITE, Hayden: *Metahistory: The Historical Imagination in Nineteenth-Century Europe*. Baltimore, The Johns Hopkins University Press, 1973.

20 Cfr. ZERUBAVEL, E.: *Time Maps. Collective Memory and the Social Shape of the Past*. Chicago, The University of Chicago Press, 2003. También el autor norteamericano James Wertsch ha realizado una aproximación valiosa a la narratividad como fundamento de la historia y de la memoria. En un interesante libro sobre la memoria colectiva entendida como práctica cultural y como hermenéutica social de textos mnemónicos (*Voices of Collective Remembering*, Cambridge, Cambridge University Press, 2007), Wertsch anota que las narrativas tienen una doble referencialidad, que hay que tener en cuenta para su comprensión. Por un lado, se refieren y tratan de un acontecimiento histórico. Pero al mismo tiempo, se refieren y contestan a otras narrativas históricas que circulan en la comunidad. Para entenderlas y captar su significado, hay que atender también a las narrativas que pretenden reforzar, combatir o matizar.

literaria, una ciencia hermenéutica y artística. Por ello, no debe aspirar solamente al rigor crítico en el uso de fuentes, sino que, en la medida de lo posible, debería tender también a la belleza formal.

Si H. White difumina bastante la frontera entre literatura de ficción e historia, otros como Derrida y los deconstruccionistas han ido más allá. Quienes asumen la posición más radical posmoderna respeto al giro lingüístico, como los citados Derrida y Barthes, niegan la referencia de la historiografía a la realidad. Esta posición radical deriva en cierto modo de la concepción del lingüista suizo F. de Saussure. Según este, el lenguaje es un sistema cerrado de signos. La interpretación de Saussure ha sido sintetizada, sin ser asumida, por John Toews. He aquí los términos en los que la expresa este: «el lenguaje es concebido como un sistema autocontenido [*self-contained*] de "signos" cuyo significado está determinado por sus relaciones entre sí, más que por su relación con algún objeto o sujeto "trascendental" o extralingüístico».[21] Por ese camino, comenta Roger Chartier, «las operaciones históricas más habituales se muestran sin objeto, comenzando por las distinciones fundantes entre texto y contexto, realidades sociales y expresiones simbólicas, discurso y prácticas no discursivas».[22]

Querría detenerme en la cuestión del posmodernismo —ligado al giro lingüístico— y en uno de los autores que, con Barthes y Derrida, se encuentra en la vanguardia de la posmodernidad. Me refiero a Michel Foucault, quien ha ejercido una influencia decisiva en la reflexión social y humanística de los últimos decenios. Su incidencia en la historia ha sido más derivada que directa. Pero el enfoque foucaultiano ha acabado permeando también la ciencia histórica, sus campos de interés y la actitud de muchos historiadores. Es necesario, en primer lugar, que clarifiquemos el concepto de «posmodernidad», que ha acabado designando el clima cultural de finales del siglo XX y principios del siglo XXI en el mundo occidental.

En realidad, la noción de «posmodernismo» había sido usada ya antes de la Segunda Guerra Mundial en el ámbito de las artes visuales. Pero fue a raíz de las experiencias de los años sesenta y setenta cuando el posmodernismo adquirió las connotaciones filosóficas que hoy tiene como actitud intelectual. Sin pretender resumir en pocas líneas el quicio del pensamiento posmoderno y centrándonos en aquellos aspectos que atañen a nuestra investigación, podría-

21 TOEWS, John: «Intellectual History after the Linguistic Turn: The Autonomy of Meaning and the Irreducibility of Experience», en *American Historical Review*, núm. 92, 1987, p. 882.

22 CHARTIER, R.: «La Historia hoy en día: dudas, desafíos, propuestas», en OLÁBARRI, I., y CASPISTEGUI, F. J. (eds.): *La «nueva» historia cultural: la influencia del postestructuralismo y el auge de la interdisciplinariedad*. Madrid, Complutense, 1996, pp. 24-25.

mos decir que entre sus principales rasgos se cuenta el cuestionamiento radical del racionalismo optimista de la modernidad ilustrada (que considera que la realidad es transparente y moldeable para la razón), así como la deconstrucción crítica y el escepticismo beligerante frente a los «grandes relatos» (interpretaciones o filosofías de la historia), entre ellos los derivados del cristianismo y del marxismo. Como su nombre indica, la atmósfera vital y cultural posmoderna se define por su pretendida superación de la modernidad y se caracteriza por una actitud general «líquida» y cambiante, en terminología de Bauman.[23] Ello implica el abandono de la confianza en las verdades absolutas y en las explicaciones completas y objetivas de la realidad. La sospecha frente a todas las certezas modernas (razón, progreso, nación, raza) incluye también el desdén por las grandes formulaciones que la modernidad había asumido aunque fuera a través del tamiz de la secularización (la cultura clásica y la doctrina cristiana). En cuanto a la filosofía o teoría de la historia, la posmodernidad conlleva la renuncia a cualquier planteamiento teleológico o finalista de la historia, implica el cuestionamiento de la posibilidad de verdad en la investigación histórica y comporta una dura crítica a la idea ilustrada del progreso como pauta inevitable de la evolución humana.

Debemos plantearnos, sin embargo, si la posmodernidad supone realmente un paradigma distinto al de la modernidad. A mi modo de ver, la ruptura entre la modernidad y la posmodernidad no es evidente. Al contrario. La posmodernidad es hija de la modernidad. Una hija rebelde, quizá bastarda, pero cuya actitud y comportamiento se basa en el mismo código genético de su progenitora. La posmodernidad es, en buena medida, la hipertrofia de la modernidad o, dicho de otro modo, la modernidad llevada a su extremo. El sentido crítico y el análisis racional que había propugnado la cultura moderna se han aplicado hasta el final, sometiendo también a examen al propio discurso racional moderno. Al fin y al cabo, uno de los ejes principales de la posmodernidad es la deconstrucción discursiva, es decir, la relativización e historización de cualquier propuesta intelectual, política o moral. Se trata, pues, de la razón discursiva y crítica cuestionándose a sí misma hasta el punto de abdicar, en buena medida, de sus posibilidades veritativas.

Este clima de sospecha y este intento de desmontar cualquier edificio conceptual con pretensiones de verdad se entiende después de las tremendas experiencias totalitarias del siglo XX y en una situación de resaca poscolonial (cuan-

---

23 BAUMAN, Zygmunt: *Modernidad líquida.* Buenos Aires, Fondo de Cultura Económica, 1999. La licuosidad que delinea el mundo actual ha dado también título a otras obras de Bauman recientes: *Amor líquido* (2005), *Vida líquida* (2006), *Tiempos líquidos* (2007).

do Occidente toma conciencia tanto del valor de las culturas ajenas como del quebranto causado por un eurocentrismo violentamente expansivo). La experiencia de la multiplicidad y la pluralidad de civilizaciones en un mundo global ha favorecido también el cuestionamiento de la validez de planteamientos universalistas. Volveremos sobre esta cuestión más adelante en el libro. Frente a lo normal y general, la posmodernidad reivindica lo diferente y lo particular; exalta la expresión y la vivencia de la propia subjetividad.

Entre los intelectuales franceses más emblemáticos del posmodernismo descuella especialmente, sobre todo visto con una perspectiva de un cuarto de siglo (Paul-)Michel Foucault (Poitiers, 1926 – París, 1984). Hay varios testimonios que prueban su importancia. En un reciente libro sobre teorías de la historia contemporáneas, el historiador Jörg Baberowski le dedica uno de los once capítulos, situándolo en el mismo rango de Hegel o Marx.[24] Ya años antes, Hayden White le había reservado un artículo en *The Content of the Form.* En volúmenes publicados en los últimos años analizando las tendencias historiográficas actuales, destaca el alto número de referencias que aparecen al autor francés. Así sucede, por ejemplo, en las panorámicas de Aurell, Breisach, Iggers o Dosse, que ya hemos citado. Cabe destacar, además, que el nombre de Foucault aparece habitualmente esparcido en capítulos variados de estos libros, lo que demuestra el carácter poliédrico del intelectual galo.

Ya durante su vida, Foucault fue un pensador de referencia como figura emblemática asociada a la revolución antiautoritaria y contracultural de 1968. Como escribe Aurell, «aglutina los valores de la revolución de 1968: las críticas del poder y del saber establecido, la denuncia de los mecanismos ocultos de dominación y un hábil manejo del lenguaje filosófico-semiótico». Los afluentes filosóficos que alimentaron su pensamiento en los años de formación intelectual fueron Hegel, Nietzsche y, especialmente, Heidegger. A nivel personal, Foucault fue un homosexual reconocido y, a nivel político, se alineó con la izquierda radical. Militó transitoriamente en el Partido Comunista, aunque luego se identificará con los disidentes soviéticos, apoyó el maoísmo y mostró su simpatía por Jomeini como líder de la Revolución iraní. De talante provocativo y experimentador, Foucault murió de sida en 1984.

Hay dos términos vertebrales del pensamiento foucaultiano: discurso y poder. La obra de Foucault es extensa y multidisciplinar. Fue un académico de frontera, a caballo entre la filosofía, la historia, la psicología, la sociología. Su pensamiento es poco sistemático y, a veces, contradictorio. Procuremos ahora,

---

24 Cfr. BABEROWSKI, Jörg: *Der Sinn der Geschichte. Geschichtstheorien von Hegel bis Foucault.* Múnich, Verlag C. H. Beck, 2005.

simplemente, señalar alguno de sus ejes. Foucault desarrolla y trabaja sobre la noción de «discurso» (o «episteme»). El sentido foucaultiano de discurso es semejante al que T. S. Kuhn otorga a «paradigma» en su estudio sobre *La estructura de las revoluciones científicas*.[25] Un discurso es una perspectiva sobre el mundo. Una perspectiva estructurada por un conjunto de ideas básicas, que se refieren y dan sentido mutuamente. Pero, sobre todo, un discurso es un marco verbal y cognitivo, que delimita lo que se puede decir y pensar, y cómo se puede decir y pensar. «Un discurso es todo aquello que puede ser dicho, y es el sistema de normas que determina qué se puede decir y cómo».[26] Se trata de una praxis regulada y de una instancia que produce conocimiento.[27]

De acuerdo con Foucault, la persona se encuentra encerrada en la estructura lingüística e ideológica del discurso. No hay posibilidad de trascender el lenguaje. No somos nosotros los que poseemos al lenguaje, sino que es él quien nos posee. Al hablar, el hombre es, sobre todo, un altavoz del discurso en el que se encuentra. «Sprache spricht», como decía Heidegger. La lengua habla. Todo lenguaje conlleva unos significados, unas jerarquías categoriales, una perspectiva implícita sobre la realidad que no son fruto del pensamiento del parlante, sino que son su premisa. En este sentido, la persona solo puede pensar sobre el trasfondo de algo ya empezado, sobre unos apriorismos que constituyen su «origen». Foucault se propone hacer una «arqueología» y una «genealogía» del discurso, es decir, rastrear críticamente el origen y la evolución de los presupuestos del pensamiento. El historiador y filósofo francés pretende dibujar los marcos mentales que se han sucedido a lo largo de la historia alrededor de cuestiones varias, a fin de comprender la acción de las personas. Porque la acción humana y los acontecimientos históricos son derivados de los discursos hegemónicos. «The premise of the archaeological method is that systems of thought and knowledge are governed by rules, beyond those of grammar and logic, that operate beneath the consciousness of individual subjects and define a system of conceptual possibilities that determines the boundaries of thought in a given domain and period».[28] El sujeto queda disuelto como agente histórico y la libertad queda también en entredicho.

Foucault realiza, pues, una labor deconstructiva, por cuanto analiza la infraestructura de un paradigma y lo presenta como algo contingente y relativo,

25 Cfr. KUHN, T. S.: *La estructura de las revoluciones científicas*. México, Fondo de Cultura Económica, 1972 (ed. orig. ingl. 1962).

26 BABEROWSKI, J.: *Der Sinn der Geschichte...*, p. 196.

27 *Ibidem*, p. 197.

28 *Standford Enciclopedia of Philosophy*.

que tiene cierta coherencia interna pero que no se corresponde con la verdad. De hecho, no hay verdad posible porque no hay acceso franco al ser. La razón humana está atrapada en una lógica discursiva concreta, que determina su aproximación al mundo. La «episteme» o «discurso» es también relativo en tanto en cuanto histórico, propio de una coyuntura temporal. Lo revolucionario del pensamiento foucaultiano es que no se pregunta por lo que hay de permanente y necesario en lo aparentemente cambiante, sino que se plantea precisamente lo contrario: qué hay de contingente y relativo (qué hay de histórico y de arbitrario) en lo aparentemente estable y sustancial.[29] Foucault remarca que lo que parece racional en una época no lo es porque corresponda a la realidad o la verdad, sino porque se inscribe correctamente dentro del paradigma dominante. A través de su método genealógico (de resonancias nietzscheanas), Foucault lleva a cabo una historización de la verdad o, más precisamente, una historia política de la verdad, ya que, para Foucault, discurso y poder se encuentran inseparablemente entrelazados. En síntesis, «el significado de Foucault para la ciencia histórica reside, sobre todo, en la historización de la racionalidad y en la noción de que el sujeto se constituye en unas prácticas culturales, que a su vez forman parte del ámbito del poder».[30]

El poder es otra temática central y omnipresente en el historiador y filósofo francés. En sus obras, Foucault proclama que el poder empapa toda la realidad humana. Cualquier relación conlleva inevitablemente un vínculo de poder. Pero, de acuerdo con el planteamiento foucaultiano, el poder no se limita a la fuerza estatal. La vida social se construye sobre una «microfísica del poder». Al pensador francés le interesa indagar cómo se ejerce y vive en múltiples ámbitos este poder, que a su vez provoca inmediatamente reacciones de oposición y resistencia. Foucault entiende el poder como «dominio», y también como «influencia» de cualquier tipo en el comportamiento del otro. Pero nuevamente, el origen del dominio no se encuentra principalmente en la fuerza o en la ley, sino en el lenguaje, en los universos simbólicos y en las técnicas de disciplinización.[31] Las obras de Foucault son una radiografía o anatomía del poder desde múltiples puntos de vista e instancias.

La primera gran obra del historiador y filósofo francés fue *Historia de la locura* (1961),[32] donde explica las sucesivas interpretaciones y gestiones de la locura

---

29 Cfr. *Ibidem.*

30 BABEROWSKI, J.: *Der Sinn der Geschichte...*, p. 203 [trad. del autor].

31 *Ibidem*, p. 201.

32 FOUCAULT, M.: *Folie et déraison. Histoire de la folie à l'âge classique.* París, Librairie Plon, 1961. Una edición reciente en castellano: *Historia de la locura en la época clásica.* México, Fondo de Cultura Económica, 2006.

que se han llevado a cabo en Occidente desde la primera modernidad hasta el siglo XIX. Dos años más tarde, el autor publicaba *El nacimiento de la clínica*,[33] donde recorre la evolución de la profesión médica, de las instituciones curativas y, sobre todo, la historia de «la mirada médica». En 1966, Foucault daba a la luz *Las palabras y las cosas: una arqueología de las ciencias humanas*,[34] donde lleva a cabo un desmantelamiento crítico de algunas ciencias como la sociología o la psicología. Ahondando en la noción de «episteme» o paradigma, Foucault procura demostrar que «las disciplinas que versan sobre el hombre como ser social y cultural son tan poco científicas como aquellas concepciones del cuerpo que han informado sucesivamente la práctica médica desde el siglo XVI a nuestros días».[35]

En *La arqueología del saber* (1969),[36] Foucault desarrolla una teorización del discurso y sus reglas. Analiza la formación y la práctica social del discurso, y circunscribe la cuestión de la verdad y del significado a la posición que un enunciado ocupa en un discurso histórico determinado. Unos años más tarde, en 1975, Foucault volvía a abordar el trato público de aquellos cuya participación en la vida social parece inconveniente. En *Vigilar y castigar*[37] estudia los sistemas de reclusión y castigo de prisioneros en Francia, notando las profundas diferencias entre la cultura penitenciaria «monárquica» y el sistema de penalización «disciplinario». Su última gran obra es la *Historia de la sexualidad*, en tres volúmenes (1976-1984). En el primer volumen,[38] dedicado a la vivencia y conocimiento de la sexualidad en Occidente durante los últimos dos siglos, Foucault remarca la creciente ligazón entre la identidad personal y la experiencia sexual, así como analiza las estructuras de poder latentes en las relaciones sexuales y constata la eclosión de la sexualidad como temática de conocimiento en el Occidente contemporáneo.

La obra de Foucault guarda paralelismos con algunas tendencias que han aparecido ya o se apuntarán en este libro. Podemos consignar cierta sintonía con el interés de la tercera generación de *Annales* por la historia de las mentalidades. El pensamiento de Foucault influirá también sustancialmente en la

33 FOUCAULT, M.: *Naissance de la clinique. Une archéologie du regard médical*. París, Presses Universitaires de France, 1963.

34 FOUCAULT, M.: *Les mots et les choses. Une archéologie des sciences humaines*. París, Gallimard, 1966.

35 WHITE, Hayden: *El contenido de la forma...*, 1992, p. 137.

36 FOUCAULT, M.: *L'archéologie du savoir*. París, Gallimard, 1969. En castellano: *La arqueología del saber*. México, Siglo XXI, 1970.

37 FOUCAULT, M.: *Surveiller et punir. Naissance de la prison*, París, Gallimard, 1975. Una edición reciente en castellano: *Vigilar y castigar. El nacimiento de la prisión*. México, Siglo XXI, 1996.

38 FOUCAULT, M.: *Histoire de la sexualité*, vol. 1: *La volonté de savoir*, París, Gallimard, 1976; *Histoire de la sexualité*, vol. 2: *L'usage des plaisirs*, París, Gallimard, 1984; *Histoire de la sexualité*, vol. 3: *Le souci de soi*, París, Gallimard, 1984, trad. esp.: *Historia de la sexualidad*, Buenos Aires, Siglo XXI, 2005.

historia de género y en la historia sobre las relaciones de poder. De todos modos, como hemos apuntado al inicio de nuestra consideración sobre este autor francés, cabe decir que la influencia de Foucault en la historiografía ha sido más derivada e implícita que directa y explícita. Podríamos decir —utilizando su propia terminología— que el discurso foucaultiano ha acabado calando en los presupuestos cult urales de finales del siglo xx y principios del siglo xxi, condicionando así más o menos conscientemente la «mirada» y la perspectiva de lectura de los historiadores. Su influjo se ha hecho más patente a partir de los años ochenta. Tal como dice Baberowski, a partir de entonces, «toda historia del cuerpo, de los géneros, de las prácticas culturales, es (ha sido) impensable sin su referencia. Ningún historiador que trate las temáticas del poder, el conocimiento y el sujeto, podrá ya omitir a Foucault».[39]

8.3. Más allá del posmodernismo: hacia una renovada legitimación de la historia

Es innegable el atractivo intelectual y la aportación crítica (en algunos ámbitos liberadora) de los autores que hemos abordado en las páginas anteriores y que pueden encuadrarse en el paradigma posmoderno y en el giro lingüístico de la reflexión y la práctica historiográfica. Sin embargo, también es necesario recordar que las teorías apuntadas dejan abiertas algunas problemáticas decisivas para la teoría de la historia y señalan algunas direcciones teóricas que fácilmente pueden acabar socavando los propios cimientos de la ciencia histórica. La posmodernidad bordea a menudo el nihilismo y el escepticismo más radical, con los riesgos de desorientación vital y de desconfianza intelectual que ello conlleva. Por eso, frente a ciertos enfoques y amenazas que volatilizan la conexión entre discurso histórico y realidad, ha habido serios intentos, desde diferentes posiciones epistemológicas e historiográficas, de reformular esa referencia admitiendo a la vez lo que de positivo hay en las críticas a las falsas seguridades y objetividades de la historiografía moderna. Me centraré en dos actitudes que proceden de autores con serias cualificaciones para entender en profundidad esas y no totalmente hostiles a ellas.

Uno de los itinerarios intelectuales o actitudes es el del historiador Roger Chartier (*El mundo como representación*), partidario de mantener la vinculación de la historia con las ciencias sociales, aunque él sea un representante

39 Baberowski, J.: *Der Sinn der Geschichte...*, p. 203 [trad. del autor].

importante de la nueva historia cultural. Chartier piensa, por una parte, que es necesario «identificar las propiedades específicas del relato de historia». Estas son dos, indisociables: en primer lugar, su organización en «capas» o estratos (su contextura «hojaldrada», según la terminología de Michel de Certeau); el relato histórico es un relato que contiene y se basa en materiales, referenciados en las citas, que son efectos de una realidad acontecida. La otra propiedad es que el relato de historia surge de unos procedimientos, largamente decantados y específicos, de acreditación, como conocimiento mediato pero real. Así, expuesta de otro modo esta segunda propiedad, la verdad (específica y limitada) del conocimiento histórico como relato reside en estar garantizado por operaciones controlables, verificables y renovables.

Además de argumentar esta referencia específica a la realidad del relato o discurso histórico, Chartier pone de relieve la relación entre este discurso y el contexto social. La construcción del discurso está socialmente condicionada por los recursos desiguales (conceptuales, materiales, etc.) de los que disponen los que lo producen. Y es tarea del historiador reconocer la manera en que los actores sociales dan sentido a sus prácticas y a sus discursos. Esta actitud es en lo esencial acorde con la posición de Gabrielle Spiegel. Sostiene Spiegel que así como las diferencias lingüísticas estructuran la sociedad, las diferencias sociales forman el lenguaje.

Por su parte, Paul Ricœur y Hans Georg Gadamer ubican más la historia en el terreno de las ciencias interpretativas o de la hermenéutica. «Según Gadamer y Ricœur, el "método" de las ciencias histórico-genéticas es la hermenéutica, concebida menos como un desciframiento que como una "inter-pretación", literalmente "traducción", una translación de significados de una comunidad discursiva a otra».[40] Pero ambos defienden igualmente la posibilidad de que la historia signifique un acceso a la realidad. Resumiré brevemente sus posturas, que han alcanzado recientemente gran resonancia.

Temps et récit de Paul Ricœur,[41] obra en tres volúmenes, muy valorada también por Chartier, «puede considerarse —en opinión de Hayden White— la más importante síntesis de teoría literaria e histórica producida en este siglo».[42] La tesis dominante de Ricœur es que la temporalidad es «la estructura de la existencia humana que alcanza el lenguaje en la narratividad» y que la narrati-

---

40 WHITE, H.: *El contenido...*, p. 66.

41 La edición original francesa en tres volúmenes de *Temps et récit* apareció en París entre 1983 y 1985. Los dos primeros fueron traducidos al castellano (Madrid, Cristiandad, 1987).

42 El núcleo temático de esta obra se puede encontrar, como ya dije, en el artículo «Para una teoría del discurso narrativo» (1980) recogido en RICŒUR, P.: *Historia y narratividad*, pp. 83-155, Barcelona, Paidós, 1999.

vidad es «la estructura del lenguaje que tiene a la temporalidad como su referente último». La narrativa, por tanto, no es fundamentalmente un añadido que manipule el mundo, sino que es la mejor herramienta para captar la realidad humana, ya que esta tiene un carácter temporal y verbal (es decir, pre-narrativo). La narrativa es la forma cognitiva que mejor se corresponde con la temporalidad y es el registro epistemológico que mejor capta la dinámica de la acción humana. Posibilita la explicación de la vida en su continua sucesión y transformación al mismo tiempo que dibuja el proceso de la acción, desvela los motivos de los protagonistas y apunta la conexión entre los acontecimientos. El relato permite dotar de sentido y de inteligibilidad a la experiencia temporal.

Ricœur insiste en que la narrativa no implica, necesariamente, una tergiversación de la realidad; la palabra no traiciona necesariamente la experiencia, sino que le da su verdadera contextura humana. En efecto, una vivencia que no ha sido interpretada a través de la palabra, no es una experiencia plenamente humana: «Experience can be said, it demands to be said. To bring it to language is not to change it into something else, but in articulating and developing it, to make it become itself».[43] Evidentemente, la narrativa supone cierta interpretación y no es una reproducción exacta del mundo humano. El relato conlleva una estilización sintética de la circunstancia histórica y la disonancia propia de la realidad es ahormada y reducida en la consonancia que requiere todo relato para su inteligibilidad.[44] Para poder recrear el hecho histórico completamente sería necesario que se reprodujera globalmente el acontecimiento, y la narrativa no es un acontecimiento sino una forma verbal.[45] Pero Ricœur insiste en que ambas realidades (vida y palabra, historia y narración) se encuentran nuclearmente entrelazadas. No es que comprendamos la vida humana como una narrativa, sino que la propia dinámica de la acción humana exige una narrativa para explicarla cabalmente. El relato no es una pura invención, sino que se cimenta en la experiencia humana para desarrollar sus esquemas y fórmulas. Y al mismo tiempo, la vida se despliega constantemente sobre y a través de palabras, textos y narrativas.[46]

---

43 Ricœur citado por G. B. Madison: «Ricœur and the Hermeneutics of the Subject», en Hahn, L. E. (ed.): *The Philosophy of Paul Ricœur*, The Library of Living Philosophers, vol. xii, Chicago, Open Court, 1995, p. 77.

44 Cfr. Straub, Jürgen: *Erzählung, Identität und historisches Bewusstsein. Die psychologische Konstruktion von Zeit und Geschichte*. Frankfurt am Main, Suhrkamp Taschenbuch, 1998, p. 144.

45 Cfr. Lowenthal, David: *The Past is a Foreign Country*. Cambridge, Cambridge University Press, 2006 (1.ª ed. 1985), p. 215.

46 Ricœur expone con magistral brevedad y profundidad su teoría de la narratividad y el indisoluble entrelazamiento que existe entre esta y la vida humana en el artículo «Life in Quest of Narrative», en Wood, D. (ed.): *On Paul Ricœur. Narrative and Interpretation*. New York, Routledge, 1991.

¿Qué es para Ricœur, ante todo, el discurso histórico? «El discurso histórico es una muestra privilegiada de la capacidad humana de dotar de significado a la experiencia del tiempo porque el referente inmediato (la *Bedeutung*, significación) de este discurso son acontecimientos reales, no imaginarios».[47] Ricœur reseña que la narrativa es imprescindible para entender y presentar de forma inteligible el pasado. La operación del entramamiento (la elaboración de una trama) nos permite entreligar diversos acontecimientos, señalar su relación temporal y causal y asignarles un significado. En la trama, los hechos adquieren sentido, porque ocupan una posición en relación con un conjunto y a una direccionalidad. En palabras de Ricœur, la fórmula narrativa permite una «síntesis de lo heterogéneo», logrando unificar en una historia coherente y unitaria una gran pluralidad de experiencias e intenciones. El relato es, por tanto, el instrumento cognitivo que nos permite el acceso y la explicación del pasado. En él —dirá Rüsen—, se sintetiza lo interno y lo externo, lo real y lo ficcional, lo objetivo y lo intencional, lo empírico y lo normativo.[48]

Por su parte, Hans G. Gadamer ha teorizado a fondo, en sus grandes obras *Verdad y método* y *Verdad y método II*,[49] desde una perspectiva profundamente humanista, sobre el conocimiento histórico. Se ha planteado en ellas cuestiones capitales que solo apuntaré. Así, la de la amplitud de la hermenéutica y la posibilidad de comunicación por la común razón y la apertura común al mundo. También, en muy hermosas paginas, otra gran cuestión: «¿pero las ciencias del espíritu [*Geisteswissenschaften*] satisfacen realmente eso que las hace tan relevantes: el ansia de verdad del corazón humano?».[50] Gadamer relaciona este gran interrogante con el del poder y la libertad. Me limitaré a transcribir algu-

---

47 Comenta White que «Ricœur no anula la distinción entre ficción literaria e historiografía, como se me ha acusado de hacer [a H. White], pero difumina la línea entre ellas [en todo caso menos que White] al insistir en que ambas pertenecen a la categoría de discursos simbólicos y comparten un único "referente último". Aun concediendo [Ricœur] de buen grado que la historia y la literatura difieran entre sí en cuanto a sus referentes inmediatos (*Bedeutungen*), que son, efectivamente los acontecimientos "reales" e "imaginarios", subraya que en la medida que ambas producen relatos dotados de trama, su referente último (*Sinn*, sentido) es la experiencia humana del tiempo o las estructuras de temporalidad» (WHITE, H.: «La metafísica de la narratividad: tiempo y símbolo en la filosofía de la historia de Ricœur», *El contenido de la forma*, p. 180).

48 Cfr. RÜSEN, Jörn: «What is Historical Consciousness? A Theoretical Approach to Empirical Evidence». Comunicación presentada en el congreso «Canadian Historical Consciousness in an International Context». Vancouver, University of British Columbia, 2001. Texto cedido por el autor.

49 GADAMER, Hans G.: *Verdad y método*. Salamanca, Sígueme, 1977 (1.ª ed.; ed. orig. alem. 1960); *Verdad y método*, II, Salamanca, Sígueme, 1994 (2.ª ed.; ed. orig. alem. 1986).

50 GADAMER, H.: *Verdad...*, II, p. 44. Sobre la imposibilidad de traducción unívoca de *Geisteswissenschaften*, que se traduce aquí por ciencias del espíritu pero que puede traducirse también por ciencias humanas o de la cultura, véase la nota 20 de la página 44.

nas de sus respuestas en relación con unos cuantos puntos esenciales, pues me parecen alentadoras en un tiempo de incertidumbres y de apatía.

Respecto a la posibilidad de comunicación pese a los diferentes lenguajes y de acceso del ser humano a la realidad, escribe: «Cuando el entendimiento parece imposible porque se hablan "lenguajes distintos", la tarea de la hermenéutica no ha terminado aún. Ahí se plantea esta justamente en su pleno sentido: como la tarea de encontrar el lenguaje común. [...] Nunca se puede negar la posibilidad de entendimiento entre seres racionales. Ni el relativismo que parece haber en la variedad de los lenguajes humanos constituye una barrera para la razón, cuya palabra es común a todos, como sabía ya Heráclito. [...] Es el mundo mismo el que percibimos en común y se nos ofrece (*traditur*) constantemente como una tarea abierta al infinito. No es nunca el mundo del primer día, sino algo que heredamos».[51]

Y en cuanto a la misión especial de las ciencias humanas —precisamente por su especial vulnerabilidad frente a las voluntades de poder de la época—, es esta: «tener siempre presente en la labor científica la propia finitud y el condicionamiento histórico, y resistir la autoapoteosis de la Ilustración».[52] Pues si se piensa tener toda la razón —soy yo el que comenta ahora— es difícil no creer tener derecho a todo el poder. Entendida como nos propone Gadamer, la historia no es solo, como también pensaba Cassirer, un medio para la libertad, sino que resulta asimismo un acicate y una ayuda para el diálogo y la paz. Este diálogo que tiene su resultado en cierta fusión de horizontes de los interlocutores.

Muy influida por la filosofía hermenéutica de Gadamer se nos presenta también una corriente o tendencia historiográfica que rescata la referencia de la historia a la realidad y es, a la vez, como una variante alemana del giro lingüístico, sin excesos nihilistas. Me refiero a la tendencia de la *Begriffsgeschichte* (historia conceptual o de los conceptos). Se puede valorar la importancia y la primera difusión de la corriente o tendencia de la *Begriffsgeschichte* mediante, al menos, dos artículos que están disponibles en castellano. Uno de ellos es la

---

51 GADAMER, H.: *Verdad...*, II, p. 392. En KOSELLECK, R., y GADAMER, H. G.: *Historia y hermenéutica* (1997; ed. orig. 1993), Gadamer afirma que «el lenguaje no es proposición y juicio, sino que únicamente es respuesta y pregunta» (p. 116, apartado «La diversidad de las lenguas y la comprensión del mundo»).

52 GADAMER, H.: *Verdad...*, II, p. 48. Al hilo de esta referencia a la Ilustración, me pregunto si el posible fin de la Modernidad ilustrada, planteado como cuestión abierta por Iggers, no tiene que ver con esa tendencia a la autoapoteosis (de una clase, una raza, una cultura, un sexo) frente a los otros grupos humanos y frente a la naturaleza, tendencia que ha impregnado muchas ideologías desde fines del siglo XVIII.

extensa introducción escrita por los profesores universitarios de filosofía J. L. Villacañas y F. Oncina al pequeño y gran libro, *Historia y hermenéutica* (Barcelona, 1997).[53] El otro artículo, titulado «Fundamentos teóricos de la historia de los conceptos», es obra de Lucian Hölscher.[54]

Hölscher es uno de los principales historiadores que ha colaborado en la monumental obra *Geschichtliche Grundbegriffe. Historisches Lexikon zur politisch-sozialen Sprache in Deutschland* (Conceptos históricos fundamentales. Léxico histórico para el lenguaje político-social en Alemania), proyecto insignia de la *Begriffsgeschichte* y editado bajo la dirección de Otto Brunner, Werner Conze y Reinhart Koselleck entre 1972 y 1992.[55] El de Hölscher es un artículo especialmente interesante para los historiadores porque, por una parte, nos da una idea de la importancia, de la magnitud (casi siete mil páginas) y criterios organizativos de ese gran léxico (que compara, en cierto sentido, con la *Encyclopédie* de Diderot) y, por otra, nos contextualiza el origen de esa empresa histórico-semántica. Además nos presenta de manera más asequible quizá que el propio Koselleck, y con algunos ejemplos, la teoría de la *Begriffgeschichte* de este discípulo de Gadamer.

Tomaré prestadas ahora algunas frases del mencionado artículo de Villacañas y Oncina, así como del propio R. Koselleck, para contextualizar mejor y clarificar más la historia conceptual. «Ya desde 1967, y obedeciendo a la impronta sociológica de su origen, la *Begriffgeschichte* plantea la relación de convergencia entre la historia de los conceptos y la historia de la sociedad».[56] La problemática central es «investigar la disolución del mundo antiguo [premoderno] y el surgimiento del mundo moderno en la historia de su aprehensión conceptual».[57] Koselleck afirma que «para el ámbito de la lengua alemana se puede mostrar que desde 1770, aproximadamente, surgieron una gran canti-

---

53 El libro recoge textos extensos (conferencias) de R. Koselleck y H. G. Gadamer, junto con amplios elencos bibliográficos. Ha sido publicado por la editorial Paidós (en su colección Pensamiento Contemporáneo) junto con el ICE de la UAB.

54 Se encuentra en OLÁBARRI, I., y CASPISTEGUI, F. J. (eds.): *La «nueva» historia cultural: la influencia del postestructuralismo y el auge de la interdisciplinariedad.* Madrid, Complutense, 1996, pp. 69-82.

55 Significativamente, la introducción (pp. XIII-XXVII) al vol. 1 (A-D) de este léxico (Stuttgart, 1972) está firmada por R. Koselleck. El artículo, capital, dedicado al concepto de progreso [*Fortschritt*], ha sido escrito también por el mismo Koselleck y ocupa las pp. 351-423, del vol. 2 (E-G). Por lo que respecta al historiador medievalista austríaco Otto Brunner († 1982), disponemos de la traducción castellana de su *Sozialgeschichte Europas im Mittelalter* con el título *Estructura interna de Occidente*. Madrid, Alianza, 1991 (presentación y apéndice de Julio A. Pardos).

56 KOSELLECK, R., y GADAMER, H. G.: *Historia y hermenéutica*. Barcelona, Paidós, 1997, p. 21.

57 KOSELLECK, R. (ed.): *Geschichtliche Grundbegriffe*, vol. 1, Stuttgart, 1979 (reimpr.), p. XIV. Transcribo aquí la traducción que presentan Villacañas y Oncina del texto original en alemán.

dad de nuevos significados para palabras antiguas y neologismos que modificaron, junto con la economía lingüística, todo el ámbito social y político de la experiencia y fijaron un nuevo horizonte de espera».[58] Así, por ejemplo, el concepto de progreso *Fortschritt*, capital en el origen de la Modernidad [tiempo nuevo, *neue Zeit*], surge como resultado y actor de la disociación entre las experiencias vividas hasta entonces y unas nuevas expectativas que se han ido alejando cada vez más de aquellas».[59]

En el enfoque de la *Begriffsgeschichte*, «los conceptos son registros de la realidad y, a la vez, factores de cambio de la propia realidad», ya que «un concepto no es solo indicador de los contextos que engloba; también es un factor suyo. Con cada concepto se establecen determinados horizontes, pero también límites para la experiencia posible y para la teoría pensable». Por esto la historia de los conceptos puede proporcionar conocimientos que desde el análisis objetivo no se tomarían en consideración. Así «el lenguaje conceptual es un medio en sí mismo consistente para tematizar la capacidad de experiencia y la vigencia de las teorías».[60] En consecuencia, ante la pregunta clave sobre dónde radica la identidad de un "concepto", si en la identidad de la palabra o en la identidad del objeto, la teoría de la *Begriffsgeschichte* sostiene que, en realidad, esta identidad se encuentra "entre ambos"».[61] Los conceptos no solo representan la realidad sino que son también realidad.

Desde luego la *Begriffsgeschichte*[62] puede considerarse un testimonio del giro cultural en la investigación histórica del que habla Donald Kelley, en un aspecto concreto: el giro lingüístico o el giro hacia la lingüisticidad.[63] Podemos

58 KOSELLECK, R.: *Futuro pasado. Para una semántica de los tiempos históricos*. Barcelona, Paidós, 1993, p. 11.

59 La noción de progreso va aparejada a la aparición de un nuevo régimen de historicidad (es decir, a una nueva conciencia de la relación y articulación entre pasado y futuro). La teoría de Koselleck sobre la hermenéutica de los tiempos históricos ha sido desarrollada por François Hartog en *Regímenes de historicidad*. México, Universidad Iberoamericana, 2007.

60 KOSELLECK, R.: *Futuro pasado...*, 1993, p. 118.

61 HÖLSCHER, «Fundamentos teóricos de la historia de los conceptos (*Begriffsgeschichte*)», en OLÁBARRI, I., y CASPISTEGUI, J. F.: *La «nueva» historia cultural...*, 1996, p. 77.

62 La justificación y clarificación teórica de ella es uno de los ejes temáticos que retorna una y otra vez en la recopilación de trabajos de Koselleck traducida en 1993 bajo el título *Futuro pasado. Para una semántica de los tiempos históricos*. Barcelona, Paidós, 1993.

63 Con todo, conviene recordar que, en la trayectoria de R. Koselleck, tal como se subraya en el subtítulo de un número monográfico, publicado por la revista *Anthropos (RA)* en 2009, la indagación en la semántica histórica queda asociada estrechamente a la evolución social y política del grupo cuyos conceptos fundamentales se analizan. Este número, titulado *Reinhart Koselleck. La investigación de una historia conceptual y su sentido socio-político*, se gestó poco después de la muerte del historiador y filósofo alemán y fue coordinado por J. M.ª Sánchez-Prieto. Colaboraron especialistas ya citados en esta obra, como F. Javier Caspistegui, François Dosse, François Hartog y Faustino Oncina.

constatar que, en cierto modo, los autores de la historia de los conceptos tienen unas preocupaciones similares a Foucault y a otros autores posmodernos, ya que examinan la génesis y la evolución de los marcos lingüísticos, asumiendo su historicidad y su eficacia en la praxis política, social y cultural. El enfoque, sin embargo, es distinto. Pero todas las corrientes que hemos pergeñado en este capítulo son prueba de este giro cultural en la historia, según el cual la praxis humana deja de ser fundamentalmente una derivación de las estructuras económicas y sociales y viene a ser, más bien, la cristalización de los mundos mentales y de los imaginarios compartidos. Unos imaginarios que, a su vez, no son universales ni permanentes, sino que están también sometidos a procesos históricos de génesis, transformación y desaparición.

Introducción
a la historia medioambiental

9.1. Presentación

La historia medioambiental ha adquirido cierta institucionalización y una relativa autonomía solo bastante recientemente, como veremos enseguida. Por esta razón, y también porque se trata de un dominio que exige unos conocimientos técnico-científicos poco frecuentes entre los historiadores, este capítulo pretende ser sencillamente una primera introducción. Me limitaré a exponer algunos motivos e hitos en el surgimiento de esta tendencia historiográfica y a esbozar algunos problemas conceptuales y metodológicos, que me parecen capitales en esta nueva mirada sobre la evolución humana; una mirada que prioriza la interacción, experimentada ahora a una escala sin precedentes, entre el devenir de la humanidad y el medio ambiente natural. Mencionaré también algunas obras emblemáticas y algunos centros de investigación pioneros en este enfoque historiográfico, especialmente interdisciplinar.

Como ya hemos escrito antes, la historiografía (entendida como el modo de conocer y representar el pasado humano) sigue a la historia (en el sentido de vivencias de la humanidad). Así pues, no es raro que las inquietudes y debates suscitados por los grandes problemas medioambientales que la humanidad experimenta en nuestro tiempo se quieran abordar también con una amplia perspectiva temporal. En pocos decenios se ha difundido todo un nuevo espectro semántico (en el que figuran, por ejemplo, además de «medio ambiente», conceptos como «desarrollo sostenible», «contaminación», «energías limpias») que testimonia a la vez la conciencia de unos retos relativamente nuevos y de unas propuestas político-sociales para afrontarlos debidamente.[1]

---

1 Aunque nos proporcione solo una aproximación orientativa, la aplicación de la herramienta analítica «Ngram Viewer» (de Google Books) al corpus de obras digitalizadas hasta 2008, permite ver que, en el caso de textos en inglés, la línea (representación) que traza la frecuencia relativa de «Environmental History» sube exponencialmente en el decenio de 1990; análogamente lo hace, en el caso de textos en alemán, la palabra equivalente (*Umweltgeschichte*), pero con una ligera antelación cronológica; en cuanto a «historia medioambiental», en cambio, en el corpus análogo en español, la línea que mide las frecuencias relativas sube exponencialmente con cierto retraso, solo a partir de 2004.

9.2. Algunos hitos en el surgimiento y desarrollo de la historia medioambiental

Como en el caso de la historia de las mujeres, los Congresos Internacionales de Ciencias Históricas (CICH) son buenas atalayas para contemplar la creciente aceptación de la historia medioambiental por el ecúmene de los historiadores. En el XIX CICH (celebrado en el año 2000 en Oslo), la historia medioambiental constituyó ya uno de los «temas especializados» (de segundo rango, por tanto). Con todo, los propios títulos que se dieron a este tema especializado «New Developments in Environmental History / Mutations dans l'histoire de l'environnement» dejaban ya constancia de que la historia medioambiental tenía ya detrás de sí, en ese momento, un desarrollo previo.[2] Esa sesión despertó una atención mediática insólita, incluyendo la filmación para televisión, y congregó a muy numerosos historiadores, entre los que se encontraba quien escribe. Fue como una presentación en sociedad de esa nueva tendencia o propuesta historiográfica. Esto fue así en un sentido literal, puesto que en el marco de la mencionada sesión temática especializada se distribuyó información impresa sobre la recién creada European Society for Environmental History (ESEH).[3]

Si en el año 2000 la historia medioambiental tuvo ya una importante acogida en el correspondiente Congreso Internacional de Ciencias Históricas, su salto de rango a la primera categoría (como uno de los tres *major themes* seleccionados) se produjo cinco años después, en el XX CICH, celebrado en Sidney. Entonces el gran tema «Humankind and Nature in History / Humanité et Nature dans l'Histoire»,[4] se desglosó ya a su vez en varios bloques (o subtemas). Merece la pena citar también los títulos de estas secciones por los matices semánticos que aportan y la información que nos ofrecen sobre los objetos de estudio de la historia medioambiental:

---

2 La introducción de este tema y la discusión de las aportaciones de los diferentes ponentes corrieron a cargo de Franz-Josef Brüggemeier y Verena Winiwarter. Cfr. *19th International Congress of Historical Sciences. Proceedings / Actes.* Oslo, University of Oslo, 2000, pp. 375-400.

3 La American Society for Environmental History (ASEH) había sido fundada algunos decenios antes, concretamente en 1977. La ASEH edita *Environmental History,* quizá la revista más destacada en ese ámbito. Desde 2010 se publica en Oxford University Press.

4 La coordinadora general (única) de este gran tema fue la profesora austríaca Verena Winiwarter, quien ya había publicado algunos años antes una importante introducción a la historia medioambiental: *Was ist Umweltgeschichte?* Viena, Schriftenreihe Soziale Ökologie, vol. 54, 1998.

a) Ecohistory: New Theories and Approaches / Ecohistoire: Theories et approaches nouvelles.

b) Natural Disasters and How They Have Been Dealt With / Les catastrophes naturelles et leur suite.

c) Natural Sciences, History, and the Image of Humankind / Les sciences de la nature, l'homme et l'image de l'homme.

En el primer quinquenio de nuestro siglo, tanto los problemas teóricos y metodológicos relacionados con la historia medioambiental como la propia investigación empírica en ese nuevo campo han sido objeto de una creciente atención y difusión. Mencionaré solo algunos testimonios de ello que me parecen especialmente significativos. En cuanto a la reflexión teórica, destaca el hecho de que una revista tan influyente como *History and Theory* dedicara a «Environment and History» un número monográfico en diciembre de 2003. Por lo que respecta a la proliferación de estudios más o menos específicos sobre la historia medioambiental, un dato relevante es que surgiera ya en esos años una enciclopedia, como balance y herramienta, en la que los investigadores pudieran encontrar los nuevos conocimientos adquiridos y los debates en curso. Me refiero a la *Encyclopedia of World Environmental History*, en tres volúmenes, editada por Shepard Krech, J. R. McNeill y Caroline Merchant, en 2004.[5] Como existen pocas (o ninguna) realidad más universal o global que el medio ambiente, no es extraño que esta gran obra colectiva fuera reseñada enseguida en el *Journal of World History*. Por último, en lo que respecta a la difusión de los conocimientos entre los estudiantes de historia, me parece positivamente ilustrativo que ya algún atlas reciente publicado en España (concretamente en Barcelona) haya incluido algunas páginas que están dedicadas al reto ecológico y al comercio de los desechos.[6]

9.3. ALGUNAS CUESTIONES CLAVES EN LA HISTORIA MEDIOAMBIENTAL

A continuación trataré brevemente algunas cuestiones claves que ha de plantearse quien quiera analizar el desarrollo de la historia medioambiental en

---

5 La mencionada enciclopedia fue reseñada por Joachim Radkau, uno de los autores más prominentes en el campo de la historia medioambiental, en *Journal of World History*, vol. 16, núm. 1, 2005.

6 Cfr. JULIÁ, José-Ramón (ed.): *Atlas de Historia Universal*, t. II, *De la Ilustración al mundo actual*. Barcelona, Planeta, 2000, pp. 308-309.

cuanto estudio de cómo ha cambiado, en el tiempo y en el espacio, la relación entre la humanidad y su entorno natural.

Como he mencionado anteriormente y es capital recordar ahora, la historia es un constructo cognitivo-existencial. Como se ha dicho con razón, la historia tanto como un saber humano sobre (o de) algo (*history of*), es siempre también historia a favor de algo (*history for*). El discurso histórico tiene también su pragmática. En este caso, es bastante obvio que el reciente desarrollo del estudio histórico de la interacción entre humanidad y entorno natural tiene mucho que ver con el ecologismo (como un movimiento sociopolítico, uno de los pocos grandes «ismos» nuevos del siglo xx).[7] No es casualidad que uno de los países donde esta tendencia historiográfica ha tenido especial precocidad sea Alemania, ya que en el país germánico, además de una rica tradición de teoría y práctica de la historia, el movimiento ecologista ha sido especialmente fuerte y tempranamente articulado en el plano político, quizá también porque ha sido uno de los países de mayor concentración industrial con la consiguiente contaminación, por ejemplo en la cuenca del Ruhr.[8]

La indudable relación, al menos originariamente, entre historia medioambiental y ecologismo tiene cierta analogía con la comentada en un capítulo anterior entre historia de las mujeres y feminismo, aunque el valor que se promueve en este caso tenga que ver no directa sino indirectamente con las personas humanas en su totalidad. El promover la preservación del medio ambiente humano, como apuesta también de futuro, es un compromiso directo con unas saludables condiciones de vida en la dimensión biológica (no la única, pero sí fundamental) de los seres humanos presentes y venideros. El futuro por el que se apuesta y cuyas «huellas» registra la historia medioambiental implica una especie de solidaridad intergeneracional (no exenta de instinto de supervivencia) para preservar el patrimonio natural y hacer posible un desarrollo económico-social sostenible a escala mundial.

---

7 Esa misma idea de novedad, asociada a la historia medioambiental, queda reflejada en el feliz título del libro de John R. McNeill: *Something New Under the Sun. An Environmental History of the Twentieth-Century World*, 2000 (trad. esp.: *Algo nuevo bajo el sol. Historia medioambiental del mundo en el siglo xx*. Madrid, Alianza, 2003).

8 El actual partido de Los verdes (*Die Grünen*) se fundó en 1980 en Karlsruhe y obtuvo por primera vez representación en el *Bundestag* (Cámara baja del Parlamento de la RFA) en 1983. Sobre la contaminación que conllevó la industrialización en la cuenca del Ruhr trata una de las colaboraciones de F. J. Brüggemeier en *Umweltgeschichte: Themen und Perspektive*, 2003, una obra importante sobre la que volveré enseguida. Brüggemeier es el autor también de un título bien ilustrativo y casi diáfano: *Tschernobyl, 26.April 1986. Die ökologische Herausforderung* ('El desafío ecológico'), 1998.

La historia medioambiental puede abordarse con enfoques diversos, según sea la antropología filosófica en la que estos se apoyan, de forma consciente o inconsciente. Dicha historia puede enfocarse —y este es el enfoque con el que me identifico más— desde la convicción de que el punto de referencia fundamental, en el estudio de la interacción entre el hombre y el medio ambiente, es el ser humano. El ser humano no como dueño absoluto, pero sí como usufructuario de la naturaleza. En este enfoque no hay oposición (aunque sí una responsable y moderada prevención) respecto a la intervención humana (o acción antrópica) sobre el entorno natural, favorecida por la conciencia de que el ser humano, como ser también espiritual, es más que simple naturaleza biológica.

Otro enfoque posible de la historia medioambiental es el enfoque radicalmente geocéntrico, en el que Gea tiene prioridad total respecto a los seres humanos. Se trata de una perspectiva que tiende a recelar de la acción antrópica (la intervención humana) mientras reclama la preservación de un entorno natural convertido en un todo viviente y en valor supremo.[9]

No es este el lugar para exponer en detalle la especial multidisciplinariedad que requiere la historia medioambiental. Esta tiene una estrecha relación no solo con otras disciplinas humanísticas y sociales obviamente afines, como la geografía (especialmente la climatología, la geografía histórica y la cartografía), sino también con otras ciencias físico-químicas. ¿Cómo, sin los conocimientos de este último tipo, podrá entenderse y valorarse la importancia relativa de la contaminación medioambiental (por ejemplo de NH_3) o los cambios en la energía que ha podido aportar (o desprender) una central nuclear?[10]

Dado el propósito introductorio de este capítulo no voy a tratar aquí las cuestiones de metodología y fuentes, más o menos específicas, para el estudio de la historia medioambiental. Me limitaré a remitir al lector, además de las obras antes y después mencionadas, a un artículo sobre climatología histórica (un aspecto importante de la historia medioambiental) publicado en la revista del Departamento de Historia Moderna de la Universitat de Barcelona en el año 2006.[11]

9 Por su parte, Mei Xueqin, profesor de la Beijing Normal University, en «From the history of environment to environmental history», *Frontiers of History in China*, vol. 2, núm. 2, 2007, pp. 121-144 (DOI 10.1007/s11462-007-009-5), distingue tres tipos de estudios sobre la historia del medio ambiente: sea considerada esta como un ámbito de las ciencias de la naturaleza, sea con el enfoque de la historia social, sea centrándola en la relación entre el ser humano y la naturaleza.

10 Un mínimo de esos conocimientos son ya necesarios para poder entender a fondo incluso algunos mapas de atlas históricos alemanes generales recientes, como los que dedica el *Grosser Historischer Weltlatlas, Vierter Teil* (Múnich, Bayerischer Schulbuch-Verlag, 1995, pp. 26 y 27) a la evolución de la contaminación en Europa occidental desde la Segunda Guerra Mundial.

11 Barriendos, Mariano: «La climatología histórica en el contexto universitario español», en *Pedralbes. Revista d'Història Moderna*, núm. 26, 2006, pp. 41-64 (accesible on-line).

Sí quiero resaltar que algunas fuentes «clásicas», leídas antes con otras finalidades, pueden resultar útiles también desde la perspectiva de la historia medioambiental. Para poner simplemente un ejemplo en ese mismo ámbito de la climatología histórica, resultan muy útiles las anotaciones diarias meteorológicas. Así, por ejemplo, los apuntes que fue tomando el cardenal italiano F. Chigi durante su estancia como embajador en Münster entre 1644 y 1649. Desacostumbrado al tiempo brumoso del norte, el diplomático italiano, que mediaba en las negociaciones de paz para poner fin a la Guerra de los Treinta Años, registraba diariamente si había llovido o no.[12]

Con el fin de perfilar algo más los grandes temas y perspectivas que implica la historia medioambiental, expongo algunas tesis extraídas de la obra introductoria sobre *Umweltgeschichte* ('Historia medioambiental'), editada por Wolfram Siemann en 2003.[13] La aseveración más importante —que abarca muchas otras— es que la ciencia histórica contemporánea no puede ignorar ya al medio ambiente, dado que es un asunto central en la historia de la humanidad. El medio ambiente ha de ser establecido y considerado una categoría básica en la ciencia histórica junto con el poder, la economía o la cultura.[14] Sobre todo teniendo en cuenta que la vinculación del ser humano al medio natural que lo rodea es una constante biológica fundamental. En la visión del historiador germano, la naturaleza (entendida como el conjunto de suelo y aire, animales, plantas y piedras) es conformada, a su vez, por la existencia y la acción del hombre sobre el entorno que le rodea.

Algunas catástrofes naturales recientes nos recuerdan la fuerza enorme y casi imprevisible de la naturaleza y nos advierten que no debemos subestimar las consecuencias ecológicas, económicas, sociales, políticas y culturales de las manifestaciones de esta fuerza. Baste aludir, por ejemplo, a algunos trágicos desastres naturales que han causado centenares de miles de muertos como el *tsunami* (maremoto) que tuvo lugar en el océano Índico en 2004, que afectó especialmente a Indonesia, y al terremoto en Haití de 2010;[15] y eso, para no remontar-

---

12 Cfr. REPGEN, K.: *Acta Pacis Westphalicae*, III C, vol. 1, 1. Münster Westfalen, Aschendorff, 1984.

13 Cfr. SIEMANN, Wolfram (ed.): *Umweltgeschichte. Themen und Perspektiven*. Múnich, Beck, 2003. Tomo como punto de inspiración especial la contribución de W. Siemann y Nils Freitag: «Umwelt — eine geschichtswissenschaftliche Grundkategorie« [Medio ambiente, una categoría fundamental de la ciencia histórica], pp. 7-20.

14 Esta opción por el medio ambiente o entorno natural como una categoría básica puede trastocar la organización clásica, hegemónicamente cronológica, de las obras históricas. Así, por citar un autor culturalmente más próximo, la síntesis de Felipe Fernández-Armesto: *Civilizaciones: La lucha del hombre por controlar la naturaleza* (Madrid, Taurus, 2002) está estructurada en gran medida por entornos naturales similares (como el de las culturas isleñas, en las que se agrupan desde la Creta minoica a la Venecia renacentista).

15 Un buen estudio de catástrofes naturales en la historia se encuentra en la obra colectiva editada

nos a catástrofes anteriores, como el terremoto de San Francisco de 1906, recreado en alguna película.

La segunda tesis es que el medio ambiente y el poder político están inseparablemente vinculados.[16] Esta conexión se ha ampliado a una escala nueva con el fenómeno de la mundialización (o globalización) y, así, en la agenda de las organizaciones internacionales dicha relación ha empezado a ser considerada en conferencias como la de Río de Janeiro (1992), o Kioto (1998). En esta última se adoptó un célebre protocolo, auspiciado por los expertos de las Naciones Unidas, en el que literalmente se dice que «con el fin de promover el desarrollo sostenible», cada una de las partes se responsabiliza a «cumplir los compromisos cuantificados de limitación y reducción de [...] sus emisiones antropógenas agregadas, expresadas en dióxido de carbono equivalente» y «de los gases de efecto invernadero».[17]

El protocolo de Kioto significó un hito importante en la historia del inicio efectivo de una política mundial respetuosa con el medio ambiente, aunque el convenio quedó seriamente lastrado por limitaciones fundamentales. Estas afectaron tanto a sus objetivos, relativamente modestos en la mencionada reducción de emisiones contaminantes (un 5% en 2012 respecto a 1990), como a los países que lo ratificaron: 38 países industrializados. Baste recordar que los Estados Unidos no lo ratificaron y que China no lo suscribió. El único gran bloque de países que lo refrendó y se ha aproximado de manera importante a su cumplimiento fue la Unión Europea, especialmente por parte de los países nórdicos; sin embargo, la Unión Europea tenía (y tiene, más todavía hoy que a fines del siglo anterior) un peso importante, aunque bastante menor en términos cuantitativos, que los Estados Unidos o China en cuanto emisiones susceptibles de ser contaminantes.

Para superar el esquema simplista de blanco y negro en la atribución de roles respecto al desarrollo sostenible, es necesario un estudio —con un arco temporal lo más extenso posible— sobre las relaciones entre poder y medio ambiente. Y para épocas recientes, esto quiere decir considerar en profundidad las tensiones y relaciones históricas en el rombo de intereses formado por los

---

por Gerry Jasper Schenk: *Katastrophen. Vom Untergang Pompejis bis zum Klimawandel.* Stuttgart, Thorbecke, 2009.

16 Esta relación, como se recuerda en *Umweltgeschichte...*, p. 14, aparece primada en el título de la obra de Joachim RADKAU: *Natur und Macht. Eine Weltgeschichte der Umwelt.* Múnich, C. H. Beck, 2000 (trad. ingl.: *Nature and Power: A Global History of the Environment*, Nueva York, Publications of the German Historical Institute / Cambridge University Press, 2008).

17 Cfr. *Protocolo de Kyoto de la Convención marco de las Naciones Unidas sobre el Cambio climático*, art. 2 y 3; accesible on-line: http://unfccc.int/resource/docs/convkp/kpspan.pdf, último acceso: 25-11-2011.

movimientos de protección de la naturaleza, los poderes políticos, la burocracia a sus distintos niveles y los lobbies industriales.

Otra tesis importante del libro *Umweltgeschichte* es que la relación con el medio ambiente implica un problema económico crucial, pues el éxito económico ha exigido siempre un abastecimiento duradero de energía. Desde la necesidad de madera en el siglo XVIII, pasando por la crisis del petróleo de los años setenta, hasta el debate sobre la necesidad de la energía nuclear en la actualidad, la producción y el abastecimiento de energía sigue situándose en el centro de conflictos económicos y técnicos fundamentales. Estas cuestiones energéticas dominan por otra parte muchas discusiones sobre el medio ambiente, por cuanto el comportamiento en el ámbito económico depende siempre, en buena medida, del medio ambiente. Hoy, el espectacular crecimiento que se ha dado desde el decenio de 1950 (en el mundo occidental) y más recientemente en algunas otras áreas, como China o Brasil, no se pueden estudiar sin los costes ecológicos.[18] En ese contexto aparecen las nociones capitales de «sostenibilidad», «ecoindustria» y «desarrollo de energías renovables o limpias».

Conviene asimismo aclarar que el medio ambiente humano está entretejido también con la categoría básica de cultura. Ello es así porque cada forma de aproximarse o percibir el medio ambiente, de clasificarlo y de interpretarlo encaja en un contexto histórico-cultural concreto. Así, por ejemplo, la idea de una naturaleza intacta tiene mucho de construcción humana. Por esta razón, compensa aproximarse a las problemáticas medioambientales también con el bagaje de las ciencias culturales o humanas, puesto que el ser humano (que no es una parte cualquiera de la naturaleza), posee la capacidad, como ser simbólico, de imaginar, representar y disfrutar reflexivamente de su relación con el medio ambiente natural. La naturaleza es una realidad que, al ser humano, le viene dada. Pero no solo es algo con lo que se encuentra. También es algo que imagina, que representa, que interpreta simbólicamente.

La naturaleza es algo con lo que el ser humano interactúa y modifica constantemente, de tal modo que el medio ambiente no es independiente del ser humano (como este tampoco lo es de la naturaleza), sino que su configuración actual proviene, también, de la acción humana sobre el mismo. Ahora somos más lúcidamente conscientes que hace cincuenta años, de que los hombres

18 Todavía recuerdo con nitidez la gran impresión que me produjo leer, en 1977, en la traducción española de un célebre manual de economía (el de Paul Samuelson), que algún autor se negaba a hablar del PNB en el sentido usual entonces entre economistas (Producto Nacional Bruto), pues para el autor citado por Samuelson, PNB era acrónimo de Polución Nacional Bruta.

pueden infringir a la naturaleza daños difícilmente reversibles. Ante este margen importante de incertidumbre no es extraño que algunos pensadores antepongan en esas cuestiones el principio de responsabilidad a la confianza ciega en el progreso (más bien, pseudoprogreso) humano. [19]

Dedicaremos el capítulo próximo a abordar con detenimiento el surgimiento y desarrollo de la tendencia historiográfica de la «historia global». Como hemos apuntado anteriormente, pueden establecerse conexiones estrechas entre la historia global y la historia medioambiental. Sin lugar a dudas, uno de los factores transnacionales y planetarios más claros son el medio ambiente y el clima. La realidad climática mundial, por ejemplo, ha condicionado la vida de las civilizaciones incluso antes de que éstas se encontraran a través de las exploraciones marítimas, los intercambios comerciales y las conquistas bélicas. El clima ha sido una de las claves del desarrollo de la humanidad en su conjunto. Lo ha sido antes de que los seres humanos tuvieran conciencia de la extensión de su especie y lo seguirá siendo una vez que la humanidad vive conociendo su multiplicidad y practicando su interdependencia. Las condiciones naturales son uno de los ejes que enhebran la experiencia de la humanidad en su unidad. Pero no creamos, con falsa miopía, que este es un descubrimiento del todo novedoso. Ya el historiador Plutarco, hace aproximadamente dos mil años, recordaba en un libro sobre *El exilio* que «el universo es nuestra patria». Y frente a aquellos que constreñían su identidad a los usos de su polis, a los rostros conocidos y a los paisajes de su nación, el historiador advertía:

> Estos son los límites de nuestra patria, y nadie dentro de ellos es un desterrado ni un extranjero ni un forastero: donde hay el mismo fuego, agua y aire; los mismos magistrados, intendentes y prítanes: el sol, la luna, el lucero del alba; las mismas leyes para todos, dictadas por una única autoridad y un único gobierno: los solsticios de verano, los solsticios de invierno, los equinoccios [...], las estaciones de las semillas, las estaciones de las plantas; y donde un único rey y señor, «Dios, que tiene en sí el principio, el medio y el fin del universo, rectamente cumple su revolución natural».[20]

---

19 Cfr. JONAS, Hans: *Das Prinzip Verantwortung: Versuch einer Ethik für die technologische Zivilisation.* Frankfurt am Main, Insel Verlag, 1979. Trad. esp.: *El principio de responsabilidad. Ensayo de una ética para la civilización tecnológica.* Barcelona, Herder, 2008.

20 PLUTARCO: *Sobre el exilio.* Edición y traducción de Raúl Caballero Sánchez. Madrid, Alianza, 2009, p. 233.

Globalización y cambio de perspectiva historiográfica[1]

10.1. Introducción

Los últimos lustros han sido testigos de la aparición de una potente y renovada tendencia en la escritura de la historia. Nuevamente, la práctica historiográfica se ha visto arrastrada por la experiencia del presente y por los horizontes de futuro de la humanidad. A partir de la década de 1990, se ha producido una eclosión discursiva de la noción de globalización. La globalización se ha convertido en una realidad innegable y en una categoría central del debate académico, político, económico y cultural. Esta experiencia y la percepción del mundo como escenario unitario del desarrollo humano —favorecida por los medios de comunicación e internet— ha estimulado a muchos historiadores a ensayar una historia global.

De todos modos, antes de introducirme en el comentario de esta nueva perspectiva historiográfica, quisiera anotar algunos precedentes. En efecto, la necesidad imperiosa de pensar globalmente la historia y de enfrentarnos con la mundialización en la que estamos inmersos es un fenómeno nuevo, aunque ha tenido antecedentes importantes. Para ilustrar estos precedentes, aduciré dos citas sobre la conciencia de (una primera) mundialización que proceden del siglo xvi.

El gran humanista erasmiano Juan Luis Vives escribía en 1531 que verdaderamente «el mundo se ha abierto a la especie humana».[2] En Vives, el impacto del encuentro de los europeos con pueblos desconocidos hasta entonces se aliaba con una visión universalista de la historia alentada por el cristianismo. Pocos decenios más tarde, el gran pensador francés Jean Bodin expresaba una idea muy similar: había nacido una república universal. Se ha creado una re-

---

1 Este capítulo es una reelaboración sintética de mi ponencia «El proceso hacia la globalización y el cambio de perspectiva historiográfica», presentada en las VIII Conversaciones Internacionales de Historia organizadas por la Universidad de Navarra, sobre el tema «Historia y globalización» (octubre 2010). Las ponencias de ese encuentro se hallan en fase de publicación.

2 Vives, Johannes Ludovicus: *De disciplinis, libri XII: septem de corruptis artibus; quinque de tradendis Disciplinis.* Nápoles, Ex Typografia Simoniana, 1768 (ed. orig. 1531). Accesible on-line en http://bivaldi.gva.es (Biblioteca Valenciana Digital, Generalitat Valenciana).

pública universal, escribe Bodin, en la que se vinculan todos los hombres «como si no formasen más que una única ciudad».[3]

Quizá los historiadores españoles, en los últimos decenios, nos hayamos dejado deslumbrar demasiado por la dimensión europea —por las connotaciones de modernidad democrática que tenía el concepto «Europa»— y hayamos desatendido las dimensiones mundiales, o cuando menos transcontinentales, constitutivas de la propia monarquía hispánica.[4] Me ha ratificado en esta percepción la lectura de *Les quatre parties du monde. Histoire d'une mondialisation,*[5] una obra escrita por el francés Serge Gruzinski, quien desarrolla ampliamente la tesis de que existió una primera mundialización ibérica. En la época del Renacimiento tardío, la experiencia de una primera mundialización supuso una enorme ampliación de campo a la hora de reflexionar sobre la plasticidad limitada de la naturaleza humana. El conocimiento de todo un abanico de culturas amerindias demandaba ya una nueva lectura de la historia humana, como reclamó Bodin.

A principios del siglo XXI, cuando experimentamos una interdependencia entre los pueblos mucho más intensa, somos conscientes de la necesidad de reflexionar con responsabilidad sobre nuestra mutua vinculación y de abordar la historia con una perspectiva más amplia. Hoy, en mucha mayor escala que en el siglo XVI, formamos una cuasi república universal. Constituimos, por ejemplo, una república universal de internautas y de productores-consumidores (*prosumers*). También tenemos mayor conciencia de nuestra común dependencia y responsabilidad con respecto al entorno natural que compartimos (o disputamos). La vivencia del entreveramiento planetario empieza a espolear a los historiadores a buscar un prisma de lectura del pasado que amplíe el sujeto histórico a la humanidad en su conjunto y a delinear un marco metodológico-conceptual que permita investigar el proceso de convergencia entre pueblos y civilizaciones que ha derivado en el estado de interdependencia mundial de principios del tercer milenio.

---

3 BODIN, Jean: *La méthode de l'histoire.* Edición y traducción de P. Mesnard. París / Argel, Belles-Lettres, 1941.

4 SÁNCHEZ MARCOS, F.: «Conquista de las Malucas (1609): Texto y contexto de una historia marítima», en GARCÍA HURTADO, M. R., y REY CASTELAO, O. (eds.): *El mar en los siglos modernos/ O mar nos seculos modernos,* t. II. Santiago de Compostela, Xunta de Galicia, 2009, p. 686.

5 GRUZINSKI, Serge: *Les quatre parties du monde. Histoire d'une mondialisation.* París, La Martiniere, 2004.

10.2. Testimonios del giro globalizador en la historiografía

De forma similar a como he hecho en capítulos previos, tomaré como punto de partida para vislumbrar la evolución historiográfica los Congresos Internacionales de Ciencias Históricas (CICH), que se celebran cada cinco años.[6] En el más reciente de ellos (Ámsterdam, 2010) se celebraron numerosas sesiones, con distintos formatos, dedicadas a las temáticas de la *global history,* la *global perspective* y la relación entre historias nacionales e historia global. Sin embargo, no era esta la primera vez que esas problemáticas aparecían de manera destacada en los mencionados Congresos. Ya diez años antes, en el XIX CICH (Oslo, 2000), uno de los tres *major themes* (temas principales) fue «Perspectives on Global History: Concepts and Methodology / Mondialisation de l'histoire: concepts et méthodologie». Ese gran tema se desglosó, a su vez, en dos secciones. Comentaré brevemente cada una de ellas.

El título y el contenido de la sección primera, «Is Universal History Possible?», me invita a hacer algunas observaciones. La primera es que, de facto, resulta borrosa, cuando no inexistente, la delimitación entre historia global e historia universal. Al menos, si juzgamos por el empleo indistinto que hacen de esos términos con frecuencia el organizador de esa sesión y autor de la introducción a las comunicaciones (Patrick O'Brien) y el *discussant* (Alexander Chubarian).[7]

Para el citado historiador británico, fueron las terribles destrucciones y el shock cultural que ocasionaron las dos guerras mundiales del siglo xx las que favorecieron el redescubrimiento y la nueva escritura de historias de la humanidad.[8] Este programa fue dirigido por un pequeño grupos de académicos y comenzó en el clima de pesimismo y de derribo del consenso liberal que siguió a la Primera Guerra Mundial. Tras esta, Spengler, Toynbee, Sorokin, Wells,

6 Para una visión panorámica del surgimiento y la evolución de estos Congresos, cfr. Erdmann, K. D.: *Toward a Global Community of Historians. The International Historical Congresses and the International Committee of Historical Sciences, 1898-2000*. El libro se publicó en alemán en 1987, pero J. Kocka y W. J. Mommsen lo tradujeron, actualizaron y publicaron nuevamente en 2005 en la editorial Berghahn Books.

7 Cfr. *19th International Congress of Historical Sciences. Proceedings / Actes.* Oslo, University of Oslo, 2000, pp. 3-27.

8 La historia del mundo no era un género nuevo. El propio O'Brien menciona en su panorámica las más destacadas variantes de historia «universal» hasta el siglo xviii (herodotea, estoica, agustiniana, volteriana), así como la posterior aparición del hegelianismo y las sucesivas interpretaciones globales de la historia propias del siglo xix (liberal, marxista, comtiana). Las grandes teleológicas decimonónicas de la trayectoria humana enfatizaron la pujanza, la racionalidad y la hegemonía de Europa.

Mumford y Dawson, entre otros, reescribieron historias universales para ayudar a los europeos a comprender el declive y la barbarie de Occidente. «In contemplating the evolution of humanity as a whole they hoped to find some substitutes for Nietzsche's proclaimed demise of Christianity and rationality.» Pero la pretensión inspiradora de estos autores no consiguió enrolar a la mayoría de historiadores.[9] Tampoco la historia de la humanidad promovida por la Unesco tras la Segunda Guerra Mundial, pese a su saludable enfoque irénico, aportó, según nuestro autor, ningún tipo de nuevo paradigma.[10]

Tras recapitular los logros y las limitaciones de las historias universales anteriores, O'Brien expone las múltiples perspectivas, conceptualizaciones y metodologías empleadas por aquellos que, en los últimos decenios, han abordado la historia global o mundial. El autor se pregunta hasta qué punto han logrado «to cross national frontiers, surmount linguistic, ethnic and cultural barriers to comprehension, cover swathes of territory, include diverse populations and traverse the centuries».[11] Subraya la importancia que ha tenido la experiencia de la globalización en la prolongación y renovación de la *world history*, y remarca el papel de algunas «minor tribes of profesional historians» interesados en temas que trascienden los estados nacionales y Europa.

Asumida la heterogeneidad de concepciones teóricas y de prácticas metodológicas que se cobijan bajo la *world history* o la *global history*, O'Brien pone de relieve algunas direcciones comunes. Destaca, por ejemplo, la extensión de una lectura historiográfica más centrada en las conexiones y comparaciones y menos preocupada por las fronteras nacionales y culturales. Remarca también la conciencia creciente de que toda forma de actividad humana está sujeta a unas importantes constricciones de tipo medioambiental y biológico. Ello ha llegado hasta el punto de que algunos autores, como Christopher Lloyd, propugnan la reunificación de la historia natural y de la historia humana.[12] Finalmente, el historiador británico confía en que una historia global basada en las comparaciones y conexiones entre territorios y ámbitos civilizacionales contribuya a profundizar en la comprensión de la diversidad y la diferencia, facilite una perspectiva suficiente para entender las tendencias hacia la interdependen-

9 O'BRIEN, P. K.: «Is Universal History Possible?...», pp. 7-8.

10 Los seis volúmenes de esta gran *History of Mankind: Scientific and Cultural Development*, auspiciada por la Unesco, fueron publicados entre 1963 y 1976.

11 O'BRIEN, P. K.: «Is Universal History Possible?...», p. 3.

12 Bien clara se manifiesta la aspiración a entrelazar ambas historias en el siglo XVI en el propio título de la *Historia natural y moral de las Indias*, publicada por José de Acosta en 1590.

cia e integración a escala global y permita una apreciación menos etnocéntrica de los múltiples logros de los pueblos humanos.[13]

En ese mismo XIX CICH (Oslo, 2000), el gran tema «Perspectives on Global History: Concepts and Methodology / Mondialisation de l'histoire: concepts et méthodology», fue abordado también en otra sección, bajo el título «Cultural Encounters Between the Continents over the Centuries / Les rencontres culturelles entre continents à travers l'histoire». Tuvo como responsable (y autor del texto introductorio) a Jerry H. Bentley, fundador de la revista *Journal of World History* (1990).

Me parece oportuno resaltar algunas afirmaciones que Bentley escribió en esa ponderada síntesis introductoria. El autor americano repasa los motivos por los que la historiografía fue moldeada *ab origine* dentro de una cosmovisión eurocéntrica que privilegiaba el Estado-nación como ámbito de estudio.[14] La filosofía de la historia hegeliana (con su comprensión de Europa como «*locus* de la genuina historia») y, coetáneamente, la construcción de poderosos estados nacionales en expansión colonial, encaminaron la historia en la dirección apuntada. Bentley destaca posteriormente cómo la nueva perspectiva global no quiere ser una demolición de toda historia nacional, sino una problematización de sus apriorismos acríticos y una superación de sus limitaciones.[15] Este historiador remarca, finalmente, la gran importancia que han tenido en los estudios de historia global, llevados a cabo desde el decenio de 1960, el trabajo de sociólogos, antropólogos, economistas y politólogos, a veces más atrevidos que los historiadores.[16]

Como historiador de la historiografía, subrayo que puede establecerse un paralelismo entre esta contribución, remarcada por Bentley, de otros científicos sociales al surgimiento de la historia global (en los últimos decenios del siglo XX) y un fenómeno análogo anterior: la influencia que destacados sociólogos y economistas tuvieron en el nacimiento de la renovación historiográfica nucleada en torno a la revista *Annales* en los primeros decenios del siglo. Hay una gran figura que puede tomarse como engarce entre ambas renovaciones: el geo-historiador francés Fernand Braudel, para quien las teorizaciones sobre la dinámica de las civilizaciones de Spengler y Toynbee fueron, sin duda, un acicate. De hecho, la noción que Braudel utiliza de «préstamos» o «transferencias» culturales lleva implícito el concepto de «encuentro», clave en la historia global.

13 O'BRIEN, P. K.: «Is Universal History Possible?...», p. 18.

14 BENTLEY, Jerry H.: «Cultural Encounters between the Continents over the Centuries / Les rencontres culturelles entre continents à travers de l'histoire», en *19th International Congress of Historical Sciences. Proceedings / Actes.* Oslo, University of Oslo, 2000, pp. 29-43.

15 *Ibidem*, p. 32.

16 *Ibidem*.

Querría comentar una última intervención en el CICH de Oslo. Me refiero a las observaciones significativas que realizó Natalie Zemon Davis en calidad de *discussant* de la sesión que nos ocupa. Davis advirtió que, en el afán por superar el enfoque centrado en Occidente y su auge, la nueva *world history*[17] puede correr el riesgo de convertirse en «the history of non-western places and peoples», convirtiéndose así de nuevo en una historia parcial.[18] Tanto o más importante que la observación anterior es otra pregunta que N. Z. Davis se formula expresamente: «¿es una meta adecuada para la historia global una única *master-narrative* (un relato interpretativo de referencia)?». La respuesta que ella da es negativa. «If a new decentered global history is discovering important alternate historical paths and trajectories, then it might also do well to let its big stories be alternated or multiple. The challenge for global history is to place these narratives creatively within an interactive frame».[19] Aunque entiendo sus reservas frente a estas *master narratives* y las asumo en parte, cabe suscitar una cuestión crucial. ¿Cómo se puede construir ese marco o modelo conceptualmente interactivo, si no se tiene una interpretación, subyacente o explícita, que dé trabazón y sentido al relato de la actividad humana en el mundo desde la perspectiva temporal? Por muy abierta que sea la interpretación/narración que articula la multiplicidad de experiencias de la humanidad, ¿no se necesita un criterio para el diseño de ese *frame*, si no queremos reducir la historia global a un *patchwork* o *collage* de historias?

Doy un salto ahora de un decenio. En el XXI CICH, celebrado en Ámsterdam (2010), el ecúmene de los historiadores ha querido poner en común los resultados obtenidos en las investigaciones de *global history,* esa corriente historiográfica relativamente consolidada ya en algunos países occidentales, especialmente en los Estados Unidos. Entre las diversas sesiones que han tenido lugar en Ámsterdam, quisiera fijarme en una de ellas. Se titulaba en el programa: «National Histories and the Globalization of History» y fue

17 Para remarcar el enfoque diferencial entre una historia global más cercana a la *world history* preexistente y una historia global más concernida por las raíces históricas del fenómeno actual de la globalización, Bruce Mazlish ha propuesto designar a esta última historia como *The New Global History* (Routledge, 2006). De hecho, esta categoría (New Global History) da nombre a una plataforma internacional de historiadores que se define a sí misma como «an initiative that seeks to encourage both theorizing and the carrying out of empirical research concerning the processes of globalization. It attempts to further its mission by employing both a historical (in which history is conceived of in interdisciplinary terms) and a transcultural perspective» (New Global History: www.newglobalhistory.com; 2-12-2001).

18 DAVIS, L.: «Review of Robert W. Fogel *Railroads and American Economic Growth: Essays in Econometric History*», Economic History Services, 2000, p. 46.

19 *Ibidem*, p. 47.

organizada conjuntamente por tres comisiones internacionales. Ello demuestra la relevancia sociocultural que la comunidad de los historiadores
reconoce hoy institucionalmente a esa aproximación global a la historia. Y es
que aquellos que estamos involucrados en el sistema universitario debemos
afrontar un reto claro: ofrecer claves valiosas a nuestros conciudadanos para
entender mejor un mundo extremadamente interdependiente y complejo.
Un mundo en el que la perspectiva nacional, sentimentalmente importante
pues la historia de las mentalidades opera en la larga duración, es insuficien-
te para lograr una adecuada comprensión y una intervención eficaz en la
evolución de la humanidad.

En el congreso de Ámsterdam, más allá de las sesiones específicas dedicadas
a la historia global, se pudo observar cómo, entre las palabras clave de los títulos, se repetía la partícula «trans»; así en «trans»-nacional, «trans»-cultural,
«trans»-continental. Estos términos, como O'Brien ponía ya de relieve en el
año 2000, tienen importantes afinidades electivas con la temática de la historia
global, hasta el punto de que, como se ha hecho notar en una obra reciente,
«algunos estudios usan *globalization* y *transnationalism* de manera más o menos intercambiable».[20]

Desde el observatorio privilegiado de los CICH, pues, podemos afirmar
que existe hoy, entre una parte prominente y significativa de los historiadores,
un compromiso con el giro globalizador o globalizante. Este se manifiesta también de otras maneras, que expondré rápidamente. Una de ellas es la existencia
de unas redes ya articuladas para promover ese enfoque historiográfico. Así la
Network of World and Global History Organizations (NOGWHTO). Otra
manifestación es la aparición de algunas revistas temáticas específicas, hecho
que confiere cierta madurez y una consolidación a un ámbito de estudio. En
los últimos decenios han surgido algunas publicaciones destacadas como *Journal of World History* (1990) y *Journal of Global History* (2006).[21]

---

20 BENTON, Gregor, y GOMEZ, Edmund Terence: *The Chinese in Britain, 1800-Present: Economy,
Transnationalism, Identity*. Basingstoke, Palgrave Macmillan, 2008, p. 7 [trad. del autor].

21 *Journal of World History*, editada por la Hawaii University Press y dirigida por Jerry Bentley, es
la publicación oficial de la World History Association. El *Journal of Global History* lo publica Cambridge University Press y tiene como editores a W. G. Clarence-Smith y K. Pomeranz. En nuestro mundo
de la comunicación digital globalizada, tan importante o más que las revistas en papel son los foros
electrónicos. En este sentido quisiera destacar el fórum multilingüe *geschichte.transnational* (Historia
transnacional). Los responsables de él son investigadores del Instituto de Global and European Studies
de la Universidad de Leipzig y de un grupo francés de investigación sobre Transferencias Culturales del
Centre National de la Recherche Scientifique de París.

10.3. Historia global, poscolonialismo y «subaltern studies»

No es casualidad que sea precisamente en el decenio de 1960 cuando empieza a adquirir cierta relevancia la historia global. En aquel decenio, la mayoría de los países africanos lograron su independencia y se incorporaron a la comunidad internacional de los estados soberanos. La descolonización fue uno de los factores que impulsaron la historia global. El nuevo enfoque historiográfico postulado por esta puede leerse como una reivindicación del papel que las culturas o sociedades diferentes a la europeo-occidental habían desempeñado en la historia mundial; también puede considerarse una denuncia de la visión eurocéntrica de la historia acuñada en el siglo xix, la cual giraba en torno al progreso de la civilización en el mundo a través de la modernización y expansión de los estados nacionales europeos. Más que sujetos con voz propia, las antiguas colonias habían sido objeto de un tratamiento historiográfico que se ocupaba ante todo de cómo se había realizado la dominación modernizadora europea en ellos, dominación que quedaba así (de forma más o menos explícita) legitimada. A esta denuncia de cierto colonialismo historiográfico europeo contribuyeron en buena medida tanto la influencia del marxismo (en distintas variantes) como el clima de relativismo cultural propiciado por intelectuales norteamericanos y europeos (Clifford Geertz o Michel Foucault, por ejemplo).

Tras recordar ese contexto, podemos entender bien que la historiografía propugnada desde antiguas colonias europeas, como la India o Palestina, haya querido dar la palabra a otra interpretación de la historia, surgida en esos países desde el propio bagaje cultural y desde la propia percepción de su situación económico-social, sin adoptar necesariamente los patrones historiológicos europeo-occidentales clásicos. Aludiré brevemente a varias obras que han sido importantes referentes para los enfoques poscoloniales. Una de ellas es la del historiador palestino Edward Said, cuyo *Orientalism* (1978) ha tenido una gran repercusión en los decenios posteriores sobre las relaciones (de encuentro y/o confrontación) entre civilizaciones y una buena acogida, en general, también en Occidente.[22] *Orientalism* estudia y denuncia la imagen y el discurso sobre Oriente Próximo y Oriente Medio construidos por los especialistas occidentales. Una representación, según él, fundamentalmente falseada y creada con intenciones de dominio.

---

22 Una prueba de la repercusión posterior que ha tenido *Orientalism* es que haya constituido un reto para publicaciones con el título de *Occidentalism*. El libro escrito por Ian Buruma y Avishai Margalit, *Occidentalism* (2003), tiene un subtítulo bien explícito, *The West in the Eyes of its Enemies*.

La revista *Subaltern Studies* (fundada en 1982 por el historiador indio Ranahit Guja) ha sido otro referente importante para los enfoques historiográficos poscoloniales. El título de esta revista se inspira en el concepto gramsciano de «clases subalternas». A lo largo de los últimos años, la publicación ha pretendido rescatar el protagonismo activo de los diferentes grupos étnicos de la India, con especial atención a la gente común (fundamentalmente campesina) en la configuración de la historia del país y de su independencia, sin reducir este protagonismo a la élite burguesa britanizada.[23] Otro de los historiadores emblemáticos en los estudios poscoloniales es Ashis Nandy, también indio, quien adopta una posición muy crítica respecto a la modernidad secular de Occidente como contraria a las tradiciones culturales y populares de la India.

10.4. ALGUNOS ENFOQUES CONCEPTUALES PARA ESTUDIAR EL PROCESO HACIA LA GLOBALIZACIÓN: HISTORIA GLOBAL E HISTORIA TRANSNACIONAL

Una vez apuntado el arraigo de la historia universal en la tradición historiográfica y atestiguado el particular resurgir de la historia global en los últimos decenios —no como una recuperación sino como una recreación original de este género histórico—, dedicaré las próximas páginas a presentar y comentar diversas formas de entender el proceso de globalización o hacia la globalización. Los modos distintos de entender «lo global» y «la globalización» condicionan, como es lógico, la aproximación que realizan los historiadores a la «historia global». Precisaré también el matiz de enfoque y de motivación que distingue a esta de la «historia transnacional».

Abramos nuestro recorrido constatando qué entiende por *global history* el profesor japonés Shigeru Akita:[24]

In Osaka we use the term «global history» to refer to a kind mega-regional history in the context of the formation and development of a capitalist world-economy

23 Cfr. IGGERS, George: *A Global History of Modern Historiography*. Londres, Pearson Longman, 2008, pp. 284-290. Tenemos un eco del interés que proyecto de R. Guha ha despertado en América Latina en el relativamente extenso tratamiento que el historiador mexicano Guillermo Zermeño hace de aquel en *La cultura moderna de la historia: Una aproximación teórica e historiográfica*. México, Colegio de México, 2004, pp. 120-128.

24 Shigeru Akita, profesor en la Universidad de Osaka, ha sido uno de los miembros de GEHN (The Global Economic History Network). Inició en 2003 el Osaka Global History Project (www.globalhistoryonline.com).

or the formation of the Modern World-System. An important aspect of global history is the history of formation of mutual interdependence or interconnectedness among the various regions or areas in the world under the framework of a capitalist world-economy. The key concepts of global history are «comparison» and «connection or relationship».[25]

En esta definición hay varios aspectos que me parecen relevantes. Por una parte, Akita coincide con las explicaciones de O'Brien y Bentley anteriormente aducidas, al mencionar como claves los conceptos de *connection* y *comparison*. Otro aspecto destacable es el marco teórico (o *frame*) de referencia. Akita propone una forma de aproximarse a la globalización con claras resonancias de la obra de Immanuel Wallerstein, *The Modern-World System*.[26] A pesar de la parte de verdad que encierra y de su utilidad, me parece posible apreciar en él un doble reduccionismo. Por una parte, deja en la penumbra los aspectos culturales que están implicados también en la globalización. Por otro lado, el marco de Akita es parcial porque serviría, en todo caso, para las etapas en las que los países occidentales han destacado claramente como agentes activos, es decir, para la etapa 1500-1945/1989, pero no hace justicia al importante papel que en la más reciente globalización están desempeñando sociedades como China o algunos países islámicos. Parece que la fórmula conceptual de Akira se limita a igualar la globalización con la formación y expansión de un sistema capitalista que es, ante todo, el escenario de la dominación occidental.

Como base conceptual, sin encontrarla totalmente satisfactoria, me hallo más próximo a la noción de globalización propuesta por Carlo Galli, probablemente más comprehensiva y abarcante. En un ensayo titulado «La humanidad multicultural», Galli se refiere a la globalización como un amplio conjunto de transformaciones, que no se agota en la construcción gradual de un sistema mundial capitalista hegemonizado por Occidente. Para él, la globalización es «el recíproco confundirse, el entrelazarse y el contaminarse (con intensidad variable en las diversas áreas del planeta) de las culturas tradicionales con los impulsos ultramodernos y posmodernos del Occidente en expansión». Queda claro el especial papel activo de Occidente, pero se incide también en

---

25 Akita, Shigeru: «What to expect from a Dictionary of Transnational History from a Global Economic History Perspective?», Accessible on-line en www.transnationalhistory.com/discussions (consulta, 28-02-2011; p. 1).

26 Cfr. Wallerstein, Immanuel: *The Modern World-System*, I. Nueva York, Academic Press, 1974 (en 1980 y 1989, vols. II y III).

las transformaciones que este entrelazamiento de culturas comporta para todas ellas, sin excluir a la occidental. Asimismo, esta comprensión del fenómeno de la globalización como proceso refleja algo importante: el desigual grado de afectación que ha significado para los distintos países.

La aproximación a la globalización de Galli (y en menor medida, la *global history* propuesta por Ahita) parece fijar su atención ante todo en la explicación de la globalización en su estadio actual. En ese sentido, como observó ya Frank Ankersmit en 2007, la *global history* viene a ser una historia del mundo actual, una *Zeitgeschichte*.[27] En las siguientes páginas, sin embargo, no solo trataremos sobre cómo se ha escrito la historia global en su dimensión más reciente, sino también sobre cómo se ha tratado y cómo se debe abordar la historia del proceso hacia la globalización,[28] entendiendo esta en un sentido más lato que la historia del mundo actual, en un sentido más próximo a la dilatada historia de la mundialización, sin caer en un reduccionismo economicista.[29]

Junto a los términos de «historia global» o «historia mundial», han aparecido otras categorías que apuntan en una dirección similar y pueden englobarse en el mismo campo semántico, aunque su sentido y su motivación es algo distinta. Me detendré a desgranar un término que puede tener recorrido historiográfico en el futuro. Me refiero a la «historia transnacional». Según se podía leer en la plataforma académica franco-alemana *Geschichte.Transnational*, este concepto abarca un amplio espectro de enfoques o aproximaciones metodológicas que se dedican al análisis de los encuentros, traspasos de fronteras e intercambios entre diferentes culturas o sociedades.[30]

---

27 ANKERSMIT, Frank: «What is wrong with world history from a cosmopolitan point of view», en *International Conference on New Orientations In Historiography: Regional History and Global History*, Shangai, East China Normal University, *Papers*, 2007, pp. 8-15.

28 Esta doble vertiente de la Globalización, como «A Diagnosis of the Present and a Term for a Historical Process» queda expuesta ya en el propio índice de la excelente obra panorámica escrita por OSTERHAMMEL, J., y PETERSON, N.: *Globalization. A Short History*. New Jersey, Princeton University Press, 2005 (ed. orig. *Geschichte der Globalisierung. Dimensionen, Prozesse, Epochen*. Múnich, 2003).

29 Tal vez una buena brújula para ir en pos de una lectura global, universalista y cosmopolita de la historia es la que nos suministra Frank Ankersmit con su propuesta interpretativa de una famosa frase de Ranke: «Jede Epoche is unmittelbar zu Got» ('Cada época es equidistante de Dios'). El sentido de ese pensamiento de Ranke, nos aclara Ankersmit, no se refiere solo a cada época, sino también a cada nación o pueblo y a los individuos que componen estos. Este dicho, por otra parte, está muy en consonancia, aunque no sea idéntico, con un dicho español para invocar el principio de reconocimiento de la igualdad de los derechos como personas: todos somos hijos de Dios.

30 En el texto introductorio de este foro, se asegura que «la historia transnacional puede ser investigada como una densificación de las relaciones, del creciente influjo de los procesos de globalización en los desarrollos locales, regionales y nacionales, y como una duradera y operativa dialéctica de des-territorialización y re-territorialización en la economía, la política, las relaciones sociales y la cultura». Cfr. Fórum digital *Geschichte.Transnational*: http://geschichte-transnational.clio-online.net, 07-12-2011 [trad. del autor].

En la historia global, pensada en gran parte por anglosajones, no es difícil adivinar la exigencia de un nuevo enfoque en la lectura de la evolución de la humanidad. Esta relectura se hace apremiante en el momento en que Occidente ha dejado de ser el gran agente de transformación histórico que parecía señorear en solitario aquella evolución. En la historia transnacional, cuando es practicada por historiadores europeos, late otro desafío específico: la conciencia de la necesidad de superar el ídolo del Estado-nación (al que se le sacrificó tanta sangre) para contribuir a la construcción de una Europa unida y para lograr la reconciliación entre naciones que han estado reiteradamente enfrentadas. Para ello es imprescindible la relectura conjunta (transnacional) de la historia y el estudio de las transferencias culturales entre países.[31]

Resulta conveniente aclarar que, desde luego, la historia transnacional no es un enfoque exclusivamente europeo. Basta remitir a la nómina de especialistas que presentaron las comunicaciones con esa mención, antes citadas, en el reciente CICH de Ámsterdam. De hecho, en los recientes debates en torno al modo de entender la historia transnacional y el transnacionalismo están desempeñando también un papel destacado historiadores y científicos sociales asiáticos. Una buena ruta de acceso a estos debates la ofrece la introducción al estudio monográfico llevado a cabo recientemente por Gregor Benton y Edmund T. Gomez (2008), *The Chinese in Britain, 1800-Present: Economy, Transnationalism, Identity*. Esta investigación ha sido publicada en una colección temática específica: Palgrave Macmillan Transnational History Series.

Según Benton y Gomez, «transnacional», aplicado originariamente a una corporación empresarial, es un concepto relativamente reciente, empleado por primera vez en 1993 por el historiador japonés Mashao Miyoshi. Él lo acuñó en relación con el capitalismo al tratar de explicar la evolución de las corporaciones o conglomerados empresariales desde su estatus de multinacionales al estatus de transnacionales. Para Miyoshi, lo específico de una empresa transnacional es que ya no está ligada a su nación, sino que es móvil. Se encuentra desanclada, dispuesta a establecerse en cualquier lugar y explotarlo siempre que ello sirva a sus intereses.[32]

---

31 En este sentido se han orientando, por ejemplo, las obras de Michel Espagne, como *Les transferts culturelles franco-allemands*. París, Presses Universitaires de France, 1999.

32 BENTON, G., y GOMEZ, E.T.: *The Chinese in Britain...*, p. 5, citando a Miyoshi, «A Bordersless World? From Colonialism to Transnationalism and the Decline of Nation State», *Critical Inquiry*, 19, 4, pp. 726-751.

Nos encontramos nuevamente ante un enfoque eminentemente economicista. Benton y Gomez nos dan a conocer también cómo se abordado la temática de la transnacionalidad por parte de especialistas en cuestiones migratorias e identitarias, quienes han puesto un mayor énfasis en los aspectos culturales. En concreto han sido tres autoras, Linda Basch, Glick Schiller y Cristina Blanc-Szanton las que, al investigar sobre los comportamientos e identidades de los emigrantes llegados a los Estados Unidos, han llamado la atención sobre la complejidad de la noción de «pertenencia» de esos emigrantes. Fruto de sus estudios, han redefinido el transnacionalismo como «the processes by which immigrants forge and sustain multi-stranded social relations that link together their societies of origin and settlement».[33] Las mencionadas relaciones sociales —que constituyen un puente sobre fronteras— incluyen las relaciones familiares, económicas, sociales, organizativas, religiosas y políticas. Este enfoque confluye, en buena medida, con las conceptualizaciones sobre el hibridismo cultural y la creolización que ha sostenido recientemente Peter Burke.[34]

La historia global y algunos otros nuevos enfoques historiográficos muy próximos, como la historia transnacional, no son solo hoy propuestas metodológicas renovadoras. Con la finalidad de mostrar que los trabajos desde la perspectiva de la historia global están adquiriendo ya cierta decantación, al menos en algunos países, mencionaré uno de los más prestigiosos manuales. Aludo al de Jerry Bentley y Herbert Ziegler, *Tradition and Encounters. A Global Perspective on the Past*. Se trata de un texto convertido, como síntesis de múltiples investigaciones propias y ajenas, en un clásico. En cierto sentido, es un intento de escribir una «historia de la humanidad» pero desde una perspectiva global, sin tomar como punto de referencia a ninguna civilización en particular, sino partiendo de la humanidad en su diversidad como sujeto de análisis y centrando la atención en las progresivas convergencias de las diversas civilizaciones.

Bentley y Ziegler distinguen siete grandes etapas en largo proceso histórico hacia la globalización o mundialización. A lo largo de mi actividad investigadora, he tenido ocasión de comprobar las insuficiencias de la periodización europea tradicional cuando se quieren llevar a cabo comparaciones intercivilizatorias.[35] Ello me lleva a valorar especialmente el esfuerzo de Bentley y Zie-

---

33 BENTON, G., y GOMEZ, E.T.: *The Chinese in Britain...*, p. 6. La nota remite a BASCH, L.; GLICK-SCHILLER, N., y BLANC-SZANTON, C.: *Nations Unbound: Transnational Projects, Postcolonial Predicaments and Deterritorialized Nation States*. Basilea, Gordon and Breach, 2005, p. 7.

34 BURKE, Peter: *Hibridismo cultural*. Madrid, Akal, 2010.

35 Abordé esta cuestión en SÁNCHEZ-MARCOS, F., y SÁNCHEZ COSTA, F.: «Identities, Memories and Street Names in Barcelona, Lima and Manila», en *International Conference on «New Orientations in Historiography», Papers*. Shanghai, East China Normal University, 2007, pp. 134-160.

gler. Su propuesta tiene el aval de haber logrado exponer con cierto detalle las diversas etapas de cada una de las sociedades más relevantes en la historia mundial y, al mismo tiempo, privilegiar la perspectiva de los contactos y de los encuentros (pacíficos o violentos, transculturales e incluso transcontinentales) que han ocurrido desde el año 3500 a.C. hasta la actualidad.[36]

En la primera parte de *Tradition and Encounters* se expone la evolución de «The Early Complex Societies, 3500 to 500 B.C.E.». Puesto que para un historiador el umbral de la escritura es decisivo, yo remarcaría en esta etapa, a nivel global, la importancia que se le debe otorgar a la escritura china, tanto por su precoz aparición y por su continuidad como por constituir un logro cultural llamado a tener importante difusión.

«The Formation of Classical Societies, 500 B.C.E. to 500 C.E.» es el título escogido para el segundo periodo. Su narrativa abarca expresamente las sociedades de Persia, China, India y de las asentadas en la cuenca mediterránea (el autor distingue una fase griega y otra latina en la cultura clásica europea). Bentley y Ziegler remachan que si bien los imperios clásicos de Roma y China no se encontraron de forma tan directa como lo hicieron la sociedad helenística y la India, los dos grandes imperios pacificaron amplias franjas de Eurasia y del norte de África, facilitando así la actividad comercial de larga distancia.[37] Me pregunto si no deberían haber dedicado algo más de atención los autores al cristianismo, dado su potencial expansivo transcultural y transoceánico.

Al hilo del repaso que estamos haciendo de las épocas en que Bentley y Ziegler jalonan la historia de la humanidad, voy a permitirme un breve excursus, relacionado con la historiografía de la época clásica. Hubo entonces dos historiadores y un filósofo que se plantearon el tema de la historia universal. Uno de los historiadores pertenece al mundo grecorromano. Fue Polibio de Megalópolis (siglo II a.C.), el cual acuñó el término «historia universal». El otro fue el historiador chino, casi coetáneo de Polibio, Sima Qian. Daniel Woolf ha

---

36 Cabe advertir que la opción de extender este enfoque global desde los inicios de la historia no es la única posible. Otros autores que han hecho historia de la globalización han adoptado una temporalidad más acotada. Así, en concordancia con Immanuel Wallerstein, Jürgen Osterhammel y Niels P. Peterson prefieren comenzar su recorrido en torno a 1500 d.C. y considerar las etapas anteriores como la prehistoria de la globalización (cfr. OSTERHAMMEL, J., y PETERSON, N. P.: *Globalization: A Short History*. Princeton, Princeton University Press, 2005). Bruce Mazlish, por su parte, en *The New Global History*..., restringe la historia de la globalización al periodo histórico posterior a la Revolución industrial y a los viajes en buques a vapor.

37 BENTLEY, Jerry H., y ZIEGLER, Herbert F.: *Traditions and Encounters: A Global Perspective on the Past*. Boston, McGraw Hill, 2009, p. 288.

realizado un análisis comparativo entre ambos.[38] Sima Qian se propuso, siguiendo los principios confucianos, transmitir la tradición y las historias del pasado, a fin de que sus lectores pudieran extraer sabiduría para la vida.

En el caso de Polibio, cabe pensar que hubo dos motivos, al menos, que favorecieron su aspiración a una historia universal, en cierto sentido transcultural. Un motivo fue su propia experiencia vital, ya que el historiógrafo vivió a caballo entre la cultura griega y la cultura romana. Otra razón es la influencia que recibió de la filosofía universalista estoica, una filosofía en la que historias humanas aparecen enlazadas por la fuerza de una razón universal o *Tyché*. Por otro lado, el filósofo cristiano que nos ofrece una interpretación universalista, teleológica y teológica de la historia es Agustín de Hipona. San Agustín, otro hombre de encrucijada, escribió, en un momento traumático para el Imperio romano de Occidente, una interpretación holística de la historia humana en su conocida obra *La ciudad de Dios*.[39]

La parte tercera de *Tradition and Encounters* está dedicada a la «The Postclassical Era, 500 to 1000 C.E.», «a period of major readjustment for societies throughout the eastern hemisphere». En ella se alude especialmente, por un lado, a la expansión islámica y se exponen los contactos entre el islam y las tradiciones culturales de Persia, India y Grecia. Destaca también la atención que se concede a lo que se llama Commonwealth of Bizancio. Solo quisiera añadir al respecto que, sin duda, en la larga duración (perspectiva básica en una historia global), la frontera entre el alfabeto latino y cirílico, con sus zonas de oscilación posterior, ha constituido siempre una articulación muy importante entre dos áreas culturales básicas en Europa.

La cuarta parte del libro se destina a seguir «An Age of Cross-Cultural Interaction, 1000 to 1500 C.E.». Esta época corresponde en la tradicional periodización occidental a la época de plena Edad Media y de inicios del Renacimiento. Fue una era en la que se afirmó el dominio de los pueblos nómadas turcos y mongoles en el hemisferio oriental sobre las sociedades asentadas y se produjo el establecimiento de vastos imperios transregionales desde China a Europa oriental. En el seguimiento de las interacciones o encuentros entre sociedades diferentes que se efectuaron en esos cinco siglos, descritas por Bentley, no es ocioso resaltar las travesías que llevó a cabo la flota imperial china

---

38 WOOLF, Daniel: «From Symploke to the Shiji: On the Comparison of Global Historiographies», en *International Conference on «New Orientations in Historiography: Regional History and Global History»; Papers*. Shanghai, East China Normal University, 2007, pp. 46-54.

39 Sobre *La Ciudad de Dios* y la interpretación temporalista a la que se vio sometida en la Edad Media, he escrito con detalle en *Invitación a la Historia. De Heródoto a Voltaire*. Barcelona, Idea Books, 2002 (3.ª ed.).

hasta las zonas costeras africanas del Índico en el primer tercio del siglo xv, así como los dilatados viajes que realizó Ibn Battuta, un polifacético musulmán nacido en Tánger, a mediados del siglo xiv. En uno de estos, cuyos relatos (*Rihla*) poseemos, Ibn Battuta llegó hasta China. En la misma sociedad islámica surgió en el siglo xiv una obra que podría considerarse una propuesta interpretativa para la historia universal, en la que se combinan la clave teológica y una explicación de la dinámica sociológica. Me refiero a los *Prolegómenos* que el historiador y filósofo tunecino Ibn Jaldún (1332-1406) escribió a su historia universal.

En el libro *Tradition and Encounters*, la quinta era de la historia global de la humanidad se denomina «The Origins of Global Interdependence» y se acota entre «1500 to 1800». Volveré unas páginas más adelante sobre este periodo decisivo. Por el momento, me limitaré a destacar que encuentro acertada la forma en que Bentley y Ziegler combinan el reconocimiento de la importancia que tuvieron los grandes viajes marítimos emprendidos por iniciativa de los europeos (en la época de cierto despegue de Occidente, como decía Delumeau) con la advertencia que los autores nos hacen de que en esos siglos «European peoples did not dominate worlds affairs».[40] Merece la pena poner también de relieve que, al tratar estos «Origins of Global Interdependence», el libro sigue un enfoque interdisciplinar que incluye, por ejemplo, los intercambios biológicos, de consecuencias tan negativas para las poblaciones americanas.

Según la partitura interpretativa de Bentley y Ziegler, el sexto escalón de la macrohistoria humana puede ser definido como «An Age of Revolution, Industry and Empire, 1750 to 1914». Los autores dan una gran importancia a esta era en cuyo momento final, en vísperas de la Primera Guerra Mundial, «European and their descendants in North America dominated global affairs to an unprecedented extent, exercising political and economic control over peoples and their lands in east of Asia, nearly all of Africa, the Americas, the Pacific Islands».[41] Esta situación se explica como el resultado de tres grandes transformaciones interconectadas experimentadas por Occidente entre 1750 y 1914: las revoluciones políticas atlánticas que llevaron a la formación de naciones Estado con gran poder de movilización popular, las grandes transformaciones tecnológicas y económicas que favorecieron el surgimiento de una eficiente socie-

---

40 Para ilustrar esta multipolaridad a escala mundial, los autores aducen que «a principios del xvii, por ejemplo, el estudioso William Bedwell describió la lengua árabe como la única lengua importante de comercio, diplomacia y religión desde Marruecos hasta el mar de China» (Bentley y Ziegler: *Traditions and Encounters...*, p. 773 [trad. del autor]).

41 Bentley y Ziegler: *Traditions and Encounters...*, p. 994.

dad industrial y la voluntad de expansión colonial amparada en la fortaleza de su marina.

No es casualidad, desde luego, que la optimista interpretación ilustrada de la historia, emblematizada por Voltaire a mediados del siglo XVIII y, más aún, algunos decenios después por Condorcet, se escriba casi coetáneamente a la aparición del neologismo *civilisation* (preferentemente, entonces, en singular) y a la percepción en Occidente de que se estaba viviendo un despliegue (que se esperaba ininterrumpido) de la racionalidad dominadora.[42]

La última parte del libro *Tradition and Encounters* se titula «Contemporary Global Realignments, 1914 to the Present». En páginas anteriores, se ha subrayado la enorme importancia que tuvo la Gran Guerra de 1914-1918 como hito en la historia mundial. Entre otras consecuencias, la Primera Guerra Mundial (que fue también una terrible guerra civil europea) desencadenó la quiebra de la visión optimista y racionalista de la historia, entendida como progreso inevitable. Las trágicas experiencias totalitarias posteriores, especialmente las del nazismo y el estalinismo, contribuyeron a incrementar dicha desconfianza. Las décadas posteriores a la Segunda Guerra Mundial estuvieron ampliamente dominadas por la política de la Guerra Fría y por el gran movimiento de emancipación nacional frente a las potencias colonizadoras. Al final, «borders created by the bipolar world and European empires dissolved and reshaped the world landscape».

10.5. Primera mundialización y globalización actual: consideraciones desde una aproximación comparativa

Haciendo un pequeño paréntesis en el recorrido por la historia de la historiografía que venimos realizando, voy a permitirme un pequeño *excursus* analítico y reflexivo dirigiendo una mirada comparativa hacia dos de las fases que Bentley y Ziegler distinguen. La primera es aquella cuyo principio unificador queda designado como «los orígenes de la interdependencia global, 1500-1800». Más concretamente me concentraré en el periodo 1492-1640, que cubre buena parte del proceso que Pierre Chaunu denomina, con una terminología original y sugestiva, el «desenclavamiento planetario».[43] Es el tiempo en que tiene lugar

---

42 Sobre la filosofía ilustrada de la historia como espejo de una sociedad confiada, cfr. SÁNCHEZ MARCOS, F.: *Invitación a la historia...*, 2002, pp. 177-179. El contrapunto y las objeciones que Herder opuso a esta interpretación volteriana y a la dominación colonial europea, en *Ibidem,* p. 198.

43 Cfr. CHAUNU, Pierre: *La expansión europea*. Barcelona, Labor, 1972 (ed. orig. *L'expansion européenne du XIIIᵉ au XVᵉ siècle*. París, 1969).

una primera mundialización y en la que comienzan a ser interdependientes, para retomar un título de Serge Gruzinski ya mencionado, «les quatre parties du monde» (todas, excepto Australia y otras islas de Oceanía).

El segundo periodo que escogeré se ubica en la era final, de 1914 hasta el presente, el tiempo de los «Contemporary Global Realignments», tal como los denominan Bentley y Ziegler. En este caso me centraré, a afectos comparativos, en la época actual en un sentido bastante acotado, la época en la que se ha operado la reconfiguración e intensificación de la interdependencia global, desde el fin de la Guerra Fría en 1989 hasta la actualidad. Se trata de una veintena de años que coincide en gran medida con la época de la globalización en su sentido más restringido, por cuanto es un proceso con un alto grado de desarrollo y del cual hay ya una explícita conciencia analítica entre los historiadores y otros especialistas en el estudio de los cambios sociales, así como un intenso debate público en cuanto a su balance.

Anotemos algunas diferencias sustantivas entre la primera mundialización y la globalización actual. Una de estas radica en la muy diferente escala de la magnitud cuantitativa de estos fenómenos o procesos. La magnitud es mucho mayor en la globalización actual que en la primera mundialización, tanto si tenemos en cuenta el número de personas afectadas, los bienes físicos intercambiados o la extensión de las áreas geográficas concernidas. Dejando al margen el salto inconmensurable en el volumen de los intercambios económicos, esta diferencia de escala puede constatarse, por ejemplo, en el ensanchamiento exponencial que ha vivido la esfera pública en la actual globalización. Los actuales porcentajes dejan reducido a un miniforo los pocos miles de eruditos que constituían en el siglo XVI la república de las letras europeo-occidental.

Partiendo de esta constatación, me gustaría sugerir un enfoque para aproximarnos a la globalización. En él, incorporo la tendencia actual a considerar los movimientos culturales prácticas sociocomunicativas diferenciadas. Así, por ejemplo, la Ilustración empieza a entenderse como un sistema de prácticas culturales (con circulación intensificada de libros, creación de periódicos y consolidación del francés como *lingua* franca) que potencia el surgimiento de una esfera pública en la que interviene un núcleo mucho más extenso e interclasista que en épocas anteriores. Análogamente, me pregunto, ¿no podríamos considerar la globalización también, en buena medida, como otro sistema comunicativo o una práctica cultural en el que la circulación de textos (con preponderancia del inglés) y, más aún, la circulación de representaciones visuales, se extiende instantáneamente mediante internet y hace surgir una iconoesfera pública mundial? Sin duda, esta iconoesfera está enormemente extendida geográfica y demográficamente, aunque no abarque a toda la población del planeta. Cabe añadir que, con respecto a la opinión pública de la Ilustración (sistemáticamente analizada por Habermas), la actual es menos logocéntrica, más icónica y bastante más emocional.

A la hora de contrastar las condiciones de la primera mundialización y de la globalización actual, casi resulta innecesario recordar el enorme cambio de escala en el tiempo necesario para realizar un mismo desplazamiento. Si en la primera mundialización se inició un desenclavamiento planetario, y comenzaron (lenta y fatigosamente) a vencerse las lejanías físicas, en la actual globalización se podría hablar análogamente del inicio de una desterritorialización en las comunicaciones. La cercanía entre personas de áreas geográficas y culturales lejanas puede ser instantánea o casi instantánea, al mismo tiempo que puede producirse una distancia vital considerable entre los que viven físicamente próximos. La influencia de la física y la geografía en la delimitación de las comunidades decrece claramente.[44] El cambio de escala entre las dos mundializaciones que consideramos (la del 1500 y la del 2000, para abreviar) no afecta solamente a la velocidad de los intercambios. Una diferencia patente es la distinta aceleración en el proceso de integración global. La segunda mundialización avanza a un ritmo nítidamente superior.

Otra diferencia de gran importancia entre la primera mundialización y la actual globalización queda definida por el tipo de relación que la humanidad tiene respecto al medio ambiente. En la primera mundialización, el riesgo de que la humanidad pudiera alterar de modo casi irreversible el equilibrio ecológico era casi inexistente. Hoy es un problema real y grave. Capítulos atrás hemos mencionado ya la pregunta que se ha formulado con razón Bruce Mazlish: «what can be more global than the environment?».[45]

Los enormes avances científicos y tecnológicos realizados por la humanidad desde la primera mundialización hasta la globalización actual han hecho posible vencer distancias físicas, producir y distribuir a gran escala, llevar a cabo continuos encuentros e intercambios culturales transnacionales y transcontinentales. Sin embargo, también han abierto la puerta a posibilidades mucho más sombrías, antes inexistentes. En el extremo de estas últimas, se ha hecho posible que la humanidad origine la autodestrucción global de sí mis-

---

44 Sin embargo, a la hora de abordar a fondo el fenómeno de la globalización, es necesario atender también a una dinámica complementaria a la des-territorialización. Me refiero al proceso de «re-territorialización» (empleando un término utilizado en *Geschichte.transnational*) que han implicado los encuentros transnacionales ya desde la primera mundialización y con mayor importancia en la actual globalización.

45 MAZLISH, B.: *The New Global History...*, localización 1711-15/3498 en e-book de Amazon-kindle.

ma. Una hipótesis aún considerada manifiestamente imposible por Kant en sus reflexiones filosóficas de fines del siglo XVIII.

Podemos, finalmente, distinguir diferencias significativas entre la primera y la segunda mundialización por lo que se refiere a los agentes especialmente implicados en ambos procesos. Los principales actores en la primera mundialización fueron las monarquías católicas ibéricas, en estrecha relación con otros países atlánticos entonces emergentes como potencias (Inglaterra y los Países Bajos).[46] Si volvemos la vista a la actualidad, ahora los agentes políticos más efectivos en el proceso de globalización son dos potencias enlazadas por el océano Pacífico: los Estados Unidos y China. Ambos estados son, a diferencia de las monarquías ibéricas de la primera mundialización, países multiculturales y multiétnicos. Aunque es evidente que en cada uno de estos colosos estatales podemos apreciar una tradición cultural dominante, la constitución y realidad actual de ambos países es fruto de transferencias culturales y del entreveramiento —a veces problemático— de tradiciones distintas, fruto de encuentros planetarios anteriores.

Entre los nuevos agentes de la globalización no podemos obviar a las corporaciones o empresas multinacionales o transnacionales. Tampoco podemos desdeñar a las organizaciones de articulación o cooperación internacional, ya sean organizaciones no gubernamentales o instituciones políticas multiestatales (como la ONU o la Unesco). Algunos de estos agentes o entidades son tanto o más importantes que muchos estados (el fortísimo poder de «los mercados» ha quedado patente en la crisis económica iniciada en 2008). Probablemente, dentro de las instituciones que vertebran el mundo global del siglo XXI, podrían incluirse algunas entidades religiosas, como la Iglesia católica (muy importante en la primera mundialización) u otras entidades religiosas de proyección transnacional. Algo más difícil de categorizar —pero sin duda decisivo— como agente de la globalización es el enorme y, en muchos aspectos heterogéneo, conjunto humano transcontinental formado por la comunidad de creyentes del islam.

Querría señalar una última diferencia sustancial entre la primera y la segunda globalización. Me refiero a la distinta autocomprensión que muestran los occidentales de hoy y los occidentales de la primera mundialización con respecto a su papel histórico en el proceso de integración global. Desde luego en el XVI, y todavía más en la época de la Ilustración (pensemos en Condorcet), prevalece una sensación de confianza y de valoración positiva del rol occidental en el mundo. Es verdad que no faltaron en la primera mundialización críticos

---

46 Cabe precisar que el Imperio turco u otomano fue asimismo, desde luego, transnacional y el islam se expandió entre 1500 y 1640 también por Asia.

tempranos de algunos aspectos de aquella actitud expansiva e impositiva (pienso en Bartolomé de Las Casas y en Francisco de Vitoria —sobre cuya posición se elaboró, en parte, el derecho de gentes o derecho internacional— o en el compromiso moral y político de William Williforce para abolir la práctica alienante y terrible de la esclavitud en el Imperio británico). Pero la convicción europea de que, en los encuentros intercivilizatorios, valía mucho más lo que aportaba que lo que recibía de las otras culturas del mundo, se mantuvo en el Viejo Continente desde la primera mundialización e incluso creció hasta el siglo xx. En cambio, durante la actual globalización, esta convicción se encuentra seriamente impugnada. El retraimiento de Occidente no viene solo impelido por las sociedades que podrían temer ser avasalladas, sino que surge de las entrañas de la propia reflexión occidental.

En el tránsito del segundo al tercer milenio, cuando Occidente piensa su papel en la historia del mundo, adopta con frecuencia una actitud que oscila entre un relativismo extremo y cierto complejo de inferioridad ético frente a las «víctimas» de su pasada hegemonía. Esta actitud —comprensible y, en algunos aspectos, razonable— se encuadra en el marco intelectual posmoderno y en el llamado pensamiento *light* o *debole*,[47] y propugna un escurridizo consenso ético de mínimos. Otra postura, que dejo aparte porque merece escasa consideración intelectual, es la de quienes defienden a ultranza la continuidad de la hegemonía político-cultural, económica y militar occidental.

Me interesa más una tercera actitud: la de quienes buscan reconciliar lo mejor de la propia cultura con el reconocimiento de las aportaciones que han hecho (y hacen) otras sociedades a la vivencia de los valores universales de la dignidad humana. Esta apuesta solo será posible mediante una reinterpretación actualizada y creativa de la propia tradición cultural europea, de raíces cristianas, que haga justicia, al mismo tiempo, a la especificidad de cada sociedad o cultura, así como a sus aportaciones a una humanidad cada vez más interdependiente y globalizada. En esa apuesta, quienes nos dedicamos a la historia podemos tener un papel importante, pues las culturas se manifiestan tanto por cierta continuidad a través del tiempo como por su capacidad de transformación y su configuración diferente en cada tiempo; un tiempo que lleva la marca siempre de los encuentros, más o menos inesperados o buscados, que se han producido entre las diferentes sociedades, formadas por personas que compartimos una misma condición humana, mezclada de grandeza y de indigencia existencial.

---

47 El «pensamiento débil» es un concepto acuñado y reivindicado por el filósofo italiano Gianni Vattimo (*Il pensiero debole*, 1983; *El pensamiento débil*, 1988).

Ciertamente el empeño es muy ambicioso. En ese sentido quisiera mencionar brevemente dos referencias que pueden ser orientativas cara a una reflexión futura más elaborada.[48] La primera, y con ella retorno a la época de la primera mundialización, es una cita del historiógrafo José de Acosta, en quien la conciencia de compartir una común dignidad humana se apuntaba, aunque con titubeos. En cualquier caso, Acosta reconocía que «no hay gente tan bárbara que no tenga algo que deba ser alabado, ni tan política y humana que no tenga algo de que enmendarse».[49]

En segundo lugar, reproduciré un extracto de un magnífico discurso del humanista franco-búlgaro Tzvetan Todorov, lingüista, filósofo, historiador y crítico literario. El fragmento procede de la breve intervención que realizó Todorov tras ser galardonado, en 2008, con el Premio Príncipe de Asturias de las Ciencias Sociales. En su concisa intervención, el humanista destacó la ingente circulación de personas en nuestro mundo y subrayó el constante encuentro entre ciudadanos de países distintos. Todorov recordó que, habitualmente, el extranjero, el extraño, el «otro», sigue sufriendo la discriminación explícita o implícita en los países en los que recala. Frente a ello —con palabras en las que resuenan las reflexiones de la escuela de Salamanca o el discurso desgarrado de Shylock en *El mercader de Venecia*—, Todorov afirmó que el grado de civilización de una persona y de un pueblo se mide por su capacidad de reconocer «la humanidad» en el diferente.

Los habitantes de un país siempre tratarán a sus allegados con más atención y amor que a los desconocidos. Sin embargo, estos no dejan de ser hombres y mujeres como los demás. Les alientan las mismas ambiciones y padecen las mismas carencias; solo que, en mayor medida que los primeros, son presa del desamparo y nos lanzan llamadas de auxilio. Esto nos atañe a todos, porque el extranjero no solo es el otro, nosotros mismos lo fuimos o lo seremos, ayer o mañana, al albur

48 Dejo apuntada en esta nota una tercera referencia, que es solo una pista que empiezo a seguir. Se trata de un extenso y denso artículo sobre «Communication between Cultures and Convergence of Peoples: The Role of Hermeneutics and Analogy in a Global Age», publicado dentro del libro *Communication Across Cultures: The Hermeneutics of Cultures and Religion in a Global Age*, editado en 2008 por Chibueze C. Udeani et al. En el texto mencionado, George MacLean, trabajando una gran diversidad de fuentes antiguas y modernas, retoma la rica teorización del gran pensador del siglo XV Nicolás de Cusa sobre una integración «orgánica» del todo, la cual, a la vez, realza la individualidad de sus partes constituyentes. Los principios de diversidad «como contracción» y de *explicatio-complicatio* (de la perfección del Ser) contribuyen mucho al objetivo de ofrecer un salutífero modelo interpretativo para «el pluralismo y la convergencia de las civilizaciones».

49 ACOSTA, José de: *Historia natural y moral de las Indias* [1590]. México, Fondo de Cultura Económica, 1962, p. 319.

de un destino incierto: cada uno de nosotros es un extranjero en potencia. Por cómo percibimos y acogemos a los otros, a los diferentes, se puede medir nuestro grado de barbarie o de civilización. Los bárbaros son los que consideran que los otros, porque no se parecen a ellos, pertenecen a una humanidad inferior y merecen ser tratados con desprecio o condescendencia. Ser civilizado no significa haber cursado estudios superiores o haber leído muchos libros, o poseer una gran sabiduría: todos sabemos que ciertos individuos de esas características fueron capaces de cometer actos de absoluta perfecta barbarie. Ser civilizado significa ser capaz de reconocer plenamente la humanidad de los otros, aunque tengan rostros y hábitos distintos a los nuestros; saber ponerse en su lugar y mirarnos a nosotros mismos como desde fuera.

La actual globalización, aunque a una escala inédita, nos sigue planteando problemas que, en muchos casos, no son sustancialmente distintos a los de la primera mundialización en cuanto a cómo combinar la experiencia de la diversidad de culturas y el diálogo enriquecedor, con la convicción de que hemos de ir en pos de la plenitud de una condición humana compartida. La conciencia de nuestra común finitud e indigencia y la acepción del reconocimiento en el otro, como en nosotros mismos, de nuestra capacidad para aproximarnos, por caminos distintos y libres, a la Verdad, puede ser una buena manera de enfocar el problema. Y la hermenéutica dialógica, en las propuestas de Gadamer y Ricœur, con su aproximación a la cuestión de la traducibilidad de las culturas, puede resultar una invitación fructífera. Pero el diálogo civilizatorio verdadero y sincero —si no quiere ser charlatanería indiferente— solo es posible cuando se realiza con la pauta que daba el gran poeta Antonio Machado en esos versos formidables, por lo que dicen y por lo que sugieren: «Tu verdad, no, la verdad; y vente conmigo a buscarla; la tuya, guárdatela».

Cultura histórica y memoria en el mundo actual[1]

11.1. Introducción

Este último capítulo temático, como ya se anticipó en la introducción, tiene un contenido diferente a los anteriores. Más que de la investigación y escritura de la historia realizada por la academia (por docentes e investigadores profesionales), nos ocuparemos ahora de las representaciones del pasado que campean en la esfera pública. Evidentemente, el ámbito académico (con sus libros, clases y actividades) es también parte de la esfera pública. Pero esta es mucho más amplia. Y la presencia de la historia en ella, también. Encontramos referencias al pasado en boca de los políticos y en las leyes, en estatuas y nombres de calles, en novelas y películas, en la prensa y los telediarios, en reuniones familiares y en los museos de distintas temáticas que pueblan nuestra geografía. Las diversas versiones textuales e icónicas del pasado se ven representadas, discutidas y difundidas en múltiples plataformas, a través de las cuales se forma la conciencia histórica de la ciudadanía. A principios del siglo xxi, la salvaguarda de la memoria y la representación canónica del pasado se han convertido en asuntos de interés general.

La eclosión de la memoria en el espacio público, en los medios de comunicación y en el debate político ha sido destacada por muchos autores y ha sido objeto de análisis varios. El historiador italiano Enzo Traverso constata que «la memoria invade el espacio público de las sociedades occidentales: el pasado acompaña al presente y se instala en el imaginario colectivo como una memoria poderosamente amplificada por los medios de comunicación, a veces gestionada por los poderes públicos».[2] Para Julio Aróstegui, «la memoria, interpretada como depósito y acervo de vivencias comunes compartidas y como "bien cultural" de la mayor relevancia, ha devenido en uno de los componentes más significativos de la cultura de nuestro tiempo».[3] Por su parte, el histo-

---

1   La autoría de este capítulo pertenece conjuntamente al autor del libro y a Fernando Sánchez Costa.

2   Traverso, E.: *El pasado, instrucciones de uso. Historia, memoria, política.* Madrid, Marcial Pons, 2007, p. 13.

3   Aróstegui, Julio: «Memoria, memoria histórica e historiografía. Precisión conceptual y uso por el historiador», *Pasado y Memoria. Revista de Historia Contemporánea*, núm. 3, 2004, p. 6.

riador John Gillis ha precisado que esta pulsión memorística no se limita a la esfera pública, sino que caracteriza también la vida privada de los ciudadanos occidentales.[4]

En las próximas páginas, abordaremos la fascinación que ejerce el pasado y de sus posibles razones. Explicaremos después algunos conceptos surgidos recientemente para describir y pensar el papel que las imágenes del pasado tienen en la opinión pública y en la fragua de la identidad y de los proyectos de futuro de la comunidad cívica. Tras este recordatorio de las funciones sociales de la conciencia histórica y de las modalidades de acceso al pasado (modalidades que desbordan la historiografía), nos referiremos a quiénes son los agentes e instancias que modelan la imagen pública del ayer, trataremos de las características de algunos formatos o medios de representación del mismo y aludiremos a la cuestión de la medialidad (los condicionamientos socio-tecnológicos) en la configuración y recepción de los contenidos. A lo largo de este capítulo, daremos a conocer algunos estudios de casos sobre la creación de la cultura histórica y constaremos cómo el análisis de la historia popular, en el sentido de las representaciones del pasado que tienen una amplia circulación, se está convirtiendo en los últimos años en un ámbito específico de investigación. Al hilo de estos nuevos desafíos, reflexionaremos sobre las nuevas exigencias del oficio de historiador, una de las cuales es la capacidad de interlocución y colaboración con otros profesionales que atienden a una importante demanda de historia.

11.2. LA FASCINACIÓN POR LA HISTORIA

El pasado, de manera similar a un país extranjero, sigue ejerciendo hoy una gran fascinación. En una obra ya clásica, publicada en 1985, David Lowenthal,[5] aún sin emplear el término cultura histórica, exploró e ilustró de manera amplia, centrándose especialmente en Inglaterra y en Estados Unidos, las múltiples manifestaciones y razones de esa atracción que ejerce el pasado. El autor reseñaba algunas muestras del creciente interés que ejercía la recreación del ayer en las sociedades anglosajonas. Citaba, por ejemplo, el gran éxito alcanzado por las novelas históricas de Doctorow (como *The March*), por series de

---

4 GILLIS, John: «Memory and Identity: The History of a Relationship», en GILLIS, John R. (ed.): *Commemorations. The Politics of National Identity*. Princeton, Princeton University Press, 1994, p. 14.

5 LOWENTHAL, David: *The Past is a Foreign Country*. Cambridge, Cambridge University Press, 2006 (trad. esp.: *El pasado es un país extranjero*: Madrid, Akal, 1998).

televisión como *Roots* (*Raíces*) o *Brideshead Revisited* (*Retorno a Brideshead*), recientes entonces, o por el gran parque histórico-temático *Colonial Williamsburg* (en Virginia, creado decenios atrás).

Lowenthal desglosaba varias razones para justificar la atracción de la historia. Aducía, por ejemplo, la búsqueda de una ampliación de la experiencia personal y comunitaria. Es este un punto interesante. El conocimiento histórico proporciona siempre un ensanchamiento existencial, ya que permite transitar otros estratos temporales y experienciales de la humanidad. La historia ofrece una posibilidad similar a la que Milan Kundera alaba en la literatura: permite tener experiencias vicarias, es decir, vivir el mundo y mirar el mundo de un modo distinto a como lo hacemos habitualmente. A través de la representación histórica podemos revisitar la realidad desde la perspectiva de otras épocas y asomarnos a experiencias humanas grandiosas o corrientes que, probablemente, no podremos desarrollar en nuestra vida. En un mundo dominado por el totalitarismo de la inmediatez, la memoria permite la experiencia de la alteridad y la distancia frente al absolutismo del presente y de lo dado.[6] Al mismo tiempo, amplía la profundidad de la realidad que nos envuelve. La resonancia del pasado dilata enormemente el significado de las cosas y permite trascender la limitación de su presente, inscribiéndolas en un marco temporal más amplio. Así, la conciencia histórica hace nuestra existencia más rica y multidimensional, ofreciéndole nuevas claves interpretativas.[7]

Lowenthal recalca que la memoria aporta una base de comprensibilidad del presente. El conocimiento del pasado hace familiar y habitable la actualidad. Gracias a la memoria, la realidad no se nos presenta constantemente como extraña y amenazante. Además, en el conocimiento histórico, encontramos la explicación, la racionalidad y, por tanto, el sentido de las realidades que nos envuelven.[8] Vemos alumbrados, por otro lado, los conflictos en que habitamos o que nos habitan. En muchos casos —continúa Lowenthal—, el pasado y la antigüedad sirven también como acicates de reafirmación y validación del presente, por cuanto lo justifican y legitiman. La historia puede ofrecer también una orientación de comportamiento en la vida contemporánea, pre-

---

6 Cfr. Assmann, Jan: *Das kulturelle Gedächtnis. Schrift, Erinnerung und Politische Identität in frühen Hochkulturen.* Múnich, C. H. Beck, 2005 (1.ª ed. 1992), p. 85.

7 Lowenthal, D.: *The Past is a Foreign Country...*, p. 47.

8 A pesar de sus diatribas contra la historia académica, Nietzsche reconocía que el sentido histórico ofrecía a la persona «la felicidad de no saberse totalmente arbitrario y fortuito, sino proceder de un pasado del que se es heredero, la flor y el fruto, y que así su existencia tiene una disculpa, digamos una justificación» (Nietzsche, F.: «Vom Nutzen und Nachteil der Historie für das Leben» (1874), en Colli y Montinari (eds.): *Nietzsche Werke. Kritische Gesamtausgabe*, iii-1, Berlín, 1972, iii [trad. del autor].

sentando un abanico de experiencias exitosas y desastrosas que indican las actitudes que cabe seguir y las que hay que evitar.[9]

Para Lowenthal, el pasado y su recuerdo son también posibilidades lúdicas y de entretenimiento. Hemos hablado ya de las posibilidades de viaje intelectual y humano que proporciona la historia, con su descripción de otros modos vitales, de otros pueblos y regiones. Pero más allá de los aspectos cognitivos, el pasado es también el tema de parques de atracciones, de novelas, de películas, de videojuegos, etc. Lowenthal y otros autores han hecho hincapié, al mismo tiempo, en que la memoria ofrece un refugio seguro ante las incertidumbres del presente y del futuro. Ante un mundo fragmentado y sin agarraderas ideológicas, ante una realidad plural y cambiante, el pasado —convenientemente idealizado y estilizado— se presenta como una realidad estable y dominada, que recuerda los orígenes y da claves para intuir la propia identidad, constantemente sometida a los zarandeos del ritmo contemporáneo.[10]

La cultura contemporánea se caracteriza, precisamente, por haber establecido un vínculo muy estrecho entre memoria e identidad. Se comprende, en un paradigma intelectual huérfano de metafísica. Desplazada la permanencia, la esencialidad y la universalidad como categorías de inteligibilidad de la realidad, queda la historia —o la memoria— como gran herramienta explicativa del ser actual del individuo, de la sociedad y de la nación. Y, evidentemente, en muchos de sus niveles, el ser humano es plástico y evolutivo. Por tanto, la historia da razón —desde su perspectiva temporal— de la contextura actual del mundo natural y humano. En una sociedad especialmente preocupada por la defensa y la reivindicación de las identidades, la historia y la memoria desempeñan un papel central, ya que la conciencia identitaria va íntimamente ligada a la conciencia histórica del sujeto. La imagen que el sujeto (individual o colectivo) posee de quién es depende, en buena medida, de cómo describe su trayectoria vital.

En algunos países, el interés por la memoria tiene que ver con una creciente inquietud ante la disolución de la identidad nacional en un nuevo contexto

---

9 Desde su pensamiento de corte liberal ilustrado, Ortega y Gasset aseguraba que la historia no podía decirle al hombre contemporáneo qué debía hacer. Podía advertirle, en cambio, sobre lo que debía rehuir. «Nuestra vida no puede orientarse en el pretérito. Tiene que inventar su propio destino. (Veremos, sin embargo, cómo cabe recibir del pasado, ya que no una orientación positiva, ciertos consejos negativos. No nos dirá el pretérito lo que debemos hacer, pero sí lo que debemos evitar», ORTEGA Y GASSET, José: *La rebelión de las masas*. Madrid, Alianza, 2005, p. 76.

10 Cfr. HUYSSEN, A.: *En busca del futuro perdido. Cultura y memoria en tiempos de globalización*. México, Fondo de Cultura Económica, 2002.

multiétnico,[11] mientras en otros —como referiremos unas páginas más adelante— la cuestión de la memoria ha ido ligada a una rectificación simbólica de la historia, a una rehabilitación de las víctimas de dictaduras y a una reivindicación de minorías marginadas durante años. Nos parece claro que el interés público por la historia se explica también por su alta capacidad de movilización política. Desarrollaremos este punto en un epígrafe particular. El recuerdo de los logros humanos que nos afianzan y el afán por comprender y conservar mejor el patrimonio físico y espiritual recibido son otro de los motivos apuntados por Lowenthal para esclarecer la fascinación que provoca el pasado.

El autor británico distinguía diversas formas en las que se ha accedido al pasado y se ha utilizado este en diferentes épocas (como imitación y enseñanza vital, como nostalgia por un mundo perdido, como acicate para la confianza en el progreso y como vía de escape ante un futuro poco alentador).[12] Como escribía ese mismo autor en un diario años después «el pasado que reconocemos y remodelamos no debe (no puede) reflejar el pasado tal como ocurrió; somos selectivos, imprecisos, anacrónicos y creativos en lo que sabemos del pasado y lo que hacemos con él».[13] Podemos añadir, tal como hemos apuntado ya, que en una sociedad que cambia a un ritmo frenético, pero con un horizonte de futuro ensombrecido (tras la crisis de la modernidad), no hay que subestimar el papel compensatorio y gratificador que puede tener la memoria como configuradora de un pasado que, hasta cierto punto, puede moldearse a nuestro gusto y que refleja, retrospectivamente, el futuro que se desea, pero que se juzga poco probable.

El término de «fascinación histórica» (o «fascinación por la historia») apareció en el título de un libro, surgido y centrado en el ámbito germánico, publicado en 1994, por Klaus Füssmann, Heinrich Theodor Grütter y Jörn Rüsen. Esta obra colectiva se subtitulaba justamente «La cultura histórica, hoy».[14]

---

11 Cfr. GREVER, Maria: «The Gender of Patrimonial Pride», en WIERINGA, S. (ed.): *Travelling Heritages. New Perspectives on Collecting, Preserving and Sharing Women's History*. Ámsterdam, Aksant, 2008, p. 258.

12 «Además de realzar un presente satisfactorio, el pasado ofrece alternativas a un presente inaceptable. En el ayer encontramos lo que echamos de menos en el hoy». Lowenthal, *El pasado...*, 1998 [1985], p. 90. Converge con esa perspectiva la de Andreas Huyssens, quien escribía en 1995: «da la sensación de que en la actualidad [1995] el pasado es evocado para proveer aquello que no logró brindar el futuro en los imaginarios del siglo XX», en (cito trad. española): *En busca del futuro perdido. Cultura y memoria en tiempos de globalización*. México, Fondo de Cultura Económica, 2002, p. 7, y la de Manuel Cruz, en «Un pasado huérfano de futuro», en *La Vanguardia* (Barcelona), 4 de mayo de 2003, p. 37.

13 LOWENTHAL, D.: «¿Por qué nos importa el pasado?», en *La Vanguardia* (Barcelona), 4 de mayo de 2003, p. 36.

14 FÜSSMANN, K.; GRÜTTER, H. T., y RÜSEN, J. (eds.): *Historische Faszination. Geschichtskultur heute*. Colonia, Böhlau, 1994. (De esta obra, que yo sepa, solo se encuentra traducido al español, por F. Sánchez-Costa e Ib Schumacher, y accesible on-line el texto de Jörn Rüsen «Was ist Geschichtskultur?» (accesible on-line, 28-12-2012, en www.culturahistorica.es/ruesen/cultura_historica.pdf).

Esta valiosa recopilación multidisciplinar tiene un carácter teórico y conceptual, que se desarrolla al hilo del análisis de diversos casos concretos relacionados con la cultura histórica alemana entre 1986 y 1991. Entre los casos estudiados figuran los museos, con especial referencia al entonces nuevo y debatido Deutsches Historisches Museum de Berlín (creado tras la reunificación y proyectado antes), las series radiofónicas, los diarios, las editoriales, las caricaturas, la cultura política y el turismo.

En su colaboración al libro, H. T. Grütter se plantea explícitamente «por qué fascina la historia». En su reflexión sobre el magnetismo de la historia en Alemania apela a los cambios vividos (e inesperados) en los años anteriores y posteriores a la caída del muro de Berlín, a la reunificación de Alemania y a la remodelación del mapa de Europa, con la quiebra que supusieron para algunos futuros esperados. Se buscaban en el pasado, aunque con notable escepticismo, algunas claves ineludibles para la comprensión del presente. Por otra parte, Grütter hace suyas afirmaciones anteriores de Wolfgang Hardtwig, quien sostenía que en el pasado se busca «un arsenal de formas para un mundo colorido que de otra manera percibiríamos como demasiado sobrio y falto de perspectivas».[15] En ese sentido, la historia sirve como cantera para proveer los materiales con los que construir, a gusto del consumidor, un mundo re-encantado.[16]

Esa fascinación por el pasado puede considerarse también, como lo ha hecho muy recientemente el veterano historiador estadounidense John Lukacs, «hambre de historia». En su ensayo sintético *El futuro de la historia* se ocupa del fenómeno del «hambre de historia» en los Estados Unidos en los últimos decenios. Lukacs aventura que «puede que en ellos [los lectores] haya hambre de encontrarse con cosas, y con personas que fueron *reales*».[17] Tampoco cabe desdeñar otro motivo aducido por Margaret MacMillan en su reflexión sobre «la locura de la historia». Para la historiadora, la eclosión del interés por el pasado en la esfera pública cabe atribuirlo también, junto con la ya comentada nostalgia, a la ampliación del tiempo de ocio en las sociedades occidentales en sectores con cierto nivel cultural y poder adquisitivo importante.[18]

---

15 HARDTWIG, Wolfgang: *Geschichtskultur und Wissenschaft*: Múnich, DTB, 1990, p. 308; citado por H. T. Grütter, en *Historische Faszination*, 1994. (Agradezco a Fernando Bravo González su colaboración en la traducción del artículo de Grütter.)

16 Como algunos lectores habrán deducido, mi reflexión parte a la vez de las conocidas tesis de M. Weber (sobre «la jaula de hierro» y el desencanto del mundo industrializado) y de las aportaciones de G. Ritzer en *El encanto de un mundo desencantado*. Barcelona, Ariel, 2000.

17 LUKACS, John: *El futuro de la historia*. Madrid, Turner, 2011, pp. 61-76.

18 MACMILLAN, Margaret: *Juegos peligrosos: Usos y abusos de la historia*. Barcelona, Ariel, 2011. (Citado en Lukacs, J.: *El futuro de la historia...*, pp. 61 y ss.).

11.3. DEBATES E INVESTIGACIONES EN TORNO A LA MEMORIA

En las próximas páginas, nos proponemos analizar el fenómeno de la memoria, es decir, el rampante interés que ha despertado la problemática de la memoria social en muy diversos ámbitos y contextos. En España y en otras naciones iberoamericanas, la discusión sobre la memoria en el espacio público se ha visto estrechamente ligada al debate político. Pero sería reduccionista identificar la cuestión de la memoria con los debates sobre «la memoria histórica». Nos detendremos después para abordar este asunto polémico, pero antes querríamos aproximarnos a la noción de memoria colectiva y a la dimensión política de la memoria desde una perspectiva más universal.

La memoria se ha convertido en uno de los campos semánticos más fructíferos de las últimas décadas. Se apela a ella desde distintas instancias. La clave de la proliferación discursiva en torno a la memoria radica en su conexión con la identidad.[19] Este vínculo —fuertemente enfatizado en los últimos años— ha provocado que políticos, antropólogos, sociólogos, filósofos e historiadores le hayan dedicado una atención especial. Tras el giro cultural en las ciencias sociales y humanas que hemos tratado en capítulos anteriores, la identidad se ha convertido en un eje central de cualquier análisis de la realidad social. Páginas atrás, hemos constatado también la tendencia de las últimas décadas a remitir la praxis social e individual a los mundos mentales y a las constelaciones simbólicas que comparten los miembros de un grupo humano. En definitiva, la acción vuelve a entenderse, hasta cierto punto, como manifestación de la interioridad, como cristalización de la conciencia. La memoria ocupa un lugar muy destacado en la vertebración de los imaginarios mentales y en la configuración de la conciencia identitaria. Es lógico, por tanto, que se la haya convertido en objeto predilecto de análisis.

Recordemos nuevamente la importancia de la memoria en la autocomprensión tanto del sujeto individual como de la comunidad social, ya sea política, religiosa, económica, etc. El ser humano se cincela en el tiempo, se despliega en la historia. También la comunidad toma sus formas definitorias a lo largo de una trayectoria temporal. Por tanto, para comprender quién es uno y cuáles son los rasgos diferenciales y propios de la comunidad en que se

---

19 «Identity and memory are mutually constitutive», ha dicho R. N. LEBOW: «The Memory of Politics in Postwar Europe», en LEBOW, R. N.; KANSTEINER, W., y FOGU, C. (eds.): *The Politics of Memory in Postwar Europe*. Durham, Duke University Press, 2006, p. 16.

ha hilvanado su identidad, es imprescindible acudir a la memoria, entendida en este caso como relato histórico. La gran virtualidad del relato histórico, como hemos podido consignar ya, es que engarza las experiencias del pasado con las categorías del presente y los horizontes de espera del futuro. Es decir, el sujeto interpreta el pasado de acuerdo con su situación presente y a las orientaciones de futuro que quiera imprimir a su vida. Ello no implica necesariamente que manipule el recuerdo, sino que modifica, con el paso del tiempo, su significación. Y es que los significados de los hechos no son del todo cerrados, sino que varían dependiendo de su encaje en una trayectoria global posterior (sea esta ya vivida o proyectada para el futuro). Evidentemente, la memoria personal y la memoria colectiva pueden incluir y suelen conllevar también omisiones o falsificaciones, que pueden llevar a construir la identidad sobre presupuestos (aparentemente) válidos para el sujeto pero desacordes con la realidad acontecida. De todos modos, la parcialidad no quitaría eficacia a la memoria en la constitución de la identidad del individuo o del grupo.

Los relatos de memoria, pues, no solo narran el pasado, sino que también crean unas determinadas percepciones identitarias en el presente e indican direcciones de futuro. Contienen y transmiten juicios y valoraciones éticas, así como teleologías o finalidades. Conocer el discurso autobiográfico de un individuo es un gran paso para comprender la concepción que tiene de sí mismo, para captar cuál es el papel que se asigna en el mundo y para descifrar sus principios teórico-morales. Del mismo modo, desgranar «la memoria colectiva» de un grupo social es de gran ayuda para poder precisar hasta dónde llega la frontera del «nosotros», qué características destaca de sí mismo el grupo, qué perspectivas de futuro tiene, qué valores sostiene, etc. Los análisis de la memoria social no suelen tener como objetivo último una mera descripción fenomenológica de la cultura conmemorativa de un periodo o un grupo, sino que —siguiendo la hermenéutica discursiva crítica en boga los últimos lustros— pretenden desentrañar los esquemas axiológicos, los referentes comunales y las pugnas por el poder fáctico y discursivo en el seno de una comunidad.

Pero lo cierto es que las sociedades —especialmente las democráticas y plurales— no tienen una memoria del todo homogénea, sino que en ellas se da un verdadero diálogo y a veces una dialéctica de discursos de memoria. En el fondo, más que de batallas por el pasado, se trata de debates indirectos sobre los fundamentos presentes y futuros de la comunidad. Así pues, el estudio de la «memoria colectiva» sirve también para conocer las pugnas discursivas e ideológicas en el seno de un grupo. Por todo lo dicho, no es extraño que estos últimos años hayan proliferado en Europa los trabajos de investigación sobre memorias colectivas.[20]

Así, el concepto de «memoria colectiva» ha sido retomado recientemente por varios autores, en la estela de los trabajos ya clásicos de M. Halbwachs,[21] y ha generado una amplia discusión relanzada recientemente por figuras tan influyentes como Pierre Nora, cuya aportación valoraremos más tarde. Al fin y al cabo, todo el mundo entiende aproximadamente de qué se habla cuando se trata de la memoria colectiva. Pero es cierto que el término conlleva sus ambigüedades y problemas conceptuales. Porque ¿es posible que una colectividad tenga memoria? ¿Es la colectividad realmente un sujeto pensante? La mayoría de autores precisa, entonces, que el concepto de memoria colectiva se utiliza de forma analógica. Al hablar de memoria colectiva nos referimos a una síntesis ideal de los imaginarios mnemónicos de los ciudadanos, que se asemejan efectivamente por cuanto han sido forjados por unas mismas tradiciones de memoria, transmitidas a través de la comunicación oral, escrita o visual. En definitiva, la memoria colectiva no sería más que una memoria compartida gracias a la comunicación social. Esta precisión ha llevado a algunos autores a matizar el término de memoria colectiva o a buscar formulaciones alternativas.[22]

El historiador Reinhart Koselleck, por ejemplo, prefiere hablar de «condiciones colectivas de la memoria», antes que de memoria colectiva.[23] Frederic Bartlett se refiere a «la memoria en el grupo» pero no a «la memoria del grupo», mientras que James Wertsch aboga por una concepción «distributiva» de la memoria colectiva, entendiendo esta como una representación del pasado compartida por todas aquellas personas que alimentan su conciencia histórica de unas mismas fuentes mnemónicas (unos mismos relatos, libros de texto, imágenes, películas, etc.).[24] John Bodnar, a su vez, ha propuesto la noción al-

20 Hay dos buenas panorámicas que recogen el amplio debate académico que se ha desarrollado estos últimos decenios alrededor de la memoria social y resumen las diversas propuestas teóricas y metodológicas de los autores. Astrid Erll es la autora de un manual titulado *Kollektives Gedächtnis und Erinnerungskulturen* ['Memoria colectiva y culturas de memoria'], Stuttgart, J. B. Metzler, 2005. Por su parte, Nicolas Pethes y Jens Ruchats editaron un diccionario específicamente dedicado al campo de la memoria: *Gedächtnis und Erinnerung* ['Memoria y recuerdo']. Hamburgo, 2001.

21 Cfr. HALBWACHS, Maurice: *Los marcos sociales de la memoria*. Barcelona, Anthropos Editorial, 2004 (ed. orig. fran.: *Les cadres sociaux de la mémoire*, 1925).

22 Una inteligente crítica metodológica a algunos estudios sobre la memoria colectiva puede encontrarse en KANSTEINER, W.: «Finding Meaning in History: A methodological Critique of collective memory Studies», *History and Theory*, 41, 179-197.

23 Koselleck citado por Bernd SCHÖNEMAN: *Geschichtskultur als Wiederholungsstruktur?* Conferencia pronunciada en la Westfälischen Wilhelms-Universität Münster, 2006, p. 5.

24 «They share a representation of the past because they share textual resources» (WERTSCH, James: *Voices of Collective Remembering*. Cambridge, Cambridge University Press, 2007, p. 26). También

ternativa de «memoria pública». En este caso, el concepto es algo más preciso y acotado, ya que con él se categorizan los discursos y prácticas conmemorativas que tienen lugar y pueden ser estudiados en la esfera pública.[25] En el próximo epígrafe tendremos ocasión de ver cómo, en el ámbito germánico, se ha desarrollado toda una teorización de la memoria social —con su perspectiva específica y diferencial— en torno al concepto de «cultura histórica».

En España ha habido una expresión para referirse a la relación de la comunidad cívica y política con el pasado que ha encontrado especial fortuna, a pesar de su estructura algo tautológica. Se trata de la «memoria histórica»,[26] que ha hecho verter ríos de tinta y ha suscitado acaloradas discusiones en la esfera pública. La reivindicación y crítica de la «memoria histórica» ha ido bastante enlazada con la discusión y aprobación, el año 2007, de la popularmente conocida como Ley de Memoria Histórica. De todos modos, la expresión se había acuñado unos años antes y era bandera de un grupo de entidades de la sociedad civil especialmente comprometidas con la condena del régimen de Franco y con la rehabilitación de la Segunda República y de las personas que la defendieron y fueron represaliadas por la dictadura. La ley aprobada en 2007 pretendía el completo desmantelamiento simbólico del régimen franquista (ordenando la retirada, por ejemplo, de los nombres de calles de resonancias dictatoriales) y completaba el proceso incoado desde el principio de la Transición de rehabilitación simbólica, económica y jurídica (por lo que atañe, al menos, a la nacionalidad española de descendientes de exiliados) de las víctimas y represaliados en la Guerra Civil y la dictadura. También en la comunidad autónoma de Catalunya se puso en marcha una institución bautizada como Memorial Democràtic. Uno de sus inspiradores, el profesor Ricard Vinyes, asegura que el recuerdo y el homenaje público de los que lucharon por la democracia y contra la tiranía no es un «deber mo-

---

Jan Assmann ha remarcado el papel nuclear de los medios para la configuración de una misma memoria colectiva. El historiador alemán señala que la «memoria fundante» de toda civilización se transmite a través de un cuerpo de textos e imágenes, a los que denomina «memoria cultural» (cfr. Assmann, J. *Das kulturelle Gedächtnis...*).

25 Cfr. BODNAR, John: *Remaking America. Public Memory, Commemoration and Patriotism in the Twentieth Century*. Princeton, Princeton University Press, 1994.

26 Una muy buena conocedora de los debates de memoria en España e Iberoamérica, Paloma Aguilar Fernández, ha propuesto una diferenciación teórica entre la memoria colectiva y la memoria histórica. «La memoria colectiva es aquel relato homogeneizado y simplificado que comparten —al menos básicamente— los testigos de un acontecimiento, mientras que la memoria histórica es una representación sobre el pasado que comparten por transmisión aquellos que no han presenciado existencialmente el acontecimiento» (AGUILAR FERNÁNDEZ, Paloma: *Políticas de memoria y memorias de la política*. Madrid, Alianza, 2008, p. 52).

ral», como muchas veces se afirma, sino un «derecho civil». El gobierno tendría la obligación de transmitir el patrimonio de dignidad democrática forjado a lo largo de decenios, que debería ser una de las bases de la conciencia cívica contemporánea.[27]

En una panorámica historiográfica como la que estamos realizando, no tendría mucho sentido que nos detuviéramos a enjuiciar los aciertos y los errores de la política de «memoria histórica» llevada a cabo en España en los últimos años. En la ley mencionada —ponderada en su expresión y redacción— hay aspectos positivos y razonables. Hay otros dudosos, opinables y ambiguos. Nos parece, en cualquier caso, que la principal debilidad de la ley de memoria española no radica tanto en las medidas que propone como en la interpretación histórica que la anima.[28] El rigor histórico exige ser algo más cauteloso a la hora de identificar, en conjunto y sistemáticamente, a los componentes del bando republicano con los adalides de la democracia. Este confusionismo es todavía más notable en las políticas que ha seguido, estos últimos años, el Memorial Democràtic de Catalunya.

La ley de memoria en España, como otras leyes de interpretación histórica y de políticas de memoria, ha suscitado un debate reseñable en la comunidad de historiadores. No nos referimos ahora a las discusiones derivadas del contenido o de la lectura histórica que hace la ley, sino a la polémica sobre el papel que debe tener el Estado en la configuración de la conciencia histórica ciudadana y en los límites que debe imponer al trabajo del historiador. Esta problemática ha sido especialmente viva en Francia, donde el prestigioso historiador Pierre Nora encabeza una asociación denominada Liberté pour l'Histoire, en contra de las intromisiones del poder político en la investigación y docencia de la historia.

En el país galo la discusión se inició en 1990, cuando el gobierno aprobó una ley que establecía como delito la negación o contestación de los crímenes contra la humanidad tal como los había definido el Tribunal de Núremberg. Pero la polémica se precipitó en 2005, cuando el Parlamento francés aprobó dos nuevas leyes sobre la interpretación histórica canónica. En una de ellas, establecía que los currículos escolares debían otorgar a la colonización el papel positivo que le correspondía. En la otra, en cambio, se declaraba que el comercio de esclavos desde el siglo xv había sido un crimen contra la humanidad. El

---

27 Cfr. Vinyes, Ricard: *El Estado y la memoria. Gobiernos y ciudadanos frente a los traumas de la historia.* Barcelona, RBA, 2009, pp. 54-61.

28 En el prólogo de la ley, se afirma que es hora de honrar a quienes lucharon por los valores democráticos, como los «brigadistas internacionales» y los «combatientes guerrilleros». Es indudable que, entre estos grupos había un número alto de defensores de la democracia. Pero cabe recordar también que muchos de ellos combatían al grito de ¡Viva Rusia! o ¡Viva la anarquía!

Parlamento estaba definiendo, pues, como «crímenes contra la humanidad» unos hechos históricos acaecidos siglos atrás y amenazaba penalmente a quien pusiera en duda tal interpretación. En 2011, la Asamblea reconoció oficialmente el genocidio armenio de 1915 (una tragedia en la que Francia no tuvo, por cierto, responsabilidad). En ese momento, había una docena de proyectos de ley de este cariz en estudio. Ante esta situación, se produjo una reacción entre los historiadores.

En el último Congreso Internacional de Ciencias Históricas (Ámsterdam, 2010), Pierre Nora explicó la gestación de este movimiento profesional y sus razones.[29] El texto de Nora es sumamente interesante, ya que sugiere también cierto giro y un alejamiento con respecto a la actitud hipercrítica que había sido habitual en la comunidad académica con respecto al pasado europeo.[30] Pero el epicentro del argumento de Nora es su oposición a que sea el Estado el que califique de forma canónica y oficial los hechos históricos, constriñendo así la labor de investigación y la libertad intelectual de los historiadores. Los académicos que pertenecen a Liberté pour l'Histoire reconocen el derecho del Estado a intervenir y arbitrar políticas de memoria pública. En efecto, les corresponde «conmemorar, honrar a las víctimas, organizar homenajes y aprobar compensaciones». Pero Nora le niega al Estado el derecho a «calificar los hechos del pasado y a dictar la historia». Ello corresponde a los historiadores.

El argumento de Nora es sugestivo, porque combina el derecho del Estado a llevar a cabo políticas de memoria con la defensa de la libertad de los historiadores para interpretar los hechos de acuerdo con sus investigaciones. En efecto, el Estado puede —y debe— promover algunas políticas de memoria colectiva. Lo han hecho todos los organismos e instituciones a lo largo de los siglos. La memoria es un instrumento apropiado para garantizar cierta cohesión de un grupo social y promover unos determinados valores de convivencia. En este sentido, las políticas de memoria son también un servicio al bien común. Ahora bien, deben llevarse a cabo, a nuestro modo de ver, bajo algunas condiciones. En primer lugar, no pueden ser univocales. En la sociedad democrática y plural actual, la memoria institucional debe tener también un tono plural, recogiendo —al menos en cierto modo— las distintas voces o memo-

---

29 NORA, Pierre: «L'histoire, la mémoire et la loi en France (1990-2008)», publicado en la página web Liberté pour l'Histoire (www.lph-asso.fr/; 30-12-2011).

30 Nora lamenta que el conjunto de leyes aprobadas y en estudio «manifestaba una tendencia a releer y a reescribir la historia entera desde el punto de vista exclusivo de las víctimas. Manifestaba, también, una tendencia a proyectar sobre el pasado los juicios morales pertenecientes al presente sin tener en cuenta los cambios temporales», *ibidem*, trad. del autor.

rias que circulan en la sociedad. Y, en segundo lugar, la memoria institucional no debe confundirse con la historia.

Precisamente, la relación entre memoria e historia, sus similitudes y diferencias, ha sido otra cuestión que ha provocado un reguero de publicaciones en los últimos años. A veces se plantea la distinción identificando la historia con el conocimiento objetivo y científico del pasado mientras la memoria es presentada como un recuerdo subjetivo, parcial y sumamente influido por los sentimientos del presente y los deseos de futuro. Obviamente, la cuestión es algo más compleja. Hemos visto ya la arquitectura presentista y futuriza de todo relato histórico, también del académico. En las preguntas que dirigimos científicamente al pasado y en el modo como las respondemos, está grabado el rastro de nuestras inquietudes intelectuales, de nuestras inclinaciones políticas, de nuestras opciones morales y de nuestro planteamiento filosófico de fondo. Pero es cierto que es conveniente y oportuno establecer algunas diferencias entre historia y memoria. En realidad, podríamos decir que la historia es un modo peculiar de la memoria. Es memoria porque es recuerdo, y porque está sometida a las leyes del recuerdo humano. Pero se trata de un registro muy particular de la memoria.

La historia es la memoria crítica. Es el recuerdo y la investigación del pasado que se lleva a cabo a través de un método de indagación y análisis públicamente expuesto y discutido. La práctica histórica tiene unas herramientas de investigación y unos estándares de exposición que la hacen, hasta cierto punto, verificable por una comunidad de expertos. Su objeto y su pretensión es, en la medida de lo posible, la comprensión del pasado tal y como fue. Es verdad que la narrativa histórica está también sometida a la interpretación desde la experiencia contemporánea. Pero el historiador procura —o debe procurar— que la perspectiva desde la que lee el ayer no traicione ni opaque la lógica propia del pasado ni el sentido que los protagonistas quisieron dar a los acontecimientos. Historia y memoria son, pues, dos grados epistemológicos de una misma actividad: el recuerdo. Pero la historia, en mayor medida que la memoria, tiene una pretensión veritativa y sigue unos criterios racionalmente discutidos de aproximación a su objeto. El sentido crítico de la historia queda patente también en que es consciente de los límites que toda recreación del pasado conlleva. En cualquier caso, como han propugnado, tanto Aleida Assmann como Fernando Catroga, no cabe contraponer de forma nítida la historia a la memoria; una y otras deben imbricarse y disciplinarse mutuamente.[31] Una historia

31 ASSMANN, A.: *Der lange Schatten del Vergangenheit*, 2006, p. 51; Catroga, F.: *Memoria, historia e historiografía*. Coimbra, Quarteto, 2001, pp. 63-64. Esta misma actitud preside el trabajo de Philippe JOUTARD: «Memoria e historia: ¿Cómo superar el conflicto?», en *Historia, Antropología y Fuente Oral*, 1,

fría y distanciada, sería socialmente inerte y apenas operativa. Estaría cercana a la erudición estéril. Una memoria partidista y confusa, ofrecería poco más que la exaltación ciega del grupo.

De hecho, en los últimos años, la historia ha descubierto que la memoria también puede ser un ámbito interesante de su investigación. La memoria social, la memoria colectiva, también puede historiarse. Es importante que así sea. Sería reduccionista circunscribir la cuestión de la memoria social a un debate político. Los discursos y las representaciones sobre el pasado forman parte de los cimientos del imaginario colectivo y del sentimiento identitario de un grupo. El estudio de la génesis y evolución de las memorias sociales en distintas épocas tiene un interés muy alto, por tanto, para historiadores culturales, historiadores sociales e historiadores políticos. La memoria social ha empezado a ser un tema historiográfico de primer orden. Poco a poco van apareciendo propuestas teóricas y metodológicas que van perfilando los contornos de una nueva disciplina, más allá de las discusiones políticas o mediáticas.

La memoria colectiva es un campo de estudio relevante porque permite indagar los imaginarios dominantes en una sociedad. Descubrir la representación que un grupo tiene del pasado ayuda a atisbar su visión global del mundo, su comprensión del presente y sus aspiraciones y esperanzas para el futuro. Una aproximación sociocomunicativa a la memoria colectiva, como la que defenderemos más tarde al hablar de la cultura histórica, revela también las estructuras y dinámicas sociales en un momento histórico determinado. Desvela cuáles son los grupos activos y pasivos, quién ostenta la hegemonía en el espacio público y quién se encuentra en una posición defensiva o alternativa. Al mismo tiempo, el análisis de la memoria colectiva puede acercar al investigador a las fuentes y los mecanismos de la cultura popular de un periodo, e iluminar los gustos estéticos y las prácticas culturales de una sociedad. Finalmente, la exploración de la memoria colectiva es un ventanal abierto a los paradigmas y a las controversias políticas de una época histórica.

El historiador Pierre Nora, al que nos hemos referido ya, fue pionero en la investigación sistemática de la memoria colectiva de un grupo social. En los tres volúmenes de la monumental obra que coordinó durante la década de los ochenta, *Les lieux de mémoire,* procedió a una radiografía de la cultura de memoria contemporánea en Francia.[32] Propuso también el concepto de «lugares

---

38, 115-122. Por mi parte, he propuesto complementar y equilibrar la «historia-ciencia» y la «historia-memoria» en «Memory-History vs. Science-History? The Attractiveness and Risks of an historiographical Trend, *Storia della Storiografia,* 48, pp. 117-129.

32 NORA, Pierre (ed.): *Les lieux de mémoire,* vol. III. París, Gallimard, 1984-1992.

de memoria», que se ha convertido después en un término talismán de la historiografía sobre la memoria colectiva. Con *lieux de mémoire* (sitios o lugares de memoria) Nora no se refiere solo a lugares físicos (como monumentos, estatuas, palacios), sino también a referentes inmateriales o casi inmateriales de la memoria (como el himno «La Marseillaise», el lema *liberté, égalité, fraternité* o la onomástica de las calles). Con el paso de los años, han aparecido obras análogas estudiando las culturas de memoria de otros lugares.[33]

En España, la reflexión teórica y los estudios de caso sobre la memoria histórica, la memoria colectiva y las políticas de memoria se han plasmado en centenares de artículos.[34] Hay que decir, sin embargo, que la mayoría de ellos se refieren al recuerdo actual de la República, la Guerra Civil o el franquismo. Es necesario, por tanto, ensanchar un poco el foco de los estudios de memoria para captar toda la información que pueden aportarnos sobre las mentalidades y las constelaciones político-culturales de otras épocas. No queremos finalizar este epígrafe sin reseñar algunas monografías publicadas recientemente en las que se resigue la evolución de la memoria institucional y de la memoria colectiva en la España contemporánea. Son prueba de que el análisis de las culturas de memoria va consolidándose como género historiográfico propio.

En *Políticas de memoria y memorias de la política*, Paloma Aguilar Fernández expone los marcos y los discursos que han pautado las políticas de memo-

---

33 Para poner simplemente algún ejemplo, podemos citar la obra *Erinnerungsorte* [Lugares de recuerdo], editada en Alemania en 2001 por los profesores Hagen Schulze y Étienne François. El historiador barcelonés Albert Balcells ha publicado en 2008 el libro *Llocs de memòria dels catalans*. Barcelona, Proa, 2008.

34 Citaremos, solamente, algunos números monográficos publicados por revistas académicas en los últimos años. La historiadora Josefina Cuesta Bustillo coordinó en 1998 un monográfico sobre «Historia y Memoria» en la revista *Ayer* (núm. 32). También *Pasado y Memoria. Revista de Historia Contemporánea* (núm. 3) dedicó el número del año 2003 a «La memoria del pasado: Retos de la memoria y trabajos de la historia», que abría un artículo de Julio Aróstegui sobre «Memoria, memoria histórica e historiografía. Precisión conceptual y uso por el historiador». A su vez, la revista *Historia y Política* reservó tres números a estudiar la relación entre nacionalismo y memoria. El número 12 se consagró al «Nacionalismo español: las políticas de la memoria», el número 14 trató sobre el «El nacionalismo catalán: mitos y lugares de memoria» y el número 15 se empleó para abordar «El nacionalismo vasco; mitos, conmemoraciones y lugares de memoria». Fue importante también el monográfico salmantino *Studia Historica* (núm. 25), dedicado nuevamente al tema «Historia y Memoria». En el verano de 2006, la *Revista de Occidente* (núm. 302-303), afrontó la temática de «La Guerra Civil (1936-1939): el vaivén de la memoria». Allí publicó Santos Juliá un comentado artículo crítico con las políticas de memoria seguidas por el gobierno español («Bajo el imperio de la memoria»). Otros números especiales han sido: *Historia del Presente*, núm. 2, 2003: «La memoria de la Segunda República»; *History and Memory*, vol. 14, 2002: «Spanish Memories: Images of a Contested Past»; *Pasajes*, núm. 11, 2003: «Memoria y olvido del franquismo»; *Entelequia. Revista Interdisciplinar*, núm. 7, 2008: «La memoria como conflicto. Memoria e historia de la Guerra Civil y el Franquismo»; *Revista de Historiografía*, núm. 8, 2008: «Usos públicos del pretérito».

ria desde el fin de la Guerra Civil hasta la actualidad. A la autora le interesa, en particular, calibrar el peso y la influencia que los relatos hegemónicos sobre la República y la Guerra Civil ejercieron en el periodo de la Transición y en el conjunto de la cultura política democrática española. Es brillante el análisis que hace de la evolución de las narrativas franquistas sobre la Guerra Civil. Aguilar demuestra cómo estas interpretaciones fueron virando al mismo tiempo que cambiaba la retórica de la legitimidad política del régimen. Otro libro interesante es *La odisea de la memoria. Historia de la memoria en España. Siglo XX*, de Josefina Cuesta. En la primera parte del libro, la autora desarrolla una reflexión epistemológica, fenomenológica y psicológica sobre la memoria. Dedica una atención especial a la figura del «testigo» y a la forma de abordar críticamente sus narraciones. En la segunda parte expone la destrucción simbólica y discursiva de la República durante el franquismo y presenta un estudio sobre los ejes de la política de memoria franquista, que propugnó un nuevo orden simbólico del tiempo y del espacio. El tercer apartado se dedica a las memorias de la República, de la Guerra Civil y de la dictadura durante la transición y la democracia. Además de la similitud temática, las dos obras se asemejan en que dan primacía a la producción del discurso y al análisis de sus contenidos explícitos e implícitos. La difusión social de los paradigmas de memoria, su recepción e interpretación por parte de la ciudadanía quedan algo soslayados. En efecto, esta es la gran asignatura pendiente de los estudios sobre memoria social: atender a la recepción, que es, al fin y al cabo, la piedra angular de todo proceso comunicativo. Por otro lado, el profesor Francisco Erice ha publicado también recientemente una teorización de la memoria colectiva desde los principios del materialismo histórico de corte marxista.[35]

Al hablar sobre los estudios de sociomemoria en España, no podemos negligir al hispanista francés Stéphane Michonneau, autor de *Barcelona: memòria i identitat*.[36] En este libro, síntesis de una gran tesis doctoral, Michonneau realiza una historia sociopolítica de la memoria cívica barcelonesa entre 1860 y 1930. Al autor le interesa captar, a través de la radiografía de las políticas y los debates de memoria, la evolución de la cultura política catalana en el periodo. La metamorfosis monumental y toponímica de la ciudad, el desarrollo de las prácticas conmemorativas y los relatos históricos imperantes sirven al autor para adentrarse en la organización social y para captar la transición ideológica

---

35 ERICE, Francisco: *Guerras de la memoria y fantasmas del pasado. Usos y abusos de la memoria colectiva.* Oviedo, Eikasia, 2010.

36 MICHONNEAU, Stéphane: *Barcelona: memòria i identitat. Monuments, commemoracions i mites.* Vic, Eumo, 2001.

de las élites barcelonesas desde el liberal-regionalismo hasta el nacionalismo. Nos parece interesante el círculo hermenéutico que contiene este estudio sobre la cultura conmemorativa. Por un lado, el conocimiento del contexto histórico sirve para alumbrar y explicar las políticas de memoria. Pero al mismo tiempo, la comprensión minuciosa de la memoria pública sirve para entender mejor el periodo histórico en su conjunto.[37] Acentuando más la perspectiva formalista, Carlos Reyero y Gutiérrez Viñuales han estudiado la difusión del monumento conmemorativo en los dos últimos siglos.[38] Sobre las representaciones históricas y el papel de la historia en la configuración nacional de España durante el siglo XIX, se ha convertido ya en un referente imprescindible el libro de Carlos Serrano *El nacimiento de Carmen. Símbolos, mitos y nación.*[39]

11.4. LA CULTURA HISTÓRICA

Una vez apuntada la corriente historiográfica que ha comenzado a articularse en torno al concepto de memoria (con sus múltiples epítetos), nos gustaría presentar otra línea de investigación histórica que guarda muchas similitudes con la anterior, pero discurre por autopistas conceptuales y metodológicas algo distintas. La categoría clave que trataremos a continuación es la de «cultura

---

37 En 2011 se defendió una tesis doctoral que tenía un propósito y una metodología similares a la de Michonneau: SÁNCHEZ-COSTA, F.: *Memòria pública i debat polític a Barcelona (1931-1936). L'Esquerra Republicana i la Lliga Catalana davant el passat i el futur de Catalunya*. Este trabajo realiza una lectura de las discusiones ideológicas y de la vida política en la Catalunya de la Segunda República partiendo del análisis de los debates y las iniciativas conmemorativas en la Barcelona del periodo.

38 REYERO, Carlos: *La escultura conmemorativa en España. La edad de oro del monumento público, 1820-1914*. Madrid, Cátedra, 1999. Gutiérrez Viñuales: *Monumento conmemorativo y espacio público en Iberoamérica*. Madrid, Cátedra, 2004. Otras panorámicas sobre monumentos en la España contemporánea son MARTÍN GONZÁLEZ, J. J.: *El monumento conmemorativo en España: 1875-1975*. Valladolid, Universidad de Valladolid, 1996; CALAMA, J. M.ª, y GRACIANI, A.: *La restauración monumental en España, de 1900 a 1936*. Sevilla, Universidad de Sevilla, 2000. Por su parte, J. L. Hernando Garrido ha desgranado, en un libro que es también un ensayo tan lúcido como combativo, la historia de la destrucción violenta del patrimonio en la España contemporánea (HERNANDO GARRIDO, J. L.: *Patrimonio histórico e ideología. Sobre vandalismo e iconoclastia en España: del siglo XIX al siglo XXI*. Molina de Segura, Nausíca, 2009).

39 SERRANO, Carlos: *El nacimiento de Carmen. Símbolos, mitos y nación*. Madrid, Taurus, 1999. También hay un grupo numeroso de autores que, en Catalunya, han estudiado la relación entre el relato histórico y la conciencia nacional catalana. Entre ellos, podríamos destacar, a Joaquim Albareda, Pere Anguera, Jaume Aurell, Albert Balcells, Jordi Canal, Jaume Fabre, Josep Fontana, Josep M. Fradera, Ricardo García Cárcel, Eduardo González Calleja, Joan Lluís Marfany, David Martínez Fiol, Stéphane Michonneau, Jesús Portavella, Enric Pujol, Fernando Sánchez Marcos, Antoni Simon i Tarrés y Jordi Vidal.

histórica». En el ámbito germánico, donde ha nacido y se ha teorizado, se denomina *Geschichtskultur*. La reflexión y el análisis de la cultura histórica nacieron en Alemania en el marco de las investigaciones sobre didáctica de la historia y sobre la conciencia histórica de la ciudadanía. Vale la pena conocer también este esquema conceptual. En países, como el nuestro, donde la noción de memoria se ve revestida muchas veces de cierta polémica, puede ser adecuado utilizar este paradigma de investigación, que aborda la relación de una sociedad con su pasado de un modo sistemático y riguroso.

El concepto de «cultura histórica»[40] y sus homólogos en otras lenguas (como *historical culture, Geschichtskultur, culture historique*) expresa una nueva manera de pensar y comprender la relación efectiva y afectiva que un grupo humano mantiene con el pasado, con *su* pasado. Se trata de una categoría de estudio que pretende ser más abarcante que la de *historiografía*, ya que no se circunscribe únicamente al análisis de la literatura histórica académica. La perspectiva de la cultura histórica propugna rastrear todos los estratos y procesos de la conciencia histórica social,[41] prestando atención a los agentes que la crean, los medios por los que se difunde, las representaciones que divulga y su recepción creativa por parte de la ciudadanía.

Si la cultura es el modo en que una sociedad interpreta, transmite y transforma la realidad, la cultura histórica es el modo concreto y peculiar en que una sociedad se relaciona con su pasado. Al estudiar la cultura histórica analizamos la elaboración social de la experiencia histórica y su plasmación objetiva en la vida de una comunidad. Elaboración que, habitualmente, llevan a cabo distintos agentes sociales —muchas veces concurrentes— a través de medios variados. Con la categoría de cultura histórica definimos, por tanto, el conjunto de recursos, discursos y prácticas conmemorativas a través de los cuales los miembros de una comunidad interpretan, transmiten, objetivan y transforman su pasado.[42]

---

40 En los próximos párrafos desarrollaremos la definición de cultura histórica partiendo de tres fuentes principales: Sánchez-Marcos, Fernando: «¿Qué es la cultura histórica?», portal web *Cultura Histórica* (www.culturahistorica.es); Sánchez-Costa, Fernando: «La cultura histórica. Una aproximación diferente a la memoria colectiva», *Pasado y Memoria*, núm. 8, 2009, y Sánchez-Costa, Fernando: «Cultura histórica y nombres de calles. Aproximación al nomenclátor contemporáneo de Barcelona y Madrid», *Memoria y Civilización*, núm. 12, 2009.

41 Rüsen ha definido la cultura histórica como «la articulación práctica y operante de la conciencia histórica en la vida de una sociedad, cfr. Rüsen, Jörn: «Was ist Geschichtskultur?...», p. 5 [trad. del autor].

42 Maria Grever define la cultura histórica del siguiente modo: «Historical culture refers to people's relationships to the past at a variety of levels and the manner in which these relationships are articulated in a broad array of narratives, media, ideologies and attitudes» (Grever, Maria: «The Gender of Patrimonial Pride», en Wieringa, S. (ed.): *Travelling Heritages. New Perspectives on Collecting, Preserving and Sharing Women's History*. Ámsterdam, Aksant, 2008, p. 287).

Es imposible acceder al pasado en la medida en que es pasado. Para aproximarnos a él, debemos representarlo, hacerlo presente a través de una reelaboración sintética y creativa.[43] Por ello, el conocimiento del pasado y su uso en el presente se enmarcan siempre dentro de unas prácticas sociales de interpretación y reproducción de la historia. La conciencia histórica de cada individuo se teje, pues, en el seno de un sistema sociocomunicativo de interpretación, objetivación y uso público del pasado, es decir, en el seno de una *cultura histórica*.

La práctica social de transmisión y recuerdo del pasado que acaba configurando los imaginarios históricos de los ciudadanos toma la forma de un sistema o de una red sociocomunicativa (con una organización y una infraestructura propia). Siguiendo a Wulf Kansteiner,[44] podemos afirmar que el análisis comunicativo es, por tanto, la clave para entender los procesos por los que se difunde y discute en una sociedad una determinada interpretación de la historia. En toda acción comunicativa se dan cuatro elementos o agentes principales, que son también la base de la cultura histórica. La acción comunicativa incluye un emisor, un mensaje, un medio y un receptor. El estudio de la cultura histórica, de la elaboración social de la experiencia histórica a través de unas determinadas herramientas culturales, debe atender a estos cuatro factores.

La reflexión teórica sobre el concepto de *cultura histórica* se ha realizado desde los decenios de 1980 y 1990, mediante trabajos rotulados con ese mismo término o con otros estrechamente relacionados.[45] Entre los primeros cabe

---

43 En qué medida se da la contención de la creatividad por el afán de veracidad es uno de los *leitmotivs* en BORSÒ, Vittoria, y KANN, Christoph (eds.): *Geschichtsdarstellung. Medien – Methoden – Strategien* ['La representación histórica. Medios, métodos, estrategias']. Colonia, Böhlau, 2004. En su cubierta leemos: «¿Es la representación histórica una ventana transparente a un pasado fáctico? ¿O pierden los hechos su obligatoriedad (o referencialidad obligatoria) en favor de la representación? El presente volumen enseña una vía intermedia entre estos extremos. Más allá de los hechos históricos entendidos a la manera positivista y más allá también, como consecuencia del *linguistic turn*, de las frecuentemente afirmadas inaccesibilidad e indecisibilidad del pasado fáctico, se toma la representación histórica misma como lo propiamente aprehensible en su vigencia. La historia hay que buscarla en su representación, independientemente de que se trate, como ámbitos mediales de representación, de fuentes historiográficas, textos literarios, cuadros o de museos. Las contribuciones siguen un amplio espectro de dimensiones diferentes de la representación histórica. Medios, métodos y estrategias constituyen para ello las coordenadas centrales, a la vista de las cuales se discute mediante ejemplos la representación histórica con sus formas de expresión narrativas y visuales» [trad. del autor].

44 Cfr. KANSTEINER, Wulf: «Finding Meaning in Memory: a Methodological Critique of Collective Memory Studies», *History and Theory*, mayo de 2002, pp. 179-197.

45 La gráfica que hemos obtenido con la útil herramienta de *Google Books* «Ngram Viewer» es muy ilustrativa respecto a la «Geschichtskultur» (Cultura histórica). Buscando en el corpus de libros en alemán, puede comprobarse cómo la línea que refleja las frecuencias porcentuales de ese término en el total del corpus crece exponencialmente a partir de los años 1985-1986 hasta 2005, mientras que luego cae rápidamente (la búsqueda solo es posible, en 29-12-2011, hasta el año 2008). Por lo que respecta a

destacar quizá los de Jörn Rüsen, Maria Grever, Wolfgang Hardtwig o Bernd Schönemann.[46] Entre estas últimas aportaciones sobresalen las influyentes investigaciones sobre las formas y transformaciones de la memoria cultural (*Kulturelles Gedächtniss*) publicadas por Jan y Aleida Assmann.[47] Recientemente, se ha designado con el término de «historia pública» a las representaciones del pasado que campean en los medios de comunicación.[48]

En cierto modo, la aproximación sociocultural a la historiografía propuesta por C.-O. Carbonell a fines del decenio de 1979, próxima a la historia de las mentalidades, puede ser vista como un enlace entre la historia de la historiografía, entendida como una noble vertiente de la historia intelectual, y el concepto actual de «cultura histórica».[49]

La noción de «cultura histórica» surge, con una tensión teórica y unas implicaciones filosóficas innegables, como un concepto heurístico e interpretativo para comprender e investigar cómo se crean, se difunden y se transforman unas determinadas imágenes del pasado relativamente coherentes y socialmente operativas, en las que se objetiva y articula la conciencia histórica de una comunidad humana. Esa comunidad humana, ese «sujeto colectivo», puede acotarse, aunque no

---

otro término, este francés, *lieux de mémoire* (lugares, sitios o referentes de memoria), una búsqueda análoga y para las mismas fechas arroja una representación parecida para el intervalo 1985-2005, sin que cese, en cambio, en los años siguientes la línea ascendente.

46 Entre los trabajos de Jörn Rüsen, tiene una especial relevancia el titulado «Was ist Geschichtskultur? Überlegungen zu einer neuen Art, über Geschichte nachzudenken», en FÜSSMANN, K.; GRÜTTER, H. T., y RÜSEN, J. (eds.): *Historische Faszination. Geschichtskultur heute*. Colonia, 1994, pp. 3-26, en el que apoyo en buena medida, en este epígrafe. El concepto de Maria Grever de *Historical Culture* se encuentra, entre otros lugares, en la presentación del Center for Historical Culture de la Universidad de Rotterdam, que ella impulsa. Bernd Schönemann ha tratado la genealogía y significación de este concepto en algunos artículos como: «Geschichtsdidaktik, Geschichtskultur, Geschichtswissenschaft», en GÜNTHER-ARNDT, Hilke (ed.): *Geschichtsdidaktik. Praxishandbuch Für Die Sekundarstufe I Und II*. Berlin, Cornelsen Verlag, 2003, pp. 11-22. Aunque, en un sentido mucho más restrictivo, el término «culture historique» había sido utilizado ya por el investigador de la historiografía medieval Bernard Guenée en 1980 en su importante obra *Histoire et culture historique dans l'Occident médiéval*. París, 1980. «Cultura histórica» también había aparecido en el título (y en la introducción) de una recopilación de artículos publicada por Wolfgang Hardtwig en 1990: *Geschichtskultur und Wissenschaft*.

47 ASSMANN, Jan: *Das kulturelle Gedächtnis...*; ASSMANN, Aleida: *Der lange Schatten der Vergangenheit. Erinnergunskultur und Geschichtspolitik*. Múnich, C. H. Beck, 2006; ASSMANN, Aleida: *Geschichte im Gedächtnis. Von der individuellen Erfahrung zur öffentlichen Inzenierung*. Múnich, C. H. Beck, 2007.

48 Cfr. BODNAR, John: *Remaking America. Public Memory, Commemoration and Patriotisme in the twentieth Century*. Princeton, Princeton University Press, 1994, p. 13.

49 La necesidad de ampliar los horizontes de la historia de la historiografía fue abordada por G. Iggers en «Cómo reescribiría hoy mi libro sobre historiografía del siglo XX», *Pedralbes. Revista d'Història Moderna*, núm. 21, pp. 11-26. Esa ampliación de horizontes, que aproxima la historiografía a la cultura histórica, y de perspectivas civilizatorias, se ha plasmado recientemente en un nuevo libro: *A Global History of Modern Historiography*, Harlow, Pearson, 2009, escrito por G. Iggers y Q. Edward Wang (con la contribución de Supriya Mukherjee).

como un compartimento estanco, según múltiples criterios: nacionalidad, lengua, religión, género, clase, generación (que comparte experiencias formativas) o civilización (basada en un legado simbólico y material común operativo en la larga duración). Es patente que cabe establecer así un paralelismo entre estas acotaciones y las que se han señalado en la introducción sobre las diversas historiografías (como conjunto de obras históricas) que pueden distinguirse.

Es importante remarcar también que la cultura histórica no es nunca un sistema granítico de representación del pasado, construido de una vez por todas. Debe entenderse más bien en un sentido procesual, como un proceso dinámico de diálogo social (aunque sea entre agentes desiguales), en el que se crean, difunden, negocian y discuten interpretaciones del pasado. En la cultura histórica de una sociedad se pueden distinguir múltiples narrativas y distintos enfoques que pugnan por imponerse socialmente. En las sociedades democráticas esta pugna es más equilibrada, mientras que en las sociedades totalitarias resulta más difícil desafiar la coerción político-discursiva en el uso público del pasado. Solo si está de verdad abierto (o cuando menos entreabierto) el futuro de una comunidad podrán construirse imágenes auténticamente concurrentes del pasado.

Los debates sociales sobre el pasado son sumamente relevantes, porque en ellos no está en juego un simple conocimiento erudito (preciso, pero ineficaz) sobre la historia sino la autocomprensión de la comunidad en el presente y sus expectativas de futuro. También, pues, en la cultura histórica pueden seguirse las huellas de los futuros esperados que han guiado su construcción. Auscultar la negociación social sobre el pasado lleva a comprender los dilemas sociales del presente y revela cuáles son las problemáticas axiológicas (relativas a los valores) y políticas presentes en el espacio público. La historia puede verse así como la arena en la que se debate la identidad presente y futura de un grupo humano cohesionado.

Aludiremos ahora a algunos aspectos del concepto de «cultura histórica» que los estudios en profundidad sobre este campo no pueden obviar, o, al menos, deben tener en cuenta. La reflexión sobre la cultura histórica (sobre la presencia articulada y efectiva del pasado en la vida de una sociedad) conduce inevitablemente a abordar algunas cuestiones fundamentales de teoría o filosofía de la historia. Entre estas, podríamos citar la crucial problemática de la aprehensión de la realidad y la proyección del sujeto cognoscente en la representación del pasado (teorizada magistralmente por P. Ricœur),[50] la simulta-

---

50 A este respecto, Ricœur en *La mémoire, l'histoire, l'oubli* (París, Seuil, 2000), integra y reelabora sus aportaciones anteriores sobre esa problemática efectuadas sobre todo en *Temps et Récit* (una obra citada ya en este libro a propósito del giro lingüístico), y *La metáfora viva*. Ricœur ha propuesto dar el

neidad de lo no simultáneo y la reflexión radical sobre el tiempo (tan cara a R. Koselleck),[51] la interrelación entre experiencias límites o traumáticas y conciencia histórica (un tema predilecto de F. Ankersmit),[52] o hasta qué punto puede tener vigencia el concepto de memoria colectiva.

Además de la dimensión prioritariamente cognitivo-existencial (conocimiento del pasado y orientación en el tiempo), la cultura histórica posee otras dimensiones no menos relevantes, como, por ejemplo, la estética, que desemboca en una objetivación artística. Por otro lado, en toda cultura histórica suele latir también una tensión política. En efecto, la cultura histórica de una sociedad puede ser, muchas veces, analizada desde una perspectiva político-discursiva, y para ello es necesario analizar las agencias e instancias claves que intervienen en la producción y difusión de los constructos simbólicos que la configuran.

En el último decenio la cultura histórica ha pasado a ser también un fenómeno que interesa al mundo académico y con el que se designa todo un campo de estudios y de investigación sociohumanística. A él se le dedican hoy asignaturas, programas específicos universitarios de grado o posgrado y centros de investigación. Los estudios sobre cultura histórica y sobre memoria se han convertido en un prolífico ámbito interdisciplinar en el que confluyen filósofos, historiadores, teóricos de la literatura, comunicólogos, sociólogos y antropólogos.

Uno de los modos en que se manifiesta el creciente interés académico por la cultura histórica del gran público es que comiencen a publicarse no solo libros, promovidos desde ámbitos universitarios, sino también algunas colecciones de obras dedicadas a cuestiones metodológicas y/o estudios de caso concretos. A este respecto, queremos destacar una serie, editada por las profesoras de la Universidad de Friburgo de Brisgovia (Alemania) Barbara Korte y Sylvia Paletschek, en la editorial Transcript (de Bielefeld). Se titula *Historische Lebenswelten in populären Wissenkulturen / History in Popular Cultures*.[53]

---

nombre de «représentance (ou de lieutenance) au rapport entre les constructions de l'histoire et leur vis-a-vis, à savoir un passé tout à la foi aboli et préservé dans ces traces». Cfr. RICŒUR, *La mémoire...*, p. 320. No estaría mal adaptar al castellano, como *representanza*, el neologismo que Ricœur nos propuso, para distinguir *representanza* y representación, pues al fin y al cabo también las huellas que el historiador utiliza como fuentes son, con frecuencia, representaciones coetáneas (escritas o icónicas) de personajes o acontecimientos. *Representanza* sería un término adecuado para la vía intermedia defendida por C. Borso, entre factualismo y subjetivismo.

51 Cfr., por ejemplo, KOSELLECK, R.: «Representación, acontecimiento y estructura», en *Futuro pasado: Para una semántica de los tiempos históricos*. Barcelona, Paidós, 1993.

52 Cfr. ANKERSMIT, F.: «Trauma, sublimidad y el surgimiento de conciencia histórica occidental», en *La experiencia histórica sublime*: México, Universidad Iberoamericana, 2010, pp. 371-383.

53 En esta colección se han publicado los libros, KORTE, B., y PALETSCHEK, S. (eds.): *History Goes Pop. Zur Repräsentation von Geschichte in populären Medien und Genres*. Bielefeld, Transcript, 2009, en

En cuanto a mi ámbito más próximo, tanto personalmente como en el máster de Cultura histórica y comunicación de la Universitat de Barcelona (promovido por Joan Lluís Palos y yo en el año 2000), hemos realizado estudios de casos sobre cultura histórica analizando diversos constructos simbólicos como, por citar algunos, onomástica de calles o espacios públicos en diversas ciudades europeas y latinoamericanas, representaciones en los billetes de banco o de contenidos históricos en los himnos y escudos de equipos de fútbol.[54]

11.5. Algunas tendencias en la configuración de la cultura histórica contemporánea

El conjunto de imágenes, ideas, nombres y valoraciones, que, de forma más o menos coherente, componen la visión del pasado que tiene una sociedad no es fruto hoy de manera exclusiva, ni quizá predominante, de las aportaciones de los historiadores profesionales o académicos. En la creación, diseminación y recepción de esas representaciones del pasado inciden directamente más hoy las novelas y las películas históricas, las revistas de divulgación sobre historia y patrimonio cultural, las series de televisión, los libros escolares, las exposiciones conmemorativas y las recreaciones de acontecimientos relevantes que llevan a cabo instituciones públicas, asociaciones, o parques temáticos. Por eso, en algunos estudios recientes sobre la «construcción» del pasado, por T. Morris-Suzuki, se da un gran protagonismo a formatos (lugares de memoria, en sentido amplio) tan impensables antes en una historia de la historiografía como algunos relatos *manga*.[55]

En la creación de una imagen pública del pasado habían intervenido tradicionalmente diversas instancias. Así los dirigentes de instituciones culturales

---

alemán; y Korte, B., y Paletschek, S. (eds.): *Popular History Now and Then: International Perspectives.* Bielefeld, Transcript, 2012, en inglés (esta obra incorpora la contribución de Sánchez-Marcos, Fernando: «Don Juan de Austria in European Historical Culture. The Twentieth-Century Metamorphosis of a Popular Hero», pp. 203-230; en ese texto se agradece la colaboración de las alumnas del Máster en Cultura Histórica y Comunicación Flavia Ramos, Jinhwa Choi, Iva Boitcheva y Gisele Bento).

54 Mi trabajo sobre «Identidades y nombres de calles en España. El caso de Barcelona» (2002), puede verse en: www.culturahistorica.es/sanchez_marcos/identidades_calles_Barcelona.pdf (30-12-2011). Hago mención a los estudios de Pedro Escajadillo (sobre la historia de Perú en papel moneda) y de Sanya Frkanec (sobre la cultura histórica serbia a través de Belgrado) en Sánchez-Marcos, F., y Sánchez-Costa, F.: «Identities, Memoires, and Street Names in Barcelona, Lima and Manila», en *International Conference «New Orientations in Historiography: Regional History and Global HIstory»* (Papers), Shanghai, East-China Normal University, 2007, pp. 134-165.

55 Morris-Suzuki, T.: *The Past Within Us. Media Memory, History.* Londres, Verso Books, 2005.

emanadas de poderes políticos a diferentes escalas territoriales, de confesiones religiosas, de estamentos sociales, de sindicatos u otras asociaciones. Estas instancias intervenían, trabajando conjuntamente con historiadores profesionales, desde el siglo XIX. La mayoría de las veces lo hacían con una finalidad de legitimación y/o cohesión (rayana, con frecuencia, en la propaganda) y mediante un repertorio limitado de medios que, salvo en los ámbitos urbanos, llegaban a un número más o menos reducido de personas. En los últimos quince años el panorama ha cambiado extraordinariamente en cuanto a los agentes, medios y destinatarios de esas representaciones. Explicaremos un poco más en qué han consistido esos cambios que implican una seria interpelación para los actuales historiadores.

Hay cuatro conceptos clave que abarcan, probablemente, una gran parte de estas transformaciones de la cultura histórica actual: «mediatización» (el profundo impacto de los *mass media* y de sus lenguajes electivos), «mundialización» (o globalización), «estetización» (para resaltar el atractivo formal a riesgo del contenido) y «mercado (o consumo) de historia».

La fascinación por la historia (que continúa), la lógica del mercado (satisfacer una demanda) y la acelerada evolución tecnológica (con la posibilidad vía internet de acceso y diseminación instantáneas de textos, imágenes y sonidos) han hecho que el pasado sea cada vez más hoy un objeto de consumo. En la creación de los productos histórico-culturales se ha producido la irrupción de unos nuevos actores o instancias privadas (así las agencias o empresas culturales especializadas en el ámbito histórico). Estas no tienen ante todo un interés o una perspectiva ideológica, sino que aspiran a crear productos atractivos, económicamente asequibles, de calidad estética y suficiente solvencia científica, para que lleguen bien al *target*: el público potencial en el que ha pensado la institución pública o empresa privada (con frecuencia asociada a algún grupo de comunicación) que les ha hecho el encargo.

Quizá resulte emblemático de las transformaciones que se han dado recientemente en la cultura histórica seguir la secuencia de los títulos de varios libros dedicados a ella, tres de los cuales han surgido en el mismo ámbito germánico. Wolfgang Hardtwig, en 1990, asociaba en el título de una obra «cultura histórica» y «ciencia». Füssmann, Grütter y Rüsen, por su parte, editaban en 1994 una recopilación de trabajos que, como se ha dicho, relacionaba en su título y subtítulo la «cultura histórica» y la «fascinación por la historia», mostrando la presencia de aquella en distintos *mass media*. Muy recientemente ha aparecido, también en Alemania, una nueva recopilación de trabajos, destinada directamente a los universitarios, en la que la «historia», en el título, se asocia a la «esfera pública». Ha sido editada por dos profesores de didáctica de la historia de la Universidad de Gotinga (Sabine Horn y Michael Sauer) en 2009, con la colaboración de 25 autores.[56] Se propone combinar la perspectiva de los especialistas académicos con la perspectiva externa a la universidad. Deseamos remarcar que, además de incorporar artículos sobre esos nuevos agentes, ya mencionados, que operan como historiadores *free lance* (o en microempresas culturales) en el mercado de la historia, se analizan también nuevos medios o formas que configuran la cultura histórica, respecto a los estudiados en el libro ya aludido de 1994. Así, en *Geschichte und Öffentlichkeit* hay artículos dedicados a las actividades de «Living History y Reenctament» o al mayor o menor realismo histórico en los juegos de ordenador («Computerspiele»).

La expresión «mercado de la historia» aparece solo en algún subtítulo de una colaboración en las obras germánicas ya mencionadas. En cambio un término muy asociado al mercado «el consumo» (o «consumir») figura en el rótulo de otra obra, esta en inglés, del mismo año 2009, escrita por un único autor: Jerome de Groot, profesor universitario de Manchester. Se titula *Consuming History. Historians and Heritage in Contemporary Popular History*.[57] De Groot analiza en ella cómo la sociedad, especialmente en Gran Bretaña, consume historia y cómo un estudio de este consumo puede ayudarnos a entender la cultura histórica del pueblo (en el sentido de la no académica), así como las problemáticas de la representación. El autor trata un amplio abanico de temáticas, sin descuidar las nuevas formas de creación comunitaria de cultura histórica on-line y las transformaciones que el mundo digital está implicando. De hecho, una de las temáticas claves del libro es el «enfranchisement of historical consumer» y del historiador amateur.[58]

«La historia vende» (*History sells!*) es otro título reciente, bien expresivo de esa transformación que está experimentando el acceso a un pasado que se convierte en un bien de consumo. Y quienes han editado ese libro, en el mismo año de 2009, no son tiburones empresariales, sino historiadores académicos, uno de los cuales, Wolfgang Hardtwig, ha aparecido aquí varias veces. Quizá por ello, en el subtítulo (en alemán, lenguaje de la recopilación de textos) se mencionan las dos caras de la «historia aplicada» que se quieren analizar de manera interrelacionada, como ciencia y como mercado.[59]

---

56 HORN, Sabine, y SAUER, Michael (eds.): *Geshichte und Öffentlichkeit. Orte – Medie – Institutionen*. Gotinga, Vandenhoeck / Ruprecht, 2009.

57 DE GROOT, Jerome: *Consuming History*. Londres, Routledge, 2009.

58 *Ibidem*, pp. 59-61.

59 HARDTWIG, Wolfgang, y SCHUG, Alexander (eds.), *History Sells! Angewandte Geschichte al Wissenswchaft und Markt*. Viena, Steiner Franz Verlag, 2009.

De todos modos, la comprensión de la historia como «bien de consumo» no solo implica que esta se haya convertido en un producto más de los que se producen, compran y venden en el sistema económico. Al referirnos a la historia como «producto» describimos también una actitud ante el pasado, que tiende a verlo como algo para ser utilizado de acuerdo con las múltiples necesidades del presente. En ocasiones, el pasado ya no es un contenido por conocer, una totalidad por descubrir, sino que es percibido como un abanico de posibilidades para elegir, como un escaparate en el que se encuentran ideas, objetos, experiencias, que el individuo contemporáneo puede seleccionar para su uso y disfrute en el presente. Se trata —en palabras de Gillis— de una historia supermercado. «Both Americans and Europeans have become compulsive consumers of the past, shopping for that which best suits their particular sense of self at the moment, constructing out of a bewildering variety of materials, times, and places the multiple identities that are demanded of them in the post-national era.»[60]

---

60 Gillis, John: «Memory and Identity: The History of a Relationship», en Gillis, John R. (ed.): *Commemorations. The Politics of National Identity.* Princeton, Princeton University Press, 1994, p. 17.

Epílogo

Espero que, al llegar a este epílogo, el lector haya adquirido una idea relativamente completa, diversificada y precisa de las principales tendencias en las formas de acceder al pasado que se han sucedido y solapado hasta hoy desde inicios del siglo XX.

Estoy seguro de que, a estas alturas, queda bien de relieve la extraordinaria multiplicidad de recorridos intelectuales y representaciones literarias que han efectuado quienes, desde Langlois y Seignobos hasta Natalie Z. Davis, han indagado en las maneras de vivir de tiempos anteriores. En sus tentativas de captar el poliformismo de la condición humana desplegado en el tiempo, los seguidores de Clío nos han ofrecido ciertamente en sus historias una rica variedad de enfoques, temáticas y futuros esperados y retroproyectados. La diversidad historiográfica e historiológica es una constatación evidente, como anticipamos ya al inicio de este libro, con palabras certeras de K. Pomian.

Más problemática resulta la cuestión de si sigue existiendo y cuál podría ser el común denominador en toda esa pléyade de prácticas y teorías historiográficas. Es posible que esos múltiples giros a los que hemos asistido (así el giro social, el lingüístico, el globalizador, el medioambiental) en pos de una comprensión más cabal del pasado (para construir los futuros esperados) tengan una misma raíz antropológica. Esta puede residir en la necesidad humana de tratar de responder a la pregunta por los cambios previstos e imprevistos en las condiciones personales y sociales de vida con un plus de experiencia, mediante una dilatación temporal por persona interpuesta. La vida, esa continua pregunta, escribía Febvre; la vida, esa continua sorpresa, añadiría yo. ¿Será la historia, pues, una especie de prótesis existencial o un lenitivo para nuestra finitud en la comprensión del mundo? En cualquier caso, la historiografía es el resultado de esa curiosidad humana que es una de las constantes más indubitables de nuestra naturaleza.

Por otra parte, el historiador o la historiadora no escapan a una contradicción inherente a la condición humana, la cual es formidable en sus sueños y bastante más menesterosa en sus realizaciones. Así, tras el diseño por parte de algunos pioneros de una forma de intentar una nueva historia (más integral o, al menos, con voluntad de superar las insuficiencias de la anterior), se constata a medio plazo las limitaciones de lo logrado por quienes han puesto en práctica la nueva propuesta. Y la historia con aspiraciones de renovación comienza a ser percibida como inadecuada a las aspiraciones que entretanto han surgido, en función de experiencias sociales inéditas como puede ser, en estos últimos años, la creación de una economía y de una esfera pública a escala planetaria o la conciencia de un posible daño quizá irreversible en el medio ambiente. Un paradigma historiográfico que había parecido novedoso y definitivo puede también verse cuestionado por la actitud de una nueva generación que considera de una manera más abiertamente crítica las deficiencias asumidas anteriormente por inercia.

La interpretación algo simplificada y dicotómica de la dinámica evolutiva de las tendencias historiográficas que acabo de apuntar puede tener cierta utilidad. Pero en la realidad, como sabemos todos los historiadores, las cosas son bastante más complejas. Coexisten y se entrecruzan múltiples ideas y escrituras de la historia, pues a la postre lo que se da son autores y obras singulares. Y no siempre hay una tendencia que prevalezca claramente en un tiempo y un espacio dados, incluso antes de 1979 y 1989, cuando se evidencian o producen crisis de los paradigmas o tendencias relativamente dominantes.[1] De hecho, la práctica historiográfica más extendida durante todo el siglo largo que me ha ocupado no puede ser constreñida a las formulaciones emblemáticas o tendencias ya comentadas sino que ha presentado, en muchos casos, una notable dosis de saludable eclecticismo, combinando los nuevos enfoques con las tradiciones intelectuales sólida y plurisecularmente asentadas.

Haré ahora algunas consideraciones sobre los requisitos que ha de reunir hoy la escritura de la historia, según me parece detectar a tenor de las realidades más recientes y significativas, si esta quiere seguir manteniendo, como disciplina, un papel social relevante. Recuerdo algunas constataciones que ya he puesto de relieve en páginas anteriores: el acceso al pasado ha dejado de ser de facto patrimonio de los historiadores académicos, la gran mayoría del planeta vive en un mundo globalizado donde el protagonismo de Occidente decrece a ojos vista y en el que los viajeros, sea por placer o por imperativos laborales, se han convertido —en expresión de T. Zeldin— «en la mayor de las tribus».[2] Añado a este análisis otro elemento: en una sociedad actual que manifiesta una gran «hambre de historia»,[3] las emociones y las imágenes pesan probablemente más que las argumentaciones y los textos.

---

1   Escojo esas dos fechas simbólicas la primera por ser, como ya indiqué, cuando Lawrence Stone publicó su premonitorio artículo en la influyente revista *Past and Present* y la segunda por razones obvias.

2   ZELDIN, Theodor: *Historia íntima de la humanidad*. Madrid, Alianza, 1996.

3   Retomo aquí la afortunada expresión de John LUKACS: *El futuro de la historia*. Madrid, Turner, 2011, p. 63.

Las nuevas realidades nos exigen que, sin abdicar del rico y polimórfico legado de la historia académica, ampliemos los contornos que marcan el perfil de quien escribe historia hoy. Esta ampliación debe efectuarse en diversas direcciones. Por lo que respecta a la búsqueda y tratamiento de la información, cuando el problema suele residir en su superabundancia indiferenciada más que en su escasez, hemos de adaptarnos a las mutaciones en el oficio. Los cambios suscitados por la eclosión de internet han sido analizados pertinentemente, entre otros, por R. Minutti, F. Crivellari, D. Cohen y R. Rosenzweig.[4]

La exigencia de ensanchar horizontes no es menor en cuanto a las temáticas de estudio. Y ello en múltiples sentidos, entre los cuales escojo ahora dos. Uno es el cultivo de un enfoque transeuropeo y transoccidental (transnacional y transcontinental, en cualquier caso) en el estudio de procesos, acontecimientos y fenómenos históricos, como ya se manifestó con claridad en el último Congreso Internacional de Ciencias Históricas (Ámsterdam, 2010). Este cultivo nos exigirá sin duda a los profesionales hacer indagaciones cada vez más profundas y sistemáticas en áreas culturales y ámbitos geográficos que nos resultan aún poco familiares.

Otro aspecto importante en la ampliación de las temáticas y enfoques de estudio tiene que ver con el análisis cuidadoso de los productos (las representaciones textuales y/o icónicas) con las que el gran público está saciando su sentido histórico. Unas representaciones del pasado que, de facto, resultan, en sentido lato, «historiógenas» —si se me permite el neologismo— por cuanto son generadoras de una conciencia o pseudoconciencia histórica compartida. ¿No debe ser tarea de los historiadores someter a una investigación bien fundamentada los productos mediáticos que pasan por historia? Nuestra responsabilidad profesional y cívica exige, me parece, una respuesta afirmativa. De hecho, algunas investigaciones, comentadas en el capítulo sobre cultura histórica y memoria constituyen tentativas estimulantes en ese sentido.

«There are more things in heaven and earth, Horatio, than are dreamt of in your philosophy.»[5] Me sirvo de esta célebre frase del Hamlet de Shakespeare para decir que hay más posibles panorámicas de cómo han evolucionado las tendencias historiográficas en el siglo XX de la que yo he pergeñado. No solo soy consciente de ello sino que he procurado en distintos momentos dejar

4 COHEN, Daniel, y ROSENZWEIG, Roy: *Digital History. A Guide to Gathering, Preserving, and Presenting the Past on the Web*. Filadelfia, University of Philadelphia Press, 2006; CRIVELLARI, Fabio et al. (eds.): *Die Medien der Geschichte: Historizität und Medialität in interdisziplinärer Perspektive*. Konstanz, UVK, 2004; Minuti, Rolando: *Internet et le métier d'historien: reflexions sur les incertitudes d'une mutation*. París, Presses Universitaires de France, 2002.
5 SHAKESPEARE: *Hamlet*, acto 1, escena 5.

clara esa conciencia de limitación. Y ello tanto por honestidad intelectual como porque estoy convencido de que embridar la *hybris* (la arrogante desmesura) metodológica y/o identitaria es uno de los servicios más importantes que los historiadores podemos prestar a la causa del diálogo y de la paz en una búsqueda compartida de la verdad fragmentaria y mediata (por el rodeo del tiempo pasado) que cada tendencia historiográfica y cada historiador proponen sobre la polimorfa y escurridiza condición humana.

Tanto la historiología como la historiografía del siglo XX coadyuvan a embridar la *hybris*. La historiología, porque constituye una reflexión sobre los condicionantes con los que se gesta todo conocimiento histórico y sobre lo que este tiene, inevitablemente, de huella del futuro esperado por cada grupo humano en el momento en el que construye *su* relato sobre el pasado. La historiografía, entendida como el conjunto de obras en que se plasma ese conocimiento, porque nos ha dado a conocer además de los magníficos logros conseguidos por la humanidad en algunos aspectos (así en el aumento de esperanza de vida o en el reconocimiento, en muchos países, de los derechos cívicos de las mujeres) los despeñaderos a que han conducido las autoapoteosis de la raza, de la clase o de la etnia (en el nazismo, en el comunismo y en los nacionalismos étnicos balcánicos).

Embridar la *hybris* es un reto; pero no el único. En estos tiempos posmodernos y pos casi todo, de pensamiento *light*, es tanto o más necesario avivar la tensión veritativa, alentar la aspiración a la verdad, al reconocimiento de la realidad en toda su complejidad. Y a esta necesaria tarea hemos de contribuir, sin exclusivismos pero sin complejo de inferioridad, los historiadores.

Espero que este libro haya aportado al lector algunas claves útiles para que pueda valorar por sí mismo con mayor profundidad en qué medida las obras históricas o pretendidamente históricas que lee se acercan más a ese noble sueño de una historia integral inspirada por la verdad, la libertad y la solidaridad.[6] Pues la historia, repito una idea que ya he mencionado al inicio de esta obra, es un constructo no solo intelectual sino existencial.

---

6 La tesis de que verdad, libertad y solidaridad son tres valores que pueden resumir gran parte de los compromisos éticos del historiador la expuse en el II Congreso Internacional Historia a Debate (Santiago de Compostela, 1999). El texto de mi intervención, publicada, es accesible on-line (08-04-2012) en www. culturahistorica.es/sanchez_marcos/compromisos_eticos_del_historiador.pdf.

Bibliografía

ABEL, E. (1983): *Women, Gender & Scholarship*. Chicago, Chicago University Press.

ABULAFIA, D. (2009): *El descubrimiento de la humanidad. Encuentros atlánticos en la era de Colón*. Barcelona, Crítica.

AGUILAR FERNÁNDEZ, P. (2008): *Políticas de la memoria y memorias de la política*. Madrid, Alianza.

AGUIRRE ROJAS, C. (2004): *La Escuela de los Annales. Ayer, hoy y mañana*. México, Ediciones Era.

ALCOBERRO, A. (1998): «A la perifèria de l'imperi», en HERNÁNDEZ, F. X. (ed.): *Catalunya, història i memòria*. Barcelona, Pòrtic, pp. 105-120.

ALT, W. (2012): «Introducción», en *Lengua y poder: el español en los Países Bajos bajo Felipe II hasta la conquista de Amberes (1555-1585)* (tesis doctoral). www.culturahistorica.es/wolfgang_alt.castellano.html.

ALTHUSSER, L., y BALIBAR, E. (1977): *Para leer «El capital»*. México, Siglo XXI (ed. orig. fran 1965).

ANDREANO, R. (ed.) (1970): *The New Economic History: Recent Papers on Methodology*. Nueva York, John Wiley.

ANDRÉS-GALLEGO, J. (coord.) (1993): *New History, Nouvelle Histoire: Hacia una Nueva Historia*. Madrid, Actas.

— (ed.) (2003): *Historia de la historiografía española*. Madrid, Ediciones Encuentro, 2.ª ed.

ANKERSMIT, F. (2007): «What is wrong with world history from a cosmopolitan point of view», en *International Conference on New Orientations In Historiography: Regional History and Global History*. Shanghai, East China Normal University, pp. 8-15.

— (2010): *La experiencia histórica sublime*. México, Universidad Iberoamericana.

APPLEBY, J.; HUNT, L., y JACOB, M. (1998): *La verdad sobre la historia*. Barcelona, Andrés Bello.

ARANZUEQUE, G. (ed.) (1997): *Horizontes del relato. Lecturas y conversaciones con Paul Ricœur*. Madrid, Cuaderno Gris.

ARON, R. (1969): *La philosophie critique de l'histoire. Essai sur une théorie allemande de l'histoire*. París, J. Vrin (reimpr. del texto de 1934).

— (1983a): *Dimensiones de la conciencia histórica*. México, Fondo de Cultura Económica (ed. orig. fran. 1961).

— (1983b): «Del objeto de la historia», en ARON, R. (ed.): *Dimensiones de la conciencia histórica*. México, Fondo de Cultura Económica, 2.ª ed. rev., pp. 101-133 (ed. orig. fran. 1964).

ARÓSTEGUI, J. (1995): *La investigación histórica: Teoría y método*. Barcelona, Crítica.

— (2004): «Memoria, memoria histórica e historiografía. Precisión conceptual y uso por el historiador», *Pasado y Memoria. Revista de Historia Contemporánea*, vol. 3.

Assmann, A. (2006a): *Erinnerungsräume. Formen und Wandelungen des kulturellen Gedächtnisses*. Múnich, Beck, 3.ª ed. (1.ª ed. 1999).

— (2006b): *Der lange Schatten der Vergangenheit. Erinnergunskultur und Geschichtspolitik.* Múnich, Beck.

— (2007): *Geschichte in Gedächtnis. Von der individuellen Erfahrung zur öffentlichen Inszenierung.* Múnich, Beck.

Assmann, J. (2005): *Das kulturelle Gedächtnis. Schrift, Erinnerung und Politische Identität in frühen Hochkulturen.* Múnich, Beck (1.ª ed. 1992).

Aurell, J. (2005): *La escritura de la memoria. De los positivismos a los postmodernismos.* Valencia, Universitat de València.

— (2006): «Hayden White y la naturaleza narrativa de la historia», *Anuario Filosófico,* vol. 39, núm. 3, pp. 625-648.

AA.VV. (2002): «Spanish Memories: Images of a Contested Past, *History and Memory*, vol. 14 (número especial).

AA.VV. (2008): «Usos públicos del pretérito», *Revista de Historiografía*, núm. 8 (número monográfico).

Baberowski, J. (2005): *Der Sinn der Geschichte. Geschichtstheorien von Hegel bis Foucault.* Múnich, Beck.

Balcells, A. (2008): *Llocs de memòria dels catalans.* Barcelona, Proa.

Barker, E. T. E. (2006): «Paging the oracle: interpretation, identity and performance in Herodutus' History», *Greece and Rome,* núm. 58, pp. 1-28.

Baro Queralt, X. (2009): *La historiografía catalana en el segle del Barroc (1585-1709).* Barcelona, Publicacions de l'Abadia de Montserrat.

Barraclough, G. (1980): *Tendances actuelles de l'histoire.* París, Flammarion.

Barriendos, M. (2006): «La climatología histórica en el contexto universitario español», *Pedralbes. Revista d'Història Moderna,* vol. 26, núm. 26, pp. 41-64.

Bauer, W. (1921): *Einführung in das Studium der Geschichte.* Tubinga (trad. esp.: *Introducción al estudio de la historia,* Barcelona, Bosch, 1944).

Bauman, Z. (1999): *Modernidad líquida.* Buenos Aires, Fondo de Cultura Económica.

Beevor, A. (2003): *Stalingrad and Researching the Experience of War,* Lees-Knowles Lectures, Cambridge, 2.ª ed.

Bennassar, B. (1967): *Valladolid au siècle d'or.* La Haya, Mouton.

Bentley, J. H. (2000): «Cultural Encounters between the Continents over the Centuries / Les rencontres culturelles entre continents à travers de l'histoire», en Jolstad, A., y Lunde, M. (eds.): *19th International Congress of Historical Sciences: Proceedings / Actes.* Oslo, University of Oslo, pp. 29-46.

Bentley, J. H., y Ziegler, H. (2009): *Tradition and Encounters. A Global Perspective on the Past.* Boston, McGraw Hill.

Bentley, M. (1997): *Companion to Historiography.* Londres / Nueva York, Routledge.

BENTON, G., y GOMEZ, E. T. (2008): *The Chinese in Britain, 1800. Present: Economy, Transnationalism, Identity*. Palgrave Macmillan.

BERGER, S. (2004): *Inventing the Nation: Germany*. Londres, Edward Arnold.

BLANKE, H. W. (1991): *Historiographiegeschichte als Historik*. Stuttgart, Frommann-Holzboog.

BLOCH, M. (1924): *Les rois thaumaturges*. París, Humphrey Milford.

— (1931): *Les caractères originaux de l'histoire rurale française*. Oslo, H. Aschehoug.

— (1949): *Apologie pour l'histoire ou Métier d'historien*. París, A. Colin.

BODNAR, J. (1994): *Remaking America. Public Memory, Commemoration and Patriotism in the twentieth Century*. Princeton, Princeton University Press.

BORSÒ, V., y KANN, C. (eds.) (2004): *Geschichtsdarstellung. Medien – Methoden – Strategien*. Colonia, Böhlau.

BOURDÉ, G., y MARTIN, H. (1990): *Les écoles historiques*. París, Seuil (trad. esp.: *Las escuelas históricas*, Madrid, Akal, 1992).

BRAUDEL, F. (1949): *La Méditerranée et le monde méditerranéen à l'époque de Philipe II*. París, Armand Colin (2.ª ed. ampl. 1966).

BREISACH, E. (2009): *Sobre el futuro de la historia. El desafío postmodernista y sus consecuencias*. Valencia, Publicacions de la Universitat de València.

BRÜGGEMEIER, F. (1998): *Tschernobyl, 26. April 1986. Die ökologische Herausforderung*. Múnich, Deutscher Taschenbuch Verlag.

BRÜGGEMEIER, F., y WINIWARTER, V. (2000): «New Developments in Environmental History (Introduction and Discussant's Comment)», en JOLSTAD, A., y LUNDE, M. (eds.): *19th International Congress of Historical Sciences, Proceedings*. Oslo, University of Oslo, pp. 375-396.

BRUNNER, O.; CONZE, W., y KOSELLECK, R. (eds.) (1972-1992): *Geschichtliche Grundbegriffe. Historisches Lexikon zur politisch-sozialen Sprache in Deutschland*. Stuttgart, Klett-Cotta.

BURGUIÈRE, A. (2009): *La Escuela de Annales: una historia intelectual*. Valencia, Publicacions de la Universitat de València.

BURKE, P. (1987): *Sociología e historia*. Madrid, Alianza, 1987 (ed. orig. ingl. 1980).

— (1990): *The French Historical Revolution: The Annales School 1929-89*. Stanford, Stanford University Press.

— (1993): «Historia de los acontecimientos y renacimiento de la narración», en BURKE, P. (ed.): *Formas de hacer historia*. Madrid, Alianza, pp. 287-305.

— (2005): *¿Qué es la historia cultural?* Barcelona, Paidós.

— (2010): *Hibridismo cultural*. Madrid, Akal.

BURUMA, I., y MARGALIT, A. (2004): *Occidentalism: The West in the Eyes of its Enemies*. Londres, Penguin.

CAL MONTOYA, C. (2008): «La historia y su uso público: reflexiones desde Guatemala», *Revista de la Universidad de San Carlos de Guatemala*, núm. 9, pp. 181-208.

CALVI, G. (ed.) (1991): *Barocco al femminile*. Roma y Bari, Laterza.

CAÑIZARES-ESGUERRA, J. (2007): «Entangled Histories: Borderland Historiographies in New Clothes», *American Historical Review,* núm. 112, pp. 187-199.

CANNON, J. et al. (eds.) (1988): *The Blackwell Dictionary of Historians*. Oxford, Blackwell Publishers.

CAPARRÓS, J. M.ª (2004): *Cien películas sobre historia contemporánea*. Madrid, Alianza.

CARBONELL, C.-O., y WALCH, J. (eds.) (1994): *Les sciences historiques de l'Antiquité à nos jours*. París, Larousse.

CARBONELL, C. (1976): *Histoire et historiens: Une mutation idéologique des historiens français, 1865-1885*. Toulouse, Privat.

— (1986): *La historiografía*. México, Fondo de Cultura Económica, 1.ª ed. (ed. orig. fran. 1981).

CARBONELL, C., y LIVET, G. (eds.) (1983): *Au berceau des Annales*. Toulouse, Presses de l'Institut d'Études Politiques de Toulouse.

CASANOVA, J. (1991): *La historia social y los historiadores. ¿Cenicienta o princesa?* Barcelona, Crítica.

CASTILLA, B. (1995): *Persona femenina, persona masculina*. Madrid, Rialp.

CATROGA, F. (2001): *Memoria, historia e historiografía*. Coímbra, Quarteto.

— (2009): *Os passos do homem como restolho do tempo. Mémoria e fim do fim da história*. Coímbra, Almedina.

CATTARUZZA, M. (2005): «Università e accademie negli anni del fascismo e del nazismo», en ZUNINO, P. G. (ed.): *Atti del Convegno Internazionale Torino*. 11-13 de mayo. Florencia, Leo S. Olschi, pp. 345.

CHANIOTIS, A. (1991): «Gedenktage der Griechen: Ihre Bedeutung für das Geschichtsbewusstsein griechischer Poleis», en ASMANN, J. (ed.): *Das Fest und das Heilige. Religiöse Kontrapunkte zur Alltagswelt (Studiem zum Verstehen fremder Religionen, 1)*. Gütersloh, Gütersloher Verlagshaus, pp. 123-145.

CHAUNU, P. (1972): *La expansión europea (siglos XIII al XV)*. Barcelona, Labor.

— (1978): *Histoire, Science Sociale. La durée, l'espace et l'homme à l'époque moderne*. París, SEDES.

— (1981): *Histoire et décadence*. París, Perrin (trad. esp.: *Historia y decadencia*. Barcelona, Juan Granica, 1983).

CIPOLLA, C. M. (1977): *Historia económica de la Europa preindustrial*. Madrid, Revista de Occidente (ed. orig. ingl. 1974).

COHEN, D. J., y ROSENZWEIG, R. (2006): *Digital history: a guide to gathering, preserving, and presenting the past on the web*, University of Pennsylvania Press, Philadelphia.

COLOMINES, A., y OLMOS, V. S. (1998): *Les raons del passat*. Barcelona, Afers.

COMITÉ INTERNATIONAL DES SCIENCES HISTORIQUES / INTERNATIONAL COMITTEE OF HISTORICAL SCIENCES (1995): «Major Themes, 2: Women, Men and Historical Change: Case Studies on the Impact of Gender History / Le rapport masculin/féminin dans les grandes mutations historiques», *XVIIIe Congrès International des Sciences Historiques, Actes / 18th International Congress of Historical Sciences. Proceedings*. Montreal, p. 47.

CONTRERAS, J. (1992): *Sotos contra Riquelmes*. Madrid, Muchnik.

COOK, N. D., y COOK, A. P. (1992): *Un caso de bigamia transatlántica*. Madrid, Muchnik.

COUDANNES, M. (2007): «¿Para quién escriben los historiadores? Aportes a una investigación histórica del libro de Carlos Altamirano: Intelectuales, notas de investigación», *Interpretaciones. Revista de Historiografía Argentina*, núm. 3.

COUTAU-BÉGARIE, H. (1989): *Le phénomène nouvelle histoire. Grandeur et décadence de l'école des Annales*. París, Economica, 2.ª ed. rev.

CRIVELLARI, F. et al. (eds.) (2004): *Die Medien der Geschichte: Historizität und Medialität in interdisziplinärer Perspektive*. Konstanz, UVK.

CROCE, B. (1921): *Storia della Storiografia italiana*. Bari, Laterza.

CRUZ, M., y BRAUER, D. (eds.) (2005): *La comprensión del pasado. Escritos sobre filosofía de la historia*. Barcelona, Herder.

CUESTA BUSTILLO, J. (coord.) (1998): «Historia y Memoria» (dossier monográfico)», *Ayer*, núm. 32.

DAIX, P. (1999): *Fernand Braudel. Uma biografia*. Río de Janeiro, Record (ed. orig. fran. 1995).

DARNTON, R. (1984): *The Great Cat Massacre and Other Episodes in French Cultural History*. Nueva York, Basic Books.

DAVIS, L. (2000): «Review of Robert W. Fogel *Railroads and American Economic Growth: Essays in Econometric History*», Economic History Services, 1 de julio de 2000. http://eh.net/booksreviews/libray/davis.

DAVIS, N. Z. (1984): *El regreso de Martin Guerre*. Barcelona, Antoni Bosch.

DE BAETS, A. (ed.) (2009): *Responsible History*. Nueva York, Berghahn Books.

DE BERNARDI, A., y GUARRACINO, S. (dirs.) (1986): *Dizionario di Storiografia*. Milán, Mondadori.

DE GROOT, J. (2009): *Consuming History: Historians and Heritage in Contemporary Popular Culture*. Londres, Routledge.

DELUMEAU, J. (1976): *La Mort des pays de Cocagne: Comportements collectifs de la Renaissance à l'âge classique*. París, Publications de la Sorbonne.

DEN BOER, P. (1998): *History as a Profession: The Study of History in France 1818-1914*. Princeton, Princeton University Press (ed. orig. hol. 1987).

DÍAZ ARIAS, D. (2006): «¿Cómo trabaja Clío?: Los dilemas en la construcción del pasado y el papel de la imaginación histórica», en MALAVASSI, P. (ed.): *Historia: ¿ciencia, disciplina social o práctica literaria?* San José de Costa Rica, Editorial de la Universidad de Costa Rica.

DILTHEY, W. (1949): *Introducción a las ciencias del espíritu*, en: *Obras*, vol. 1. México, Fondo de Cultura Económica.

DOMANSKA, E. (2006): «The Material Presence of the Past», *History and Theory*, vol. 45, núm. 3, pp. 337-348.

DOSSE, F. (1988): *La historia en migajas*. Valencia, Institució Alfons el Magnànim.

DUBY, G., y PERROT M. (eds.). *Historia de las mujeres en Occidente*, 5 vols. Madrid, Taurus.

ECHEVARRÍA, B. (1995): «Marxismo e historia en los años 90», en BARROS, C. (ed.): *Historia a Debate*, t. I. «Pasado y futuro». Santiago de Compostela, 1995, pp. 69-91.

EHRARD, J., y PALMADE, G. (1971): *L'histoire*. París, Librairie Armand Colin, 3.ª ed. rev. y correg. (I.ª ed. 1965).

EIRAS ROEL, A. (1976): «La enseñanza de la historia en la Universidad», *Once ensayos sobre la historia*. Madrid, Fundación Juan March, pp. 189-201.

ELIAS, N. (1969): *Die höfische Gesellschaft. Untersuchungen zur Soziologie des Köningstums und der höfische Aristokratie mit einer Einleitung: Soziologie und Geschichtswissenschaft*. Neuwied, Hermann Luchterhand (ed. orig. 1933).

ELLIOTT, J. H. (1984): *Richelieu y Olivares*. Barcelona, Crítica.

ERDMANN, K. D. (2005): *Toward a Global Community of Historians. The International Historical Congresses and the International Committee of Historical Sciences, 1898-2000*. Nueva York, Berghahn Books (ed. orig. alem. 1987).

ERLL, A. (2005): *Kollektives Gedächtnis und Erinnerungskulturen*. Stuttgart, J. B. Metzler.

ESPAGNE, M. (1999): *Les transferts culturelles franco-allemands*. París, Presses Universitaires de France.

FEBVRE, L. (1911). *Philippe II et la Franche-Comté. Étude d'histoire politique, religieuse et sociale*. París, H. Champion.

— (1942): *Le problème de l'incroyance au XVIᵉ siècle: La religion de Rabelais*. París, A. Michel.

— (1970): *Combates por la historia*. Barcelona, Ariel, 1970 (trad. incompleta de la ed. orig. fran. de 1953).

FERNÁNDEZ-ARMESTO, F. (2002): *Civilizaciones: La lucha del hombre por controlar la naturaleza*. Madrid, Taurus.

FERRARROTI, F. (1986): *La storia e il quotidiano*. Roma / Bari, Laterza.

FERRATER MORA, J. (1982): *Cuatro visiones de la historia universal*. Madrid, Alianza.

FERRO, M. (1985): *L'histoire sous surveillance. Science et conscience de l'histoire*. París, Calman-Lévy.

FLORISTÁN IMÍZCOZ, A. (2004): «"Ex hostibus et in hostes". La configuración de identidades colectivas como confrontación múltiple», en ÁLVAREZ-OSSORIO, A., y GARCÍA, B. J. (eds.): *La monarquía de las naciones. Patria, nación y naturaleza en la monarquía de España*. Madrid, Fundación Carlos de Amberes, pp. 327-354.

FOGEL, R., y ENGERMAN, S. L. (1981): *Tiempo en la cruz: la economía esclavista en los Estados Unidos*. Madrid, Siglo XXI (ed. orig. ingl. 1974).

FONTANA, J. (1982): *Análisis del pasado y proyecto social*. Barcelona, Crítica.

FOUCAULT, M. (1968): *Las palabras y las cosas. Una arqueología de las ciencias humanas*. México, Siglo XXI.

— (2006): *Historia de la locura en la época clásica*. México, Fondo de Cultura Económica (ed. orig. fran. 1961).

FUETER, E. (1953): *Historia de la historiografía moderna*. Buenos Aires, Nova (I.ª ed. alem. 1911; 3.ª ed. ampl. 1936).

FÜSSMANN, K.; GRÜTTER, H. T., y RÜSEN, J. (1994): *Historische Faszination. Geschichtskultur heute*. Colonia, Böhlau.

GADAMER, H. G. (1977): *Verdad y método*. Salamanca, Sígueme (ed. orig. alem. 1960).

— (1994): *Verdad y método*, II. Salamanca, Sígueme (ed. orig. alem. 1986).

— (1997): *Historia y hermenéutica*. Barcelona, Paidós.

GALASSO, G. (2001): *Nada más que historia. Teoría y metodología*. Barcelona, Ariel.

GARCÍA CÁRCEL, R. (ed.) (2004): *La construcción de las historias de España*. Madrid, Marcial Pons.

GEMELLI, G. (1990): *Fernand Braudel e l'Europa universale*. Venecia, Marsilio.

GEOFF, E. (2003): «Marxist historiography», en BERGER, S.; FELDNER, H., y PASSMORE, K. (eds.): *Writing History. Theory and Practice*. Londres, Arnold, pp. 63-82.

GIL PUJOL, F. X. (1983): *Recepción de la Escuela de Annales en la historia social anglosajona*. Madrid, Fundación Juan March.

— (2008): «Sobre la noción actual de hecho histórico: entre contingencia y construcción», *Scripta Nova. Revista Electrónica de Geografía y Ciencias Sociales,* vol. 12, núm. 270 (145).

GINZBURG, C. (1981): *El queso y los gusanos*. Madrid, Muchnik (ed. orig. ital., 1976).

GOLDSTONE, J. (2008): *Why Europe? The Rise of the West in World History 1500-1850*. Nueva York, McGraw-Hill.

GORDON, F., y CROSS, M. (eds.) (1996): *Early French Feminisms, 1830-1940. A Passion for Liberty*. Cheltenham (Reino Unido) / Brookfield (Vermont, Estados Unidos), Edward Elgar.

GORMAN, J. (2008): *Historical Judgement: The Limits of Historiographical Choice*. Montreal, McGill-Queen's University Press.

GOUBERT, P. (1982): *Beauvais et le Beauvaisis de 1600 a 1730. Contribution à l'histoire sociale de la France du XVIIᵉ siècle*. París, Éditions de l'EHESS.

GREVER, M. (2008): «The Gender of Patrimonial Pride», en WIERINGA, S. (ed.): *Travelling Heritages. New Perspectives on Collecting, Preserving and Sharing Women's History*. Ámsterdam, Aksant.

GRUZINSKI, S. (2004): *Les quatre parties du monde. Histoire d'une mondialisation*. París, La Martinière.

GUENÉE, B. (1980): *Histoire et culture historique dans l'Occident médiéval*. París, Aubier Montaigne.

GUIZOT, F. (1966): *Historia de la civilización en Europa desde la caída del Imperio Romano hasta la Revolución francesa*. Madrid, Alianza (ed. orig. fran. 1828-1830).

GUTTOTMSSON, L. (2000): «The Breakthrough of Social History in Iceland Historiography», en MEYER, F., y MYRE, J. E. (eds.): *Nordic Historiography in the 20ᵗʰ Century*. Oslo, University of Oslo, pp. 265-279.

HALBWACHS, M. (2004): *Los marcos sociales de la memoria*. Barcelona, Anthropos (ed. orig. fran. 1925).

HARDTWIG, W. (1990): *Geschichtskultur und Wissenschaft*. Múnich, DTB.

HARTOG, F. (2003): *Les régimes d'historicité. Présentisme et expériences du temps*. París, Seuil.

— (2007): *Évidence de l'histoire. Ce que voient les historiens*. París, Gallimard, 2.ª ed.

Hernández Sandoica, E. (2004): *Tendencias historiográficas actuales: Escribir historia hoy.* Madrid, Akal.

Hobsbawm, E. (1968): *Rebeldes primitivos. Estudios sobre las formas arcaicas de los movimientos sociales en los siglos XIX y XX.* Barcelona, Crítica.

Hofstadter, R. (1968): *The Progressive Historians. Turner, Beard, Parrington.* Nueva York, A. A. Knopf (trad. esp.: *Los historiadores progresistas,* Buenos Aires, Paidós, 1970).

Hölscher, L. (1996): «Fundamentos teóricos de la historia de los conceptos», en Olábarri, I., y Caspistegui, F. J. (eds.): *La «nueva» historia cultural: la influencia del postestructuralismo y el auge de la interdisciplinariedad.* Madrid, Complutense, pp. 69-82.

Huizinga, J. (1980): *El concepto de la historia y otros ensayos.* México, Fondo de Cultura Económica, 2.ª ed. (1.ª ed. 1946).

Huyssnen, A. (2002): *En busca del futuro perdido. Cultura y memoria en tiempos de globalización.* México, Fondo de Cultura Económica.

Iggers, G., y Wang, Q. E. (2008): *A Global History of Modern Historiography.* Harlow, Pearson.

Iggers, G. G. (1997): *Historiography in the Twentieth Century. From Scientific Objectivity to the Postmodern Challenge.* Hanover, Wesleyan University Press.

— (1998): *La ciencia histórica en el siglo XX: Las tendencias actuales.* Barcelona, Idea Books, 1.ª ed.

Iggers, W., e Iggers, G. (2009): *Dos caras de la historia. Memorial vital de tiempos agitados.* Valencia, Publicacions de la Universitat de València.

Jonas, H. (2008): *El principio de responsabilidad: ensayo de una ética para la civilización tecnológica.* Barcelona, Herder, 2.ª ed.

Jordanova, L. (2000): *History in Practice.* Nueva York, Oxford University Press.

Joutard, P. (2007): «Memoria e historia: ¿cómo superar el conflicto?», *Historia, Antropología y Fuente Oral,* vol. 1, núm. 38, pp. 115-122.

Kagan, R. (2000): «Cartografía y comunidad en el mundo hispánico», *Pedralbes. Revista d'Història Moderna,* vol. 20, núm. 20, pp. 11-36.

Kansteiner, W. (2002): «Finding Meaning in History: A Methodical Critique of Collective Memory Studies», *History and Theory,* núm. 41, pp. 179-197.

Kaye, H. J. (1989): *Los historiadores marxistas británicos: un análisis introductorio.* Zaragoza, Universidad de Zaragoza (ed. orig. ingl. 1984).

Kaye, H. J., y McClelland, K. (eds.) (1990): *E. P. Thompson. Critical Perspectives.* Cambridge, Polity Press.

Kelley, D. (1996): «El giro cultural en la investigación histórica», en Olábarri, J., y Caspistegui, F. J. (eds.): *La «nueva» historia cultural: la influencia del postestructuralismo y el auge de la interdisciplinariedad.* Madrid, Complutense, pp. 35-48.

— (2006): *Frontiers of History: Historical Inquiry in the Twentieth Century.* New Haven, Yale University Press.

Kirsch, J. H.; Saupe, A., y Stopk, K. (eds.) (2010): «Populäre Geschichtsschreibung / Popular Historiography», *Zeithistorische Forschungen / Studies in Contemporary History,* vol. 6 (monográfico), núm. 3, pp. 329-484.

KOCKA, J. (1986): «Theory Orientation and the New Quest for Narrative. Some Trends and Debates in West Germany», *Storia della Storiografia*, núm. 10, pp. 170-181.

— (1989): *Historia social: Concepto. Desarrollo. Problemas.* Barcelona, Alfa (trad. de la 2.ª ed. alem.).

— (1996): «The Uses of Comparative History», en BJÖRK, R., y MOLIN, K. (eds.): *Societies Made Up of History.* Edsbruk, Akademitryck AB.

KOHUT, K. (ed.) (2009): *El oficio del historiador: Teorías y tendencias de la historiografía alemana del siglo XIX.* México, Herder.

KOLAKOWSKI, L. (1980-1983): *Las principales corrientes del marxismo,* 3 vols.: 1. *Los fundadores, 1980;* 2. *La edad de oro, 1982;* 3. *La crisis,* 1983. Madrid, Alianza (ed. orig. 1976-1978).

— (2007): «El comunismo como formación cultural», en KOLAKOWSKI, L. (ed.): *Por qué tengo razón en todo.* Barcelona, Melusina, pp. 283-299.

KORTE. B., y PALETSCHEK, S. (eds.) (2009): *History Goes Pop. Zur Repräsentation von Geschichte in populären Medien und Genres.* Bielefeld, Transcript Verlag.

KOSELLECK, R. (1993): *Futuro pasado.* Barcelona, Paidós.

— (2000): *Zeitgeschichten. Studien zur Historik.* Frankfurt am Main, Suhrkamp, 1.ª ed.

KOSELLECK, R., y GADAMER, H. G. (1997): *Historia y hermenéutica.* Barcelona, Paidós / ICE-UAB.

KRECH, S.; McNEILL, J. R., y MERCHANT, C. (eds.) (2004): *Encyclopedia of World Environmental History,* 3 vols. Nueva York / Londres, Routledge.

KRIEDTE, P.; MEDICK, H., y SCHLUMBOHM, J. (1986): *Industrialización antes de la industrialización.* Barcelona, Crítica (ed. orig. alem. 1977).

KUHN, T. S. (1972): *La estructura de las revoluciones científicas.* México, Fondo de Cultura Económica (ed. orig. ingl. 1962)

KULA, W. (1976): *Teoría económica del sistema feudal.* Buenos Aires, Siglo XXI (2.ª ed. corregida).

KUSA, D. (2012): «*Methodologies of using history as a tool for conciliation (across time, across groups) by stressing multiperspectivity, inclusion, critical thinking and comparison*». Conferencia en Berlín, 29 de mayo de 2009. www.ub.edu/dagmar_kusa.english.html.

LACAPRA, D. (2006): *Historia en tránsito. Experiencia, identidad, teoría crítica.* México, Fondo de Cultura Económica.

LANDES, D. S. (1974): *Las dimensiones del pasado. Estudios de historia cuantitativa.* Madrid, Alianza (ed. orig. ingl. 1972).

LANGLOIS, C., y SEIGNOBOS, C. (1898): *Introduction aux études historiques.* París, Librairie Hachette (trad. esp.: *Introducción a los estudios históricos,* Alicante, Universidad de Alicante, 2003, con introd. de Francisco Sevillano).

LE GOFF, J. (1991): *Pensar la historia. Modernidad, presente, progreso.* Barcelona, Paidós.

LE ROY LADURIE, E. (1966): *Les paysans du Languedoc.* París, SEVPEN.

— (1975): *Montaillou, village occitan.* París, Gallimard (trad. esp.: *Montaillou: aldea occitana, de 1294 a 1324,* Madrid, Taurus, 1981).

LEBOW, R. N. (2006): «The Memory of Politics in Postwar Europe», en LEBOW, R. N.; KAN-

STEINER, W., y FOGU, C. (eds.): *The Politics of Memory in Postwar Europe*. Durham, Duke University Press.

LEVI, G. (1991): «On Microhistory», en BURKE, P. (ed.): *New Perspectives on Historical Writing*. University Park, Pennsylvania State University Press, pp. 114-139.

LIAKOS, A. (2007): «Utopian and Historical Thinking: Interplays and Transferences», *Historein*, núm. 7, pp. 20-57.

LIM, J. (2008): «The Configuration of Orient and Occident in the Global Chain of National Histories: Writing National Histories in Northeast Asia», en BERGER, S. et al. (eds.): *Narrating the Nation: Representations in History, Media and the Arts*. Nueva York, Berghahn Books, pp. 290-308.

LIPP, C. (1990): «Writing History as Political Culture. Social History versus 'Alltagsgeschichte' – A German Debate», *Storia della Storiografia*, vol. 17, pp. 67-99.

LIPP, C., y KASCHUBA, W. (1979): *1848 – Provinz und Revolution. Kultureller Wandel und soziale Bewegung im Königreich Württemberg*, Tubinga, Tübinger Vereinigung für Volkskunde e.V.

LORENZ, C. (2010): «Unstuck in Time: the sudden presence of the past», en TILMANS, K.; VAN VREE, F., y WINTER, J. (eds.): *Performing the Past. Memory, History and Identity in Modern Europe*. Ámsterdam: Amsterdam University Press, pp. 67-105.

LOWENTHAL, D. (1985): *The Past is a Foreign Country*. Cambridge, Cambridge University Press (trad. esp.: *El pasado es un país extraño*, Madrid, Akal, 1998).

LÜDTKE, A. (ed.) (1995): *The History of everyday Life: Reconstructing historical Experience and Ways of Life*. Princeton, Princeton University Press (ed. orig. alem. 1989).

LUKACS, J. (2011): *El futuro de la Historia*. Madrid, Turner.

MacHARDY, K. (1990): «Crisis in History, or: Hermes Unbounded», *Storia della Storiografia*, núm. 17, pp. 5-27.

MacMILLAN, M. (2011): *Juegos peligrosos: Usos y abusos de la historia*. Barcelona, Ariel.

MARROU, H.-I. (1968): *El conocimiento histórico*. Barcelona, Labor.

MARX, K., y ENGELS, F. (1961): *Zur Kritik der Politischen Ökonomie*, en *Werke*. Berlín Oriental, Dietz Verlag (trad. esp.: *Contribución a la crítica de la economía política*, Madrid, Alberto Corazón Editor, 1970).

MASTROGREGORI, M. (1995): «Historiographie et tradition historique des souvenirs. Histoire 'scientifique' des études historiques et histoire globale du rapport avec le passé», en BARROS, C. (ed.): *Historia a debate*. Santiago de Compostela.

MAZLISH, B. (2006): *The New Global History*. Nueva York, Routledge.

McNEILL, J. R. (2000): *Something New Under the Sun. An Environmental History of the Twentieth-Century World*. Nueva York, Norton (trad. esp.: *Algo nuevo bajo el sol. Historia medioambiental del mundo en el siglo XX*, Madrid, Alianza, 2003).

MEDICK, H. (1989): «Missionare im Ruderboot? Ethnologische Erkenntnisweisen als Herausforderung an die Sozialgeschichte», en LÜDTKE, A. (ed.): *Alltagsgeschicte. Zur Rekonstruktion historischer Erfahrungen und Lebenweisen*. Frankfurt, pp. 44-84.

— (ed.) (1995): *Mikro-historie. Neue Pfade in die Sozialgeschichte*. Frankfurt am Main, Fischer.

— (1997): *Weben und Überleben in Laichingen, 1650-1900*. Gotinga, Vandenhoeck & Ruprecht.

MEGILL, A. (1999): «Historiology / Philosophy of Historical Writing», en BOYD, K. (ed.): *Encyclopedia of Historians and Historical Writing*. Londres / Chicago, Fitzroy Dearborn Publishers, pp. 539-543.

MEINECKE, F. (1983): *El historicismo y su génesis*. México, Fondo de Cultura Económica, 1.ª reimpr. de la ed. de 1943 (ed. orig. alem. 1936).

MICHONNEAU, S. (2001): *Barcelona: memòria i identitat. Monuments, commemoracions i mites*. Vic, Eumo.

MIDDELL, M. (ed.) (1999): *Historische Zeitschriften im internationalen Vergleich*. Leipzig, Akademische Verlagsanstalt.

MINUTI, R. (2002): *Internet et le métier d'historien: réflexions sur les incertitudes d'une mutation*. París, Presses Universitaires de la France.

MORIN, E. (2010): *Pour et contre Marx*. París, Temps Présent.

MORRIS-SUZUKI, T. (2005): *The Past within Us: Media, Memory, History*. Londres, Verso.

MOSES, J. A. (1987): «Leopold von Ranke One Hundred Years», *Storia della Storiografia*, vol. 12, núm. 12, pp. 137-147.

MOUSNIER, R. (1984): *Los siglos XVI y XVII*, en CROUZET, M. (dir.): *Historia general de las civilizaciones*. Barcelona, Destino, 5.ª ed. (1.ª ed. 1958).

MÜLLER, B. (ed.) (1994-2003): *Correspondance: Par Marc Bloch et Lucien Febvre*, 3 vols. París, Fayard.

MUÑOZ I LLORET, J. M. (1997): *Jaume Vicens i Vives, una biografia intel·lectual*. Barcelona, Edicions 62.

NIETZSCHE, F. (1972): *Vom Nutzen und Nachteil der Historie für das Leben (1874)*. Berlín.

NOIRIEL, G. (1997): *Sobre la crisis de la historia*. Valencia, Universitat de València.

NORA, P. (1974): «Le retour de l'événement», en LE GOFF, J., y NORA, P. (eds.): *Faire de l'histoire*. París, Gallimard, pp. 210-218.

— (ed.) (1984-1992): *Les liéux de mémoire*, 3 vols. París, Gallimard.

— (ed.) (1986): *Essais d'ego-histoire*. París, Gallimard.

— (2011): *L'histoire, la mémoire et la loi en France (1990-2008)*. www.lph-asso.fr.

NOVICK, P. (1988): *That Noble Dream: The «Objectivity Question» and the American Historical Profession*. Cambridge, Cambridge University Press.

O'BRIEN, P. K. (2000): «Is Universal History Possible? (Introduction)», en JOLSTAD, A., y LUNDE, M. (eds.): *19th International Congress of Historical Sciences. Proceedings / Actes*. Oslo, University of Oslo, pp. 3-19.

OFFENSTADT, N. (ed.) (2006): *Les mots de l'historien*. Toulouse, Presses Universitaires du Mirail.

OSTERHAMMEL, J., y PETERSON, N. (2005): *Globalization. A Short History*. New Jersey, Princeton University Press.

PALOS, J. L. (2000): «El testimonio de las imágenes», *Pedralbes. Revista d'Història Moderna*, núm. 20, pp. 127-144.

PAPACOSTEA, S. (1996): «Captive Clio: Romanian Historiography under Comunist Rule», *European History Quarterly*, núm. 26, pp. 181-208.

PARAVICINI, W. (1998): «Remarques liminaires», en GRELL, C.; PARAVICINI, W., y VÖSS, J.: *Les princes et l'histoire du xive au xviiie siècle*. Bonn, Bouvier Verlag, 1998.

PARTNER, N., y MIYAKE, M. (1995): «Fiction, narrativité, objectivité / Fictionality, Narrativity, Objectivite: Report», en *XVIII Congrès International des Sciences Historiques: Actes / 18th International Congress of Historical Sciences: Proceeding*. Quebec, CISH, Université du Québec à Montréal, pp. 159-171.

PETER (ed.) (1991): *Lucie Varga, Zeitenwende. Mentalitätshistorische Studien 1936-1939*. Frankfurt am Main, Suhrkamp-Verlag (ed. orig. fran. 1991).

PETHES, N., y RUCHATS, J. (eds.) (2001): *Gedächtnis und Erinnerung*. Hamburgo, Rowohlt.

PETIT SULLÁ, J. M.ª (1977): *Filosofía, política y religión en el sistema de Augusto Comte*. Barcelona, Publicaciones, Intercambio Científico y Extensión Universitaria.

POMIAN, K. (1999): *Sur l'histoire*. París, Gallimard.

POPESCU, L. (2009): *Historical Knowledge in Western Civilization: Studies beyond the Sovereign View*. Saarbrücken, VDM.

PORCIANI, I., y RAPHAEL, L. (eds.) (2010): *Atlas of European Historiography: The Making of a Profession, 1800-2005*. Houndmills, Palgrave MacMillan.

PORRIER, P. (2009): *Introduction à l'historiographie*. París, Belin.

RADKAU, J. (2008): *Nature and Power: A Global History of the Environment*. Nueva York, Publications of the German Historical Institute / Cambridge University Press (ed. orig. alem. 2000).

RANKE, L. (1979): *Pueblos y Estados en la Edad Moderna*. México, Fondo de Cultura Económica.

RAPHAEL, L. (2003): *Geschichtswissenschaft im Zeitalter der Extreme. Theorie, Methoden, Tendenzen von 1900 bis zur Gegenwart*. Múnich, C. H. Beck.

REVEL, J. (ed.) (1996): *Jeux d'échelles. La micro-analyse à l'expérience*. París, Seuil / Gallimard.

— (2001): *Las construcciones francesas del pasado. La escuela francesa y la historiografía del pasado*. México, Fondo de Cultura Económica (ed. orig. fran. 1996).

REY CASTELAO, O. (2007): «El peso de la herencia: la influencia de los modelos clásicos en la historiografía barroca», *Pedralbes. Revista d'Història Moderna*, vol. 27, núm. 27, pp. 35-57.

RICHARDSON, R. C. (1988): *The Debate on the English Revolution revisited*. Londres, Routledge, 2.ª ed.

RICŒUR, P. (1990): «Objetividad y subjetividad en historia», en RICŒUR, P. (ed.): *Historia y verdad*. Madrid, Encuentro, 3.ª ed.

— (1991): «Life in Quest of Narrative», en WOOD, D. (ed.): *On Paul Ricœur. Narrative and Interpretation*. Nueva York, Routledge.

— (1999): *Historia y narratividad*. Barcelona, Paidós.

— (2003a): *La memoria, la historia, el olvido*. Madrid, Trotta (ed. orig. fran. 2000).

— (2003b): *Tiempo y narración. Configuración del tiempo en el relato histórico*. México, Siglo XXI, 3.ª ed.

Ritzer, G. (2000): *El encanto de un mundo desencantado*. Barcelona, Ariel.

Romero Recio, M. (2008): «Traductions libérales d'histoire ancienne, un espace de liberté dans la pensée absolutiste hégémonique», *Anabases. Traditions et réception de l'Antiquité*, núm. 7, pp. 35-55.

Rorty, R. (1967): *The Linguistic Turn. Recent Essays in Philosophical Method*. Chicago / Londres, Chicago University Press (trad. esp.: *El giro lingüístico: dificultades metafilosóficas de la filosofía lingüística*, Barcelona, Paidós, 1990).

Rosenstone, R. (2006): *History on Film / Film on History*. Londres, Pearson.

Ruiz-Domènec, J. (1999): *Rostros de la historia. Veintiún historiadores para el siglo XXI*. Barcelona, Península.

Rüsen, J. (2005): *History: Narration, Interpretation, Orientation*. Nueva York, Berghahn Books.

— (2012): *¿Qué es la cultura histórica?* www.culturahistorica.es/ruesen/cultura_historica.pdf.

Sahlins, M. (1988): *Islas de historia: la muerte del Capitán Cook. Metáfora, antropología e historia*. Barcelona, Gedisa.

Said, E. (1978): *Orientalism*. Nueva York, Pantheon Books (trad. esp.: *Orientalismo*, Barcelona, Debolsillo, 2003).

Sánchez Costa, F. (2009a): «Cultura histórica y nombres de calles. Aproximación al nomenclátor contemporáneo de Barcelona y Madrid», *Memoria y civilización*, núm. 12.

— (2009b): «La cultura histórica. Una aproximación diferente a la memoria colectiva», *Pasado y Memoria. Revista de Historia Contemporánea*, núm. 8.

— (2011): *Memòria pública i debat polític a Barcelona (1931-1936). L'Esquerra Republicana i la Lliga Catalana davant el passat i el futur de Catalunya*. Barcelona, Universitat Internacional de Catalunya (tesis doctoral).

Sánchez Marcos, F. (1993): *Invitación a la historia. La historiografía, de Heródoto a Voltaire, a través de sus textos*. Barcelona, Labor, 2.ª ed.

— (1999): «Influencia de la historiografía germánica en España, 1990-1999», en Barros, C. (ed.): *Actas del III Congreso Internacional Historia a Debate*. Santiago de Compostela.

— (2000): «Verdad, libertad, solidaridad: los compromisos éticos del historiador», en Barros, C. (ed.): *Actas del II Congreso Internacional Historia a Debate*, Santiago de Compostela, t. II, pp. 240-242. www.culturahistorica.es/sanchez_marcos/compromisos_eticos_del_historiador.pdf.

— (2005): «Memory-History vs. Science-History? The Attractiveness and Risks of an historiographical Trend», *Storia della Storiografia*, núm. 48, pp. 117-129.

— (2012): «Don Juan de Austria in European Historical Culture. The Twentieth-Century Metamorphosis of a Popular Hero», en Korte, B., y Paletschek, S. (eds.): *Popular History Now and Then: International Perspectives*. Bielefeld, Transcript, pp. 203-230.

Sánchez Marcos, F., y Sánchez Costa, F. (2007): «Identities, Memories and Street Names in Barcelona, Lima and Manila», en *International Conference on «New Orientations in Historiography»: Papers*. Shanghai, East China Normal University (ECNU), pp. 134-160.

Sánchez Prieto, J. M. (1993): *El imaginario vasco. Representaciones de una conciencia histó-*

rica, nacional y política en el escenario europeo, 1833-1876. Barcelona, Ediciones Internacionales Universitarias.

SCHAEFFLER, R. (1980): *Einführung in die Geschichtsphilosophie.* Darmstadt, Wissenschaftliche Buchgesellschaft, 2.ª ed. ampliada.

SCHENK, G. J. (ed.). (2009): *Katastrophen. Vom Untergang Pompejis bis zum Klimawandel.* Stuttgart, Thorbecke.

SCHILLING, H. (1981): *Konfessionskonflikt und Staatsbildung. Eine Fallstudie über das Verhältnis von religiösem und sozialem Wandel in der Frühneuzeit am Beispiel der Grafschaft Lippe.* Gütersloh, G. Mohn.

SCHLEIER, H. (1988): *Karl Lamprecht: Alternative zu Ranke. Schriften zur Geschichtstheorie.* Leipzig, P. Reclam Jr.

SCHNEIDER, A., y WOOLF, D. (eds.) (2011): *Oxford History of Historical Writing*, v. 5: *Historical Writing since 1945.* Oxford, Oxford University Press.

SCHÖNNEMANN, B. (2003): «Geschichtsdidaktik, Geschichtskultur, Geschichtswissenschaft», en GÜNTHER-ARNDT, H. (ed.): *Geschichtsdidaktik. Praxishandbuch Für Die Sekundarstufe I Und II.* Berlín, Cornelsen, Verlag, pp. 11-22.

SCHÖTTLER, P. (1992): «Lucie Varga, a Central European Refugee in the Circle of the French "Annales", 1934-1941», *History Workshop Journal*, núm. 33, pp. 100-120.

SCHULZE, H., y FRANÇOIS, E. (eds.) (2001): *Deutsche Erinnerungsorte*, 3 vols. Múnich, C. H. Beck.

SCOTT, J. W. (1993): «Historia de las mujeres», en BURKE, P. (ed.): *Formas de hacer historia.* Madrid, Alianza, pp. 59-89.

— (1996): «Gender: A Useful Category of Historical Analysis», en SCOTT, J. W. (ed.): *Feminism & History.* Oxford, Oxford University Press, pp. 152-181.

SEGURA, C. (1995): «Algunas cuestiones a debatir sobre la historia de las mujeres», en BARROS, C. (ed.): *Historia a Debate: Actas*, vol. 2, *El retorno del sujeto*, Historia a Debate, Santiago de Compostela, pp. 285-297.

SEIXAS, P. (2007): «Who Needs a canon?», en GREVER, M., y STUURMAN, S. (eds.): *Beyond the Canon: History for the 21ˢᵗ Century.* Londres, Palgrave-Macmillan.

SELLSTROM, A. D. (1982): «La Mort de Pompée: Roman History and Tass's Theory of Christian Epic», *PMLA*, vol. 97, núm. 5 (octubre), pp. 830-843.

SERNA, J., y PONS, A. (2005): *La historia cultural. Autores, obras, lugares.* Madrid, Akal.

SERRANO, C. (1999): *El nacimiento de Carmen. Símbolos, mitos y nación.* Madrid, Taurus.

SETH, S. (2008): «Which Past? Whose Trascendental Presupposition?», *Postcolonial Studies*, vol. 11, núm. 2, pp. 215-226.

SIEMANN, W. (ed.) (2003): *Umweltgeschichte. Themen und Perspektiven.* Múnich, Beck.

SIMON TARRÉS, A. (dir.) (2003): *Diccionari d'historiografia catalana.* Barcelona, Enciclopèdia Catalana.

SMITH, B. (ed.). (2004): *Women's History in Global Perspective.* Urbana, University of Illinois Press.

SOUTHGATE, B. (1996): *History: What & Why? Ancient. Modern and Postmodern Perspectives.* Londres, Routledge.

SPEITKAMP, W. (ed.) (1997): *Denkmalsturz. Zur Konfliktgeschichtepolitischer Symbolik.* Gotinga, Vandenhoeck & Ruprecht.

STERN, F. (ed.) (1972): *The Varieties of History, from Voltaire to the Present.* Nueva York, Meridian Books, 2.ª ed. rev. (1.ª ed. 1956).

STONE, L. (1976): *La crisis de la aristocracia.* Madrid, Revista de Occidente.

— (1986): «El resurgimiento de la narrativa: reflexiones acerca de una nueva y vieja historia», en STONE, L. (ed.): *El pasado y el presente.* México, Fondo de Cultura Económica, pp. 95-120 (ed. orig. ingl. 1979).

— (1991): «Historia y postmodernismo», *Past and Present*, núm. 131.

STRAUB, J. (ed.) (1998): *Erzählung, Identität und historisches Bewusstsein. Die psychologishe Konstruktion von Zeit und Geschichte.* Frankfurt am Main, Suhrkamp.

STROMBERG, R. N. (1975): *An Intellectual History of Modern Europe.* Prentice Hall, Englewood Cliffs, 2.ª ed. (trad. esp.: *Historia intelectual europea desde 1789*, Madrid, Debate, 1989).

THOMPSON, E. P. (1963): *The Making of the English Working Class, 1780-1832.* 3 vols. Londres, Victor Gollancz (trad. esp.: *La formación de la clase obrera. Inglaterra: 1780-1832.* Barcelona, Laia, 1977).

THUILLIER, G., y TULARD, J. (1990): *Les écoles historiques.* París, Presses Universitaires de France.

TOEWS, J. (1987): «Intellectual History after the Linguistic Turn. The Autonomy of Meaning and the Irreducibility of Experience», *American Historical Review*, vol. 92, núm. 4, pp. 879-907.

TOLLEBEEK, J. (2008): «A Stormy Family, Paul Fredericq and the Formation of an Academic Historical Community in the Nineteenth-Century», *Storia della Storiografia*, núm. 53, pp. 58-72.

TORTAROLO, E. (2006): «Le riviste storiche», en FILIPPI, M. (ed.): *I laboratori del sapere. Università e riviste nella Torino del Novecento.* Bolonia, Il Mulino, pp. 15-36.

TOZZI, V. (2006): «¿Por qué reescribimos la historia? Sobre el despropósito de un relato definitivo del pasado», *Revista Latinoamericana de Filosofía*, vol. 31, núm. 2, pp. 315-340.

TRAVERSO, E. (2007): *El pasado, instrucciones de uso. Historia, memoria, política.* Madrid, Marcial Pons.

TUCKER, A. (2009): «Introduction», en TUCKER, A. (ed.): *A Companion to the Philosophy of History and Historiography.* Boston, Wiley-Blackwell.

VAN DER LEEUW-ROORD, J. (2007): *Beyond the Nation. Trans-national Textbooks*, www.culturahistorica.es/joke/trans-national_textbooks.pdf.

VÁZQUEZ DE PRADA, V.; OLÁBARRI, I., y FLORISTÁN IMÍZCOZ, A. (eds.) (1985): *La historiografía en Occidente desde 1945. Actas de las III Conversaciones Internacionales de Historia, Pamplona 5-7 abril 1984.* Pamplona, Ediciones Universidad de Navarra.

VEIT-BRAUSE, I. (1990): «Paradigms, Schools, Traditions. Conceptualizing Shifts and Changes in the History of Historiography», *Storia della Storiografia*, vol. 17, pp. 51-65.

VIENNOT, E. (1993): *Marguerite de Valois: Histoire d'une femme, histoire d'un mythe.* París, Payot.

VILAR, P. (1962): *La Catalogne dans l'Espagne Moderne. Recherches sur les fondements économiques des structures nationales*, 3 vols. París, SEVPEN (trad. esp.: *Cataluña en la España moderna: investigaciones sobre los fundamentos económicos de las estructuras nacionales*. Barcelona, Crítica, 1978).

— (1980): *Iniciación al vocabulario del análisis histórico*. Barcelona, Crítica.

VINYES, R. (2009): *El Estado y la memoria. Gobiernos y ciudadanos frente a los traumas de la historia*. Barcelona, RBA.

WALLERSTEIN, I. (1974): *The Modern World-System*, 3 vols. Nueva York, Academic Press.

WEBER, M. (1951): *Gesammelte Aufsätze zur Wissenschaftlehre*. Tubinga, Mohr, 2.ª ed. (trad. esp. de buena parte: *Ensayos sobre metodología sociológica*. Buenos Aires, Amorrortu, 1958).

— (1969): *La ética protestante y el espíritu del capitalismo*. Barcelona, Península (1.ª ed. alem. 1901-1902).

WERTSCH, J. V. (2007): *Voices of Collective Remembering*. Cambridge, Cambridge University Press, 2.ª ed. (1.ª ed. 2002).

WHITE, H. (1978): *Tropics of Discourse*. Londres, Johns Hopkins University Press.

— (1992a): *El contenido de la forma*. Barcelona, Paidós (ed. orig. ingl. 1989).

— (1992b): *Metahistoria. La imaginación histórica en la Europa del siglo XIX*. México, Fondo de Cultura Económica (ed. orig. ingl. 1973).

— (1992c): «La metafísica de la narratividad: tiempo y símbolo en la filosofía de la historia de Ricœur», en WHITE, H.: *El contenido de la forma*. Barcelona, Paidós.

— (2005): *El texto histórico como artefacto literario*. Barcelona, Paidós.

WOOLF, D. (2011): *A Global History of History*. Cambridge, Cambridge University Press.

ZALA, S. (2001): «"Wir kennen nur eine einzige Wissenschaft, die Wissenschaft der Geschichte". Unzeitgemässe Betrachtungen eines 'Junghistorikers'», *Traverse. Zeitschrift für Geschichte*, núm. 8, pp. 19-28.

ZERMEÑO PADILLA, G. (2004): *La cultura moderna de la historia: una aproximación teórica e historiográfica*. México, El Colegio de México, 2.ª reimpr.

ZERUBAVEL, E. (2003): *Time Maps. Collective Memory and the Social Shape of the Past*. Chicago, The University of Chicago Press.

ZINSSER, J. P. (1993): *History and Feminism. A Glass Half Full*. Nueva York, Twayne.

Índice onomástico